GATOS GUERREIROS

FOGO E GELO

ERIN HUNTER

GATOS GUERREIROS

FOGO E GELO

Tradução
MARILENA MORAES

Revisão da tradução
SILVANA VIEIRA

1ª edição *2010*
7ª tiragem *2024*

Tradução
MARILENA MORAES

Revisão da tradução
Silvana Vieira
Acompanhamento editorial
Márcia Leme
Revisões
Ana Paula Luccisano
Márcia Leme
Edição de arte
Katia Harumi Terasaka
Produção gráfica
Geraldo Alves
Paginação
Studio 3 Desenvolvimento Editorial
Arte e design da capa
©Hauptmann & Kompanie, Zurique.

Dados Internacionais de Catalogação na Publicação (CIP)
(Câmara Brasileira do Livro, SP, Brasil)

Hunter, Erin
Gatos guerreiros : fogo e gelo / Erin Hunter ; tradução Marilena Moraes ; revisão da tradução Silvana Vieira. – São Paulo : Editora WMF Martins Fontes, 2010.

Título original: Warriors II : fire and ice.
ISBN 978-85-7827-346-0

1. Literatura infantojuvenil I. Título.

10-11030 CDD-028.5

Índices para catálogo sistemático:
1. Literatura infantojuvenil 028.5
2. Literatura juvenil 028.5

Editora WMF Martins Fontes Ltda.
Rua Prof. Laerte Ramos de Carvalho, 133 01325.030 São Paulo SP Brasil
Tel. (11) 3293.8150 e-mail: info@wmfmartinsfontes.com.br
http://www.wmfmartinsfontes.com.br

Para meu filho Joshua, que me alegrou com seu sorriso enquanto eu escrevia, e para Vicky, minha editora; sem ela, Coração de Fogo jamais teria se tornado um guerreiro.

Agradecimentos especiais a Kate Cary.

AS ALIANÇAS

clã do trovão

LÍDER	**ESTRELA AZUL** – gata azul-acinzentada, de focinho prateado
REPRESENTANTE	**GARRA DE TIGRE** – gatão marrom-escuro, de pelo malhado, com garras dianteiras excepcionalmente longas.
CURANDEIRA	**PRESA AMARELA** – velha gata de pelo escuro e cara larga e achatada, que antes fazia parte do Clã das Sombras.
GUERREIROS	(gatos e gatas sem filhotes)
	NEVASCA – gatão branco. **APRENDIZ, PATA DE AREIA**
	RISCA DE CARVÃO – gato de pelo macio, malhado de preto e cinza. **APRENDIZ, PATA DE POEIRA**
	RABO LONGO – gato de pelo desbotado com listas pretas. **APRENDIZ, PATA LIGEIRA**
	VENTO VELOZ – gato malhado e veloz.
	PELE DE SALGUEIRO – gata cinza-claro, com excepcionais olhos azuis.
	PELO DE RATO – pequena gata de pelo marrom-escuro.
	CORAÇÃO DE FOGO – belo gato de pelo avermelhado. **APRENDIZ, PATA DE CINZA**
	LISTRA CINZENTA – gato de longo pelo cinza-chumbo. **APRENDIZ, PATA DE SAMAMBAIA**
APRENDIZES	(com idade superior a seis luas, em treinamento para se tornarem guerreiros)
	PATA DE AREIA – gata de pelo alaranjado.

	PATA DE POEIRA – gato malhado em tons marrom-escuros.
	PATA LIGEIRA – gato preto e branco.
	PATA DE CINZA – gata cinza-escuro.
	PATA DE SAMAMBAIA – gato malhado em tons castanhos.
RAINHAS	(gatas que estão grávidas ou amamentando)
	PELE DE GEADA – com belíssimo pelo branco e olhos azuis.
	CARA RAJADA – bonita e malhada.
	FLOR DOURADA – pelo alaranjado claro.
	CAUDA SARAPINTADA – malhada, cores pálidas, a rainha mais velha do berçário.
ANCIÃOS	(antigos guerreiros e rainhas, agora aposentados)
	MEIO RABO – gatão marrom-escuro, sem um pedaço da cauda.
	ORELHINHA – gato cinza, de orelhas muito pequenas; gato mais velho do Clã do Trovão.
	RETALHO – pequeno gato de pelo preto e branco.
	CAOLHA – gata cinza-claro, membro mais antigo do Clã do Trovão, praticamente cega e surda.
	CAUDA MOSQUEADA – gata atartarugada, belíssima em outros tempos, com bonito pelo sarapintado.

clã das sombras

LÍDER	**MANTO DA NOITE** – gato preto.
REPRESENTANTE	**PELO CINZENTO** – gato cinza e magro.
CURANDEIRO	**NARIZ MOLHADO** – pequeno gato de pelo cinza e branco.

GUERREIROS	**CAUDA TARRAXO** – gato malhado, marrom. **APRENDIZ, PATA MARROM**
	PÉ MOLHADO – gato malhado de cinza. **APRENDIZ, PATA DE CARVALHO**
	NUVENZINHA – gato bem pequeno, malhado.
RAINHAS	**NUVEM DA AURORA** – pequena gata malhada.
	FLOR DO ANOITECER – gata preta.
	PAPOULA ALTA – gata malhada em tons de marrom--claro, de longas pernas.
ANCIÃOS	**PELO DE CINZAS** – gato cinzento e magro.

clã do vento

LÍDER	**ESTRELA ALTA** – gato branco e preto, de cauda muito longa.
REPRESENTANTE	**PÉ MORTO** – gato preto com uma pata torta.
CURANDEIRO	**CASCA DE ÁRVORE** – gato marrom, de cauda curta.
GUERREIROS	**GARRA DE LAMA** – gato malhado, marrom-escuro. **APRENDIZ, PATA DE TEIA**
	ORELHA RASGADA – gato malhado. **APRENDIZ, PATA VELOZ**
	BIGODE RALO – jovem gato malhado, marrom. **APRENDIZ, PATA ALVA**
RAINHAS	**PÉ DE CINZAS** – gata de pelo cinza.
	FLOR DA MANHÃ – gata atartarugada.

clã do rio

LÍDER	**ESTRELA TORTA** – gato enorme, de pelo claro e mandíbula torta.

REPRESENTANTE	**PELO DE LEOPARDO** – gata de pelo dourado e manchas incomuns.
CURANDEIRO	**PELO DE LAMA** – gato de pelo longo, cinza-claro.
GUERREIROS	**GARRA NEGRA** – gato negro-acinzentado. **APRENDIZ, PATA PESADA**
	PELO DE PEDRA – gato cinza com cicatrizes de batalhas nas orelhas. **APRENDIZ, PATA DE SOMBRA**
	VENTRE RUIDOSO – gato marrom-escuro. **APRENDIZ, PATA DE PRATA**
	ARROIO DE PRATA – gata malhada de prateado, bonita e elegante.
	GARRA BRANCA – gato de pelo escuro.

gatos que não pertencem a clãs

BORRÃO – gatinho roliço e simpático, de pelo preto e branco, que mora numa casa à beira da floresta.

CEVADA – gato preto e branco, que mora numa fazenda perto da floresta.

ESTRELA PARTIDA – gato malhado de marrom-escuro, pelo longo, antigo líder do Clã das Sombras.

PÉ PRETO – gatão branco, com enormes patas pretas retintas, antigo representante do Clã das Sombras.

CARA RASGADA – gato marrom, com cicatrizes de batalhas.

ROCHEDO – gato malhado de prateado.

PATA NEGRA – gato negro, magro, com cauda de ponta branca.

PRINCESA – gata malhada em tons marrom-claro, com peito e patas brancos. Gatinha de gente.

FILHOTE DE NUVEM – o primeiro filhote de Princesa; branco e de pelo longo.

Pedras Altas
Fazenda do Cevada
Acampamento do Clã do Vento
Quatro Árvores
Queda-d'Água
Árvore da Coruja
Rio
Rochas Ensolaradas
Acampamento do Clã do Rio

Ponto da Carniça
Acampamento do
Clã das Sombras
Acampamento do
Clã do Trovão
Grande Plátano
Rochas das Cobras
Pinheiros Altos
Ponto de Corte
de Árvores
Lugar dos Duas-
-Pernas
Clã do Trovão
Clã do Rio
Clã das Sombras
Clã do Vento
Clã das Estrelas

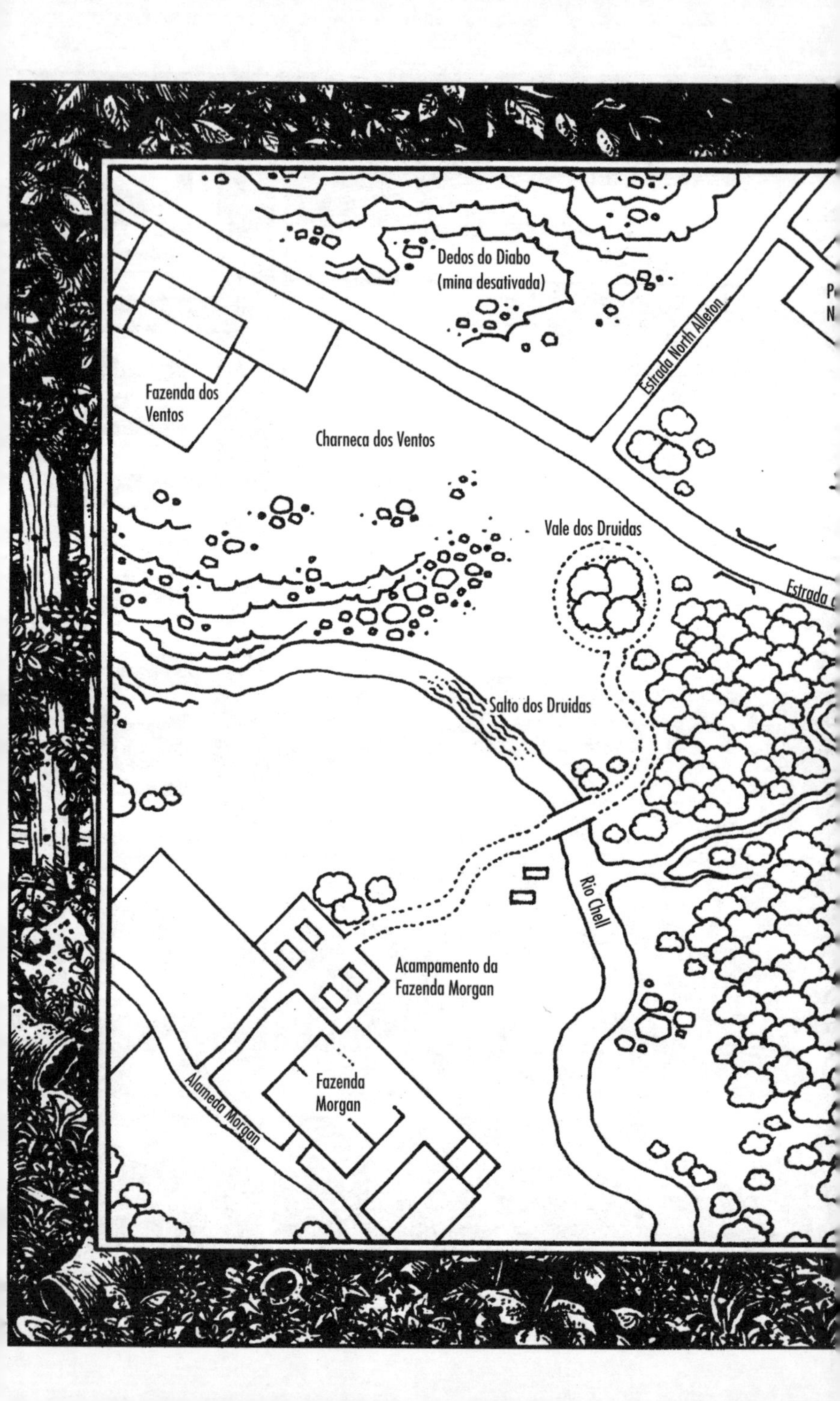
Dedos do Diabo
(mina desativada)
Estrada North Alleton
Fazenda dos
Ventos
Charneca dos Ventos
Vale dos Druidas
Salto dos Druidas
Rio Chell
Acampamento da
Fazenda Morgan
Fazenda
Morgan
Alameda Morgan

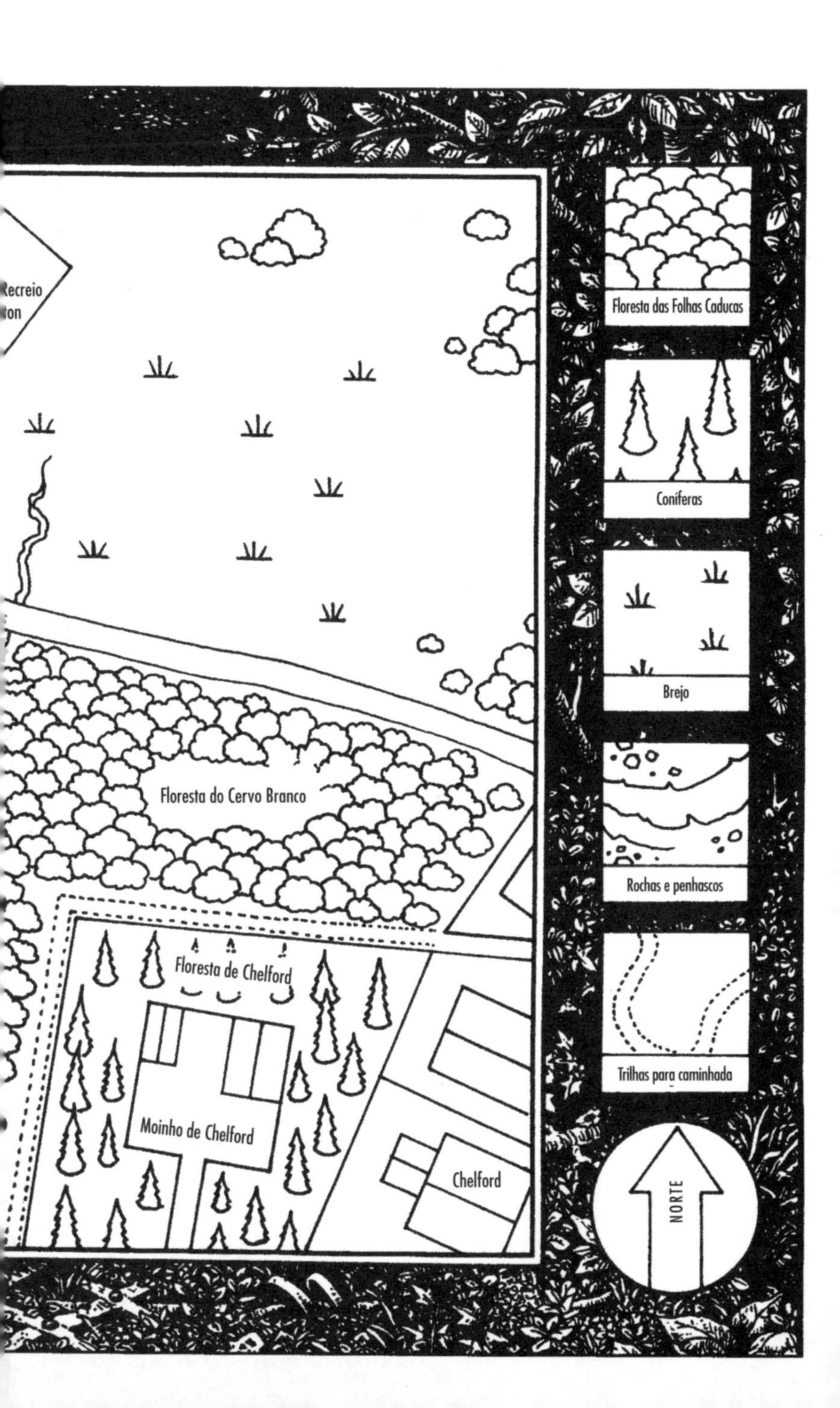

Floresta das Folhas Caducas
Coníferas
Brejo
Rochas e penhascos
Trilhas para caminhada
NORTE
Floresta do Cervo Branco
Floresta de Chelford
Moinho de Chelford
Chelford

PRÓLOGO

CHAMAS ALARANJADAS SE ELEVAM no ar frio, lançando fagulhas no céu escuro. Seu clarão dança no descampado de grama maltratada, projetando os contornos dos Duas-Pernas reunidos em volta da fogueira.

Um par de luzes brancas aparece a distância, anunciando a aproximação de um monstro. Ele ruge ao passar pelo Caminho do Trovão, que se eleva rumo ao céu, e enche o ar com vapores acres.

Na beira do descampado, um gato se movimenta, os olhos brilhando nas sombras. As orelhas empinadas se mexem, depois se abaixam com o barulho. Seguem-se mais gatos, um a um, invadindo a grama suja. Trazem as caudas abaixadas enquanto farejam o ar amargo com os lábios crispados.

– E se os Duas-Pernas nos virem? – pergunta um deles.

Um gatão responde, com os olhos cor de âmbar refletindo a luz do fogo. – Não vão conseguir. Os Duas-Pernas enxergam mal à noite. – Quando ele avança, as chamas iluminam a pelagem branca e preta de seus ombros fortes. Ele mantém alta a cauda longa, enviando a seu clã uma mensagem de bravura.

Mas os outros felinos se agacham na grama, tremendo. É um lugar estranho. O barulho dos monstros golpeia-lhes o sensível pelo das orelhas e o fedor ácido irrita suas narinas.

– Estrela Alta? – Uma rainha cinza agita a cauda, irrequieta. – Por que viemos *aqui*?

O gato preto e branco responde: – Fomos expulsos de todos os lugares onde tentamos nos estabelecer, Pé de Cinzas. Talvez encontremos um pouco de paz aqui.

– Paz? Aqui? – ela repete, incrédula, puxando o filhote para protegê-lo sob a barriga. – Com fogo e monstros? Meus filhotes não vão estar seguros!

– Mas não estávamos seguros em casa – mia outra voz. Um gato preto se adianta, mancando pesadamente numa pata torta. Ele sustenta o olhar cor de âmbar de Estrela Alta. – Não conseguimos protegê-los do Clã das Sombras – dispara. – Nem no nosso próprio acampamento!

Ao se lembrarem da terrível batalha que os expulsara do planalto, na fronteira da floresta, alguns felinos deixam escapar uivos nervosos. Um jovem aprendiz se queixa: – Estrela Partida e seus guerreiros ainda podem estar no nosso encalço!

O ruído alerta um dos Duas-Pernas, que se levanta inquieto e olha firme no rumo das sombras. De imediato os gatos fazem silêncio, agachando-se ainda mais; até mesmo Estrela Alta abaixa a cauda. Os Duas-Pernas gritam na escuridão e atiram alguma coisa na direção deles. O míssil passa acima de suas cabeças e explode em pedaços afiados como espinhos no Caminho do Trovão.

Pé de Cinzas se esquiva, mas um fragmento roça-lhe o ombro; sem nada dizer, ela enrosca o corpo à volta do filhote apavorado.

– Fiquem encolhidos – sibila Estrela Alta.

O Duas-Pernas perto da fogueira cospe no chão, depois volta a se sentar.

Os gatos aguardam até que Estrela Alta se levante novamente.

Pé de Cinzas também se ergue, retraindo-se ao sentir o ombro doer. – Estrela Alta, temo pela nossa segurança aqui. E o que vamos comer? Não farejo presa alguma.

Estrela Alta estica o pescoço e gentilmente repousa o focinho na cabeça da rainha. – Sei que você está com fome – ele mia. – Mas estaremos mais seguros aqui do que no nosso antigo território, nos campos dos Duas-Pernas ou na floresta. Olhe para este lugar! Nem os guerreiros do Clã das Sombras nos seguiriam até aqui. Não há cheiro de cães e esses Duas-Pernas não se aguentam em pé. – Ele se vira para o gato preto com a pata torta, ordenando: – Pé Morto, vá com Bigode Ralo e tentem achar alguma coisa para comer. Se há Duas-Pernas, deve haver ratos.

– Ratos? – dispara Pé de Cinzas enquanto Pé Morto e o jovem gato malhado se afastam. – É o mesmo que comer carniça!

– Quieta! – sibila uma gata atartarugada ao seu lado. – Comer carne de rato é melhor do que morrer de fome!

Pé de Cinzas franze as sobrancelhas e inclina a cabeça para lamber atrás das orelhas malhadas do filhote.

– Precisamos encontrar um lugar para nos instalar, Pé de Cinzas – observa a gata atartarugada, acrescentando em seguida, com mais ternura: – Flor da Manhã precisa descansar e comer. Os bebês logo vão nascer. Ela precisa estar forte.

As formas esguias de Pé Morto e Bigode Ralo surgem das sombras.

– Você tem razão, Estrela Alta – diz Pé Morto. – Há cheiro de rato por todo canto, e acho que encontramos um lugar onde nos abrigar.

– Mostre-nos – ordena Estrela Alta, convocando o resto do clã com um rápido movimento de cauda.

Com cuidado, os gatos seguem pelo descampado atrás de Pé Morto. Ele os conduz rumo ao Caminho do Trovão, que se eleva acima deles, com a luz da fogueira agigantando suas sombras contra enormes pernas de pedra. Um monstro ruge lá no alto e o chão treme. Mas até mesmo o menor dos filhotes percebe que é necessário fazer silêncio e, embora tremendo, contém o choro.

– Aqui – mia Pé Morto, parando ao lado de um buraco redondo, da altura de dois gatos. Um túnel negro desce pelo chão, abrigando dentro dele um fluxo de água contínuo.

– É água potável – Pé Morto acrescenta. – Podemos bebê-la.

– Nossas patas vão ficar molhadas dia e noite! – reclama Pé de Cinzas.

– Estive lá dentro – diz o gato preto. – Há uma área longe da água. Ao menos estaremos a salvo dos Duas-Pernas e dos monstros.

Estrela Alta dá um passo à frente, eleva o queixo e declara: – O Clã do Vento já viajou suficiente. Já faz quase uma lua que o Clã das Sombras nos expulsou de casa. O tempo está esfriando, a estação sem folhas logo chegará. Nossa única opção é ficar.

Pé de Cinzas estreita os olhos. Em silêncio, junta-se ao clã e, um atrás do outro, os gatos entram no túnel sombrio.

CAPÍTULO 1

Coração de Fogo tiritava. Seu pelo cor de chama ainda estava ralo por causa da estação das folhas verdes; só depois de algumas luas estaria espesso suficiente para protegê-lo de um frio assim. Pisou na terra dura com as patas dianteiras. Com a aproximação da aurora, o céu, finalmente, começava a clarear. Mesmo com as patas geladas, não podia evitar a sensação de orgulho. Depois de muitas luas como aprendiz, era, afinal, um guerreiro.

Repassava na lembrança a vitória da véspera no acampamento do Clã das Sombras: os olhos coruscantes de Estrela Partida, líder do Clã das Sombras, ao recuar, sibilando ameaças, antes de fugir rumo às árvores atrás de seus companheiros traidores. Os gatos que restaram do Clã das Sombras ficaram agradecidos ao Clã do Trovão por ajudá-los a se livrar do líder cruel e por prometer que os deixariam em paz enquanto se recuperavam. Estrela Partida não apenas levara o caos ao próprio clã; ele expulsara todo o Clã do Vento do próprio acampamento, tirando-os do território dos clãs. Ela era uma sombra negra na floresta desde antes de Coração de Fogo ter deixado sua vida de gatinho de gente para se juntar ao Clã do Trovão.

Mas outra sombra também lhe perturbava a mente: Garra de Tigre, o representante do Clã do Trovão. Coração de Fogo tremia ao pensar no grande guerreiro, que tinha aterrorizado seu próprio pupilo, Pata Negra. No final, Coração de Fogo e seu melhor amigo, Listra Cinzenta, haviam ajudado o assustado aprendiz a escapar para o território dos Duas-Pernas, além do planalto. Depois disso, Coração de Fogo dissera ao clã que Pata Negra fora morto pelo Clã das Sombras.

Se fosse verdade o que Pata Negra dissera a respeito de Garra de Tigre, era melhor que o representante do Clã do Trovão acreditasse que seu aprendiz estava morto, pois ele sabia um segredo que Garra de Tigre faria qualquer coisa para ocultar. Pata Negra dissera a Coração de Fogo que o poderoso guerreiro malhado havia assassinado Rabo Vermelho, o antigo representante do Clã do Trovão, na esperança de se tornar o novo representante... o que acabou acontecendo.

Coração de Fogo balançou a cabeça para se livrar desses pensamentos sombrios e se virou para Listra Cinzenta, cujo pelo espesso e grosso estava encrespado por causa do frio. Imaginou que o amigo também estivesse ansioso pelos primeiros raios de sol, mas nada comentou. A tradição do clã exigia silêncio nessa noite. Estavam na vigília, a noite em que um novo guerreiro guarda o clã e reflete sobre seu novo nome e sua nova situação. Até a véspera, Coração de Fogo era conhecido pelo seu nome de aprendiz, Pata de Fogo.

Meio Rabo foi um dos primeiros a acordar. Coração de Fogo viu o velho gato se mexendo entre as sombras na toca dos anciãos. Olhou para a toca dos guerreiros, do outro lado da clareira. Entre os galhos que protegiam a toca, reconheceu os ombros largos de Garra de Tigre, que dormia.

Aos pés da Pedra Grande, a cortina de líquen na entrada da toca de Estrela Azul se agitou, e Coração de Fogo viu a líder do clã sair. Ela parou e farejou o ar. Depois, sem ruído, saiu da sombra da Pedra Grande; o pelo longo azul-acinzentado cintilava à luz do amanhecer. *Tenho de alertá-la a respeito de Garra de Tigre*, pensou Coração de Fogo. Estrela Azul estivera de luto pela morte de Rabo Vermelho, assim como o resto do clã, acreditando que ele fora morto em batalha por Coração de Carvalho, o representante do Clã do Rio. Coração de Fogo tinha hesitado antes, por saber da importância de Garra de Tigre para ela, mas o perigo era grande demais. Estrela Azul precisava saber que o clã estava abrigando um assassino de sangue-frio.

Garra de Tigre saiu da toca dos guerreiros e encontrou a líder nos limites da clareira. Ele lhe disse alguma coisa baixinho, balançando a cauda com ansiedade.

Coração de Fogo sufocou um instintivo miado de saudação. O céu clareava, mas até ter certeza de que o sol estava acima do horizonte, não ousava quebrar o silêncio. A impaciência se agitava em seu coração, como um pássaro numa armadilha. Precisava falar com Estrela Azul assim que possível. Mas naquele momento, tudo o que pôde fazer foi saudar com respeito os dois gatos quando passaram por ele.

Ao seu lado, Listra Cinzenta cutucou-o e, com o nariz, apontou para cima. Um brilho laranja acabara de se tornar visível no horizonte.

– Estão felizes com o amanhecer? – o miado grave de Nevasca surpreendeu Coração de Fogo, que não percebera a aproximação do guerreiro branco. Os dois amigos acenaram a cabeça ao mesmo tempo, dizendo que sim.

– Tudo bem, vocês podem falar agora. A vigília terminou. – A voz do gatão branco era bondosa. Na véspera, ele lutara lado a lado com os dois jovens guerreiros na batalha contra o Clã das Sombras. Demonstrava agora um novo respeito ao observá-los.

– Obrigado, Nevasca – Coração de Fogo miou, agradecido. Levantou-se e alongou as pernas enrijecidas, uma de cada vez.

Listra Cinzenta também se levantou. – Brrrrrrrrr! – miou, sacudindo-se para livrar o pelo do frio. – Pensei que o sol nunca iria aparecer!

Um miado debochado se fez ouvir de fora da toca dos aprendizes: – Falou o grande guerreiro!

Era Pata de Areia, com o pelo laranja-claro todo arrepiado, demonstrando hostilidade. Pata de Poeira estava a seu lado. De pelo malhado e escuro, ele parecia a sombra da jovem. Estufou o peito com ares de importância e zombou:

– Fico surpreso que esses heróis sintam frio! – Pata de Areia, divertida, ronronou.

Nevasca lançou-lhes um olhar severo: – Vão procurar alguma coisa para comer, depois descansem – ordenou a Coração de Fogo e Listra Cinzenta. O guerreiro mais velho caminhou na direção da toca dos aprendizes:

– Venham, vocês dois – miou para Pata de Areia e Pata de Poeira. – Está na hora do treinamento.

– Espero que ele os faça caçar esquilos azuis o dia todo! – Listra Cinzenta sibilou para Coração de Fogo enquanto se dirigiam para um canto, onde restavam algumas presas frescas da noite anterior.

– Mas não existem esquilos azuis – miou Coração de Fogo, confuso.

– Exatamente! – disse o gato cinza, com os olhos brilhando.

– Não se pode culpá-los, afinal. Eles começaram o treinamento antes de nós – Coração de Fogo lembrou de forma gentil. – Se tivessem lutado na batalha de ontem, provavelmente também teriam sido feitos guerreiros.

– É... pode ser – disse Listra Cinzenta, encolhendo os ombros. – Veja! – Haviam chegado à pilha de presa fresca. – Há um camundongo para cada um e um pintassilgo para dividirmos!

Os dois amigos pegaram a refeição e se fitaram. Os olhos de Listra Cinzenta repentinamente brilharam, cheios de prazer: – Acho que agora devemos levar isso para o lado do acampamento destinado aos *guerreiros*.

– Acho que sim – ronronou Coração de Fogo, seguindo o amigo até o campo de urtigas, onde tantas vezes tinham observado Nevasca, Garra de Tigre e outros guerreiros dividir presas frescas.

– E agora? – perguntou Listra Cinzenta, engolindo a última bocada. – Não sei quanto a você, mas acho que eu dormiria por meia lua.

– Eu também.

Os dois amigos se levantaram e tomaram o caminho da toca dos guerreiros. Lá chegando, Coração de Fogo enfiou a cabeça através dos galhos baixos. Pelo de Rato e Rabo Longo ainda dormiam do outro lado da toca.

Esgueirou-se para dentro e encontrou no canto uma cama de musgo. Pelo cheiro, verificou que nenhum outro guerreiro havia dormido ali antes. Listra Cinzenta instalou-se a seu lado.

Coração de Fogo percebeu a respiração regular de Listra Cinzenta passar a roncos longos e abafados, à medida que relaxava. Embora igualmente exausto, ele continuava ansioso para falar com Estrela Azul. De onde estava deitado, com a cabeça na terra, via apenas a entrada do acampamento. Fixou ali o olhar, esperando pela volta da líder, mas aos poucos seus olhos começaram a fechar, e ele se entregou ao sono.

Coração de Fogo ouviu um rugido ao seu redor, como o vento batendo em árvores altas. O fedor acre do Caminho do Trovão atingiu-lhe as narinas, trazendo também um cheiro novo, mais agudo e mais aterrorizante. Fogo! Chamas lambiam o céu negro, atirando cinzas reluzentes para um céu sem estrelas. Para sua surpresa, silhuetas de gatos se movimentavam em frente ao fogo. Por que não fugiam?

Um deles parou e encarou Coração de Fogo. Os olhos noturnos do gato brilharam no escuro, e ele levantou a cauda, longa e reta, como num cumprimento.

Coração de Fogo tremeu ao se lembrar, de repente, das palavras que Folha Manchada, antiga curandeira do Clã do Trovão, lhe dissera antes de morrer prematuramente: "O fogo vai salvar o clã!" Isso teria alguma coisa a ver com os estranhos felinos que não mostravam medo do fogo?

– Acorde, Coração de Fogo!

Ele levantou a cabeça depressa, despertado do sonho pelo rugido de Garra de Tigre.

– Você estava miando enquanto dormia!

Ainda tonto, Coração de Fogo se levantou e sacudiu a cabeça. – Si... sim, Garra de Tigre! – Meio assustado, imaginou se teria repetido em voz alta as palavras de Folha Manchada. Ele já tivera sonhos assim antes, tão vívidos que poderia tocá-los, e que, mais tarde, se realizaram. Com certeza não queria que o representante suspeitasse que ele tinha poderes que, normalmente, o Clã das Estrelas concede apenas a curandeiros.

A luz da lua brilhava através da parede de folhas da toca. Coração de Fogo percebeu que devia ter dormido o dia inteiro.

– Você e Listra Cinzenta vão se juntar à patrulha noturna. Apressem-se! – disse-lhe Garra de Tigre, saindo em seguida.

Coração de Fogo relaxou os ombros. Era evidente que o representante não suspeitara de nada estranho no seu sonho. Seu segredo continuava a salvo, mas ele estava determinado a revelar a perigosa verdade sobre a participação de Garra de Tigre na morte de Rabo Vermelho.

Coração de Fogo lambeu os lábios. Listra Cinzenta, deitado a seu lado, se lavava. Tinham acabado de partilhar uma refeição na clareira do acampamento. O sol se pusera e Coração de Fogo olhava a lua, agora quase cheia, brilhando num céu frio e claro. Os dias anteriores tinham sido agitados. Parecia que toda vez que eles se deitavam para descansar, Garra de Tigre os enviava em missão de patrulha ou de caça. Coração de Fogo permanecera alerta, procurando uma oportunidade de falar a sós com Estrela Azul; mas quando ele não estava numa das missões designadas por Garra de Tigre, a líder do Clã do Trovão sempre parecia ter o representante por perto.

Coração de Fogo começou a limpar a pata, enquanto passava os olhos pelo acampamento, esperando encontrar Estrela Azul.

– O que você está procurando? – miou Listra Cinzenta, no meio de uma lambida.

– Estrela Azul – respondeu Coração de Fogo, abaixando a pata.

– Para quê? – O gato cinza parou de se lavar e olhou para o amigo. – Você não tirou os olhos dela desde nossa vigília. O que está planejando?

– Preciso dizer a ela onde Pata Negra está e alertá-la a respeito de Garra de Tigre.

– Você prometeu a Pata Negra que diria que ele estava morto! – disse Listra Cinzenta, com tom de surpresa.

– Apenas prometi dizer a *Garra de Tigre* que ele estava morto. Estrela Azul deve conhecer toda a história. É preciso que ela saiba de que seu representante é capaz.

Listra Cinzenta abaixou a voz, até se tornar um sibilo sobressaltado. – Mas temos apenas a palavra de Pata Negra de que Garra de Tigre matou Rabo Vermelho.

– Você não acredita nele? – perguntou Coração de Fogo, chocado com as dúvidas do amigo.

– Veja, se Garra de Tigre mentiu sobre o fato de ter matado Coração de Carvalho para vingar a morte de Rabo Vermelho, isso significa que o próprio Rabo Vermelho deve ter liquidado Coração de Carvalho. E não posso acreditar que Rabo Vermelho tivesse deliberadamente matado um representante de clã numa batalha. Isso vai contra o Código dos Guerreiros; lutamos para provar nossa força e defender nosso território, não para nos matar.

– Não estou tentando levantar acusações contra Rabo Vermelho! – protestou Listra Cinzenta. – O problema é Garra de Tigre. – Rabo Vermelho tinha sido o representante do Clã do Trovão antes de Garra de Tigre. Coração de Fogo não chegou a conhecê-lo, mas sabia que era profundamente respeitado por todo o clã.

Listra Cinzenta não encarou o amigo. – O que você está dizendo pode manchar a honra de Rabo Vermelho. E nenhum dos outros gatos teve problemas com Garra de Tigre. Apenas Pata Negra o temia.

Um tremor desconfortável percorreu a espinha de Coração de Fogo. – Então você acha que Pata Negra inventou essa história porque não se dava bem com o mentor? – miou, sarcástico.

– Não – murmurou Listra Cinzenta. – Eu só acho que devemos tomar cuidado.

Coração de Fogo fitou os olhos preocupados do amigo e começou a refletir. Listra Cinzenta não deixava de ter razão. Fazia poucos dias que tinham se tornado guerreiros, portanto, não estavam em situação de começar a lançar acusações ao mais antigo dos guerreiros do clã.

– Tudo bem – Coração de Fogo miou finalmente. – Você pode ficar fora disso. – Sentiu na barriga uma fisgada de arrependimento quando Listra Cinzenta concordou e voltou a se lavar. Coração de Fogo achava que o amigo estava errado em pensar que apenas Pata Negra tivera problemas com Garra de Tigre. Os seus instintos lhe diziam que o representante do Clã do Trovão não era digno de confiança. Precisava partilhar suas suspeitas com Estrela Azul, para a segurança dela e de todo o clã.

Um lampejo de pelo cinza do outro lado da clareira indicou que Estrela Azul tinha saído da toca, e sozinha. Coração de Fogo se levantou depressa, mas a líder pulou direto para a Pedra Grande e convocou o clã. O guerreiro avermelhado balançou a cauda, impaciente.

As orelhas de Listra Cinzenta se agitaram de empolgação quando ele ouviu a convocação. – Uma cerimônia de nomeação? – miou. – Deve ser Rabo Longo recebendo seu primeiro aprendiz. Faz dias que ele espera por isso. – Saltou e foi se juntar aos gatos que se reuniam nos limites da clareira; ainda coçando de frustração, Coração de Fogo o seguiu.

Um filhote preto e branco entrou na clareira. As patas macias não faziam barulho na terra dura. Ele se dirigiu à Pedra Grande com os olhos desbotados mirando o chão, e Coração de Fogo quase esperou vê-lo tremer; havia alguma coisa na inclinação dos ombros do filhote que o fazia parecer jovem e tímido demais para um aprendiz. *Rabo Longo não vai ficar impressionado!* pensou Coração de Fogo, lembrando-se do deboche de Rabo Longo quando ele, Coração de Fogo, fora recebido no acampamento. O guerreiro o provocara maldosamente no seu primeiro dia no clã, zombando de suas origens de gatinho de gente. Por isso Coração de Fogo não gostava dele.

– A partir de hoje – miou Estrela Azul, abaixando o olhar e fitando o jovem –, até que receba seu nome de guerreiro, esse aprendiz será chamado Pata Ligeira.

Não se via um pingo de determinação nos olhos do filhote preto e branco quando ele fitou a líder. Ao contrário, os olhos cor de âmbar estavam arregalados, cheios de ansiedade.

Coração de Fogo virou a cabeça quando Rabo Longo se aproximou do novo aprendiz.

Estrela Azul voltou a falar. – Rabo Longo, você foi aprendiz de Risca de Carvão. Ele foi bom professor e você se tornou um guerreiro feroz e leal. Espero que passe essas qualidades para Pata Ligeira.

Coração de Fogo procurou no olhar de Rabo Longo uma expressão de desprezo por Pata Ligeira. Mas os olhos do guerreiro se suavizaram ao encontrar os do pupilo e, gentilmente, eles roçaram o nariz um do outro. – Muito bem, você está se saindo bem – murmurou Rabo Longo, encorajador. *É isso aí, muito bem*, Coração de Fogo pensou com amargura. *Só porque ele nasceu no clã. Não foi assim que Rabo Longo me recebeu.* Olhou os demais gatos do clã e sentiu uma pontada de ressentimento quando começaram a murmurar congratulações ao novo aprendiz.

– O que há com você? – sussurrou Listra Cinzenta. – Um dia será a nossa vez.

Coração de Fogo concordou, de súbito animado com a ideia de ter o próprio aprendiz, e afastou a mágoa. Ele agora fazia parte do Clã do Trovão e, certamente, era tudo o que importava.

A noite seguinte trouxe a lua cheia. Coração de Fogo sabia que devia estar ansioso por sua primeira Reunião como guerreiro, mas ainda estava determinado a conseguir uma oportunidade para contar a Estrela Azul tudo o que sabia sobre Garra de Tigre; e esse pensamento parecia uma pedra fria sobre seu estômago.

– Você está com verme ou coisa parecida? – miou Listra Cinzenta a seu lado. – Está fazendo umas caretas muito esquisitas!

Coração de Fogo olhou para o amigo, desejando poder confiar nele, mas tinha prometido deixá-lo fora desse assunto. – Estou bem – miou. – Venha. Ouvi Estrela Azul chamar.

Os dois se dirigiram até o grupo reunido na clareira. A líder abaixou a cabeça, mostrando que os vira chegar. Então, conduziu os felinos para fora do acampamento.

Coração de Fogo parou enquanto os outros integrantes do clã passavam por ele rumo à trilha escarpada que levava à floresta. Essa jornada poderia dar-lhe tempo suficiente para falar com Estrela Azul, e ele queria organizar os pensamentos.

– Você vem? – chamou Listra Cinzenta.

– Claro! – Coração de Fogo dobrou as poderosas patas traseiras e começou a pular de pedra em pedra, saindo do acampamento.

No alto, parou para recuperar o fôlego, as laterais do corpo arfando. A floresta se espalhava à sua frente. Sob as patas, ele sentia as folhas recém-caídas se quebrando, ressecadas. O Tule de Prata brilhava no céu como o orvalho da manhã salpicado num pelo negro.

Recordou-se de sua primeira jornada até Quatro Árvores, com Garra de Tigre e Coração de Leão, de quem se lembrou com uma ponta de tristeza. O mentor de Listra Cinzenta e representante do Clã do Trovão entre Rabo Vermelho e Garra de Tigre havia sido um guerreiro talentoso e de coração bondoso. Morto em batalha, foi substituído por Garra de Tigre. Na primeira visita de Coração de Fogo a Quatro Árvores, Coração de Leão levara os aprendizes a um passeio pelos arredores, passando pelos Pinheiros Altos, pelas Rochas Ensolaradas e ao longo das fronteiras do Clã do Rio. Esta noite, Estrela Azul os faria passar diretamente pelo centro do território do Clã do Trovão. Ao vê-la desaparecer na vegetação, Coração de Fogo correu para acompanhar o grupo.

Estrela Azul ia à frente, perto de Garra de Tigre. Ignorando o miado surpreso de Listra Cinzenta, Coração de Fogo alcançou a líder. – Estrela Azul – chamou, colocando-se a seu lado. – Posso falar com você?

Ela o olhou e assentiu. – Lidere o grupo, Garra de Tigre – miou. A gata diminuiu o passo e o representante se adiantou. Os outros felinos o seguiram sem questionar quando ele disparou por entre a vegetação.

Estrela Azul e Coração de Fogo trotavam agora num passo cadenciado. Em um instante ficaram sozinhos.

O caminho que saía das espessas samambaias dava em uma pequena clareira. A líder pulou numa árvore caída e se sentou, enrolando a cauda à frente das patas. – O que é, Coração de Fogo?

O jovem guerreiro hesitou, repentinamente tomado pela dúvida. Estrela Azul é que o tinha encorajado a abandonar a vida de gatinho de gente e unir-se ao clã. Desde então, várias vezes demonstrara confiança nele quando outros gatos questionavam sua lealdade a um clã cujo sangue ele não partilhava. O que ela diria quando ele lhe contasse que tinha mentido a respeito de Pata Negra?

– Fale – Estrela Azul ordenou enquanto as passadas dos outros felinos do clã sumiam na distância.

Coração de Fogo respirou fundo: – Pata Negra não está morto. – A cauda de Estrela Azul movimentou-se com a surpresa, mas a gata continuou a ouvir em silêncio, e o jovem guerreiro continuou: – Listra Cinzenta e eu o levamos ao território do Clã do Vento. Eu... eu acho que ele pode ter-se juntado ao Cevada – Cevada vivia isolado; não era um gato da floresta, tampouco um gatinho de gente. Morava numa fazenda dos Duas-Pernas, no caminho para as Pedras Altas, um lugar sagrado para todos os gatos da floresta.

A líder do Clã do Trovão olhou para além de Coração de Fogo, para as profundezas da mata. O gato, ansioso, tentou decifrar sua expressão. Estaria zangada? Mas ele não via raiva nos seus grandes olhos azuis.

Depois de longo momento, Estrela Azul falou: – Fico feliz em saber que Pata Negra ainda está vivo. Espero que esteja mais feliz com Cevada do que estava na floresta.

– Ma... mas ele nasceu no Clã do Trovão – Coração de Fogo gaguejou, surpreso com a calma reação da líder ao saber da partida de Pata Negra.

– Isso não significa necessariamente que estivesse adaptado à vida do clã – ela observou. – Afinal, você não nasceu no clã, mas mesmo assim tornou-se um ótimo guerreiro. Pata Negra pode encontrar seu verdadeiro caminho em outro lugar.

– Mas ele não deixou o Clã do Trovão porque quis – protestou Coração de Fogo. – Ele não podia ficar!

– Não podia? – a líder pousou nele os olhos azuis. – O que você quer dizer com isso?

Coração de Fogo olhou para o chão.

– E então? – ela perguntou, esperando uma resposta.

O guerreiro estava com a boca seca. – Pata Negra conhecia um segredo a respeito de Garra de Tigre – falou com a voz rouca. – Eu... eu acho que Garra de Tigre estava planejando matá-lo. Ou talvez colocar o clã contra ele.

A cauda de Estrela Azul balançou de um lado para o outro, e Coração de Fogo percebeu que os ombros dela enrijeceram. – Por que você acha isso? Que segredo era esse que Pata Negra conhecia?

Coração de Fogo relutou ao responder, encarando a expressão severa da líder da maneira mais corajosa que pôde. – Que Garra de Tigre matou Rabo Vermelho na batalha com o Clã do Rio. – Rabo Vermelho tinha sido o representante do Clã do Trovão antes de Coração de Leão. Coração de Fogo não o conheceu, mas sabia que Rabo Vermelho merecia o profundo respeito de todo o clã.

Os olhos de Estrela Azul se estreitaram. – Um guerreiro jamais mataria um companheiro de clã! Até você devia saber disso, já está conosco há tempo suficiente. – Coração de Fogo retraiu-se ante essas palavras, abaixando as orelhas. Era a segunda vez naquela noite que ela se referia às suas raízes de gatinho de gente.

– Garra de Tigre relatou que foi o representante do Clã do Rio, Coração de Carvalho, que matou Rabo Vermelho. Pata Negra deve estar enganado. Ele realmente *viu* Garra de Tigre matar Rabo Vermelho? – a líder questionou.

Coração de Fogo, nervoso, balançou a cauda, agitando as folhas atrás de si. – Ele afirmou que sim.

– E você sabe que, dizendo isso, está colocando em dúvida a honra de Rabo Vermelho, que seria o responsável pela morte de Coração de Carvalho? Um representante jamais mataria outro em batalha; não se isso pudesse ser evitado. E Rabo Vermelho foi o mais honrado guerreiro que já conheci. – Os olhos da gata nublaram de dor, e Coração de Fogo sentiu uma ponta de desalento, pois, mesmo sem intenção, tinha ofendido a lembrança que a líder tinha do antigo representante.

– Não posso responder pelas ações de Rabo Vermelho – ele murmurou. – Só sei que Pata Negra realmente acredita que Garra de Tigre é o culpado.

Estrela Azul deu um suspiro e relaxou os ombros. – Todos sabemos que Pata Negra tem uma imaginação e tanto – ela miou, gentil, com simpatia nos olhos. – Ele foi gravemente ferido na batalha e deixou a luta antes que terminasse. Tem certeza de que ele não fantasiou as passagens que perdeu?

Antes que Coração de Fogo pudesse responder, um grito ecoou pela floresta e Garra de Tigre surgiu da vegetação. Seus olhos, agitados e cheios de suspeita, pousaram em Coração de Fogo por um instante antes de ele se dirigir a Estrela Azul. – Estamos esperando por vocês na fronteira.

– Estaremos lá em um momento – respondeu a líder. O representante abaixou a cabeça e voltou correndo por entre as samambaias.

Coração de Fogo observou Garra de Tigre desaparecer enquanto as palavras de Estrela Azul ecoavam-lhe na mente. Ela estava certa: Pata Negra tinha mesmo uma grande imaginação. Lembrou-se de sua primeira Reunião, quando aprendizes de todos os clãs ficaram fascinados pelas palavras de Pata Negra ao ouvi-lo descrever a batalha com o Clã do Rio. E, na ocasião, ele não mencionara Garra de Tigre.

Quando Estrela Azul se levantou, ele deu um pulo. – Você vai trazer Pata Negra de volta para o clã? – perguntou, temendo, de súbito, ter causado ainda mais problemas para o amigo.

A gata mirou fundo os olhos de Coração de Fogo. – Provavelmente ele está mais feliz onde se encontra – miou, tranquila. – Por ora, vamos deixar que o clã continue a acreditar que está morto.

O guerreiro fitou-a de volta, com os olhos arregalados de surpresa. Estrela Azul ia mentir para o clã!

– Garra de Tigre é um grande guerreiro, mas é muito orgulhoso – ela continuou. – Será mais fácil para ele aceitar que seu aprendiz morreu em batalha em vez de ter fugido. E isso será melhor para Pata Negra também.

– Porque Garra de Tigre poderia ir atrás dele? – Coração de Fogo ousou perguntar. Seria possível que Estrela Azul acreditasse nele, ao menos um pouquinho?

A gata balançou a cabeça, com certa impaciência. – Não. Garra de Tigre pode ser ambicioso, mas não é um assassino. É melhor Pata Negra ser lembrado como um herói morto do que como um covarde vivo.

Garra de Tigre chamou mais uma vez. Estrela Azul saltou do tronco e desapareceu entre as samambaias. Coração de Fogo lançou-se para o chão de um salto e disparou atrás da líder.

Alcançou-a na beira de um riacho. Observou-a chegar ao outro lado, saltando de pedra em pedra, e seguiu-a com cuidado, os pensamentos girando. Saber sobre a morte de

Rabo Vermelho fora um peso sobre seus ombros durante dias. Agora ele finalmente contara a Estrela Azul, mas nada havia mudado. A líder do clã, estava claro, não achava que Garra de Tigre fosse capaz de matar a sangue-frio. Pior ainda, o próprio Coração de Fogo começou a duvidar do que Pata Negra dissera. Pulou para a margem oposta e correu pela vegetação.

Coração de Fogo estacou bruscamente atrás de Estrela Azul ao alcançarem os outros gatos do Clã do Trovão. O grupo havia parado no alto da encosta que levava até Quatro Árvores, os carvalhos gigantes onde os quatro clãs da floresta se reuniam em paz a cada lua cheia.

Coração de Fogo sentiu seus pelos arrepiarem ao perceber que Garra de Tigre o observava. Será que suspeitava da conversa que tivera com Estrela Azul? Balançou a cabeça para colocar as ideias em ordem e tentou pensar como a líder. Naturalmente, Garra de Tigre teria interesse no que Coração de Fogo dissera a ela: ele era o representante do clã; haveria de querer saber qualquer coisa que pudesse afetar o grupo. Coração de Fogo voltou a olhar para Garra de Tigre; o guerreiro malhado olhava para baixo da encosta, com as orelhas empinadas e alertas. Os gatos à sua volta, ansiosos, agitavam as patas. O representante fitou cada um dos felinos, zombando deles silenciosamente com seu olhar cor de âmbar.

Estrela Azul farejou o ar. Coração de Fogo sentiu os músculos se retesarem e o pelo eriçar. Então a líder fez um movimento de cauda e os integrantes do Clã do Trovão dispararam encosta abaixo, a caminho da Reunião.

CAPÍTULO 2

Estrela Azul parou na extremidade da clareira, com o clã em fila a seu lado. Alguns dos felinos do Clã do Rio e do Clã das Sombras se viraram, registrando a chegada do grupo.

– Por onde você andou? – Listra Cinzenta perguntou, aproximando-se de Coração de Fogo.

O jovem guerreiro balançou a cabeça. – Não importa. – Ainda estava confuso com a conversa com Estrela Azul e ficou aliviado quando o amigo, desistindo de indagá-lo, virou a cabeça para olhar à volta da clareira.

– Ei, olhe – miou Listra Cinzenta. – Os gatos do Clã das Sombras parecem mais fortes do que eu imaginava. Afinal, Estrela Partida os deixou quase mortos de fome.

Coração de Fogo seguiu o olhar de Listra Cinzenta até um guerreiro bem nutrido do Clã das Sombras e concordou, surpreso: – Você tem razão.

– Imagine você, nós praticamente lutamos por eles! – Listra Cinzenta brincou.

O ronronar divertido de Coração de Fogo foi interrompido por Nevasca. – Os gatos do Clã das Sombras lutaram tão bravamente quanto nós para expulsar Estrela Partida. Devemos reverenciar a determinação que demonstram em se recuperar – miou, severo, antes de se dirigir a um grupo de guerreiros reunidos sob um dos grandes carvalhos.

– Opa! – miou Listra Cinzenta, com um olhar culpado para Coração de Fogo.

Os jovens guerreiros ficaram na extremidade da clareira. Coração de Fogo não teve dificuldade para distinguir os aprendizes dos outros clãs; tinham o pelo macio como o de um filhote, os rostos redondos, as patas gordinhas e desajeitadas.

Dois guerreiros se aproximaram, seguidos por um pequeno aprendiz marrom. Coração de Fogo reconheceu o gato cinzento do Clã das Sombras, mas não o felino negro-acinzentado que o acompanhava.

– Olá! – miou o gato cinza.

– Olá, Pé Molhado – respondeu Coração de Fogo, olhando para o gato marrom-escuro.

Pé Molhado o apresentou: – Esse é Garra Negra, do Clã do Rio.

Listra Cinzenta e Coração de Fogo o saudaram. O aprendiz, tímido, deu um passo à frente.

– E esse é meu aprendiz, Pata de Carvalho – acrescentou Pé Molhado.

Pata de Carvalho fitou Coração de Fogo, com os olhos arregalados e ansiosos, e miou: – O... Olá, Coração de Fogo. – O jovem guerreiro o cumprimentou.

– Soube que Estrela Azul os nomeou guerreiros depois da batalha – miou Pé Molhado. – Parabéns! A noite da vigília deve ter sido fria!

– Foi mesmo! – concordou Listra Cinzenta.

– Quem é? – interrompeu Coração de Fogo. Uma gata de pelo brilhante, malhada em tons de marrom, tinha chamado a sua atenção. Estava conversando com Garra de Tigre ao lado da Pedra do Conselho, que ficava no centro da clareira.

– É Pelo de Leopardo, nossa representante – rugiu o guerreiro do Clã do Rio.

Coração de Fogo ficou com o pelo eriçado ao se lembrar do antigo representante do Clã do Rio, Coração de Carvalho, e de como ele morrera na batalha com o Clã do Trovão. Por sorte, naquele momento, Estrela Azul pulou para o alto da rocha para iniciar a reunião, livrando-o da obrigação de comentar alguma coisa. Outros dois felinos se juntaram a ela e, um deles, um gato preto e mais velho, conclamou todos os demais a se reunirem aos pés da rocha. Coração de Fogo o reconheceu, surpreso. Será que Manto da Noite passara a ser o líder do Clã das Sombras com a fuga de Estrela Partida?

Com os felinos instalados em frente à Pedra do Conselho, Estrela Azul falou: – O Clã do Trovão traz a esta Reunião sua nova curandeira, Presa Amarela – anunciou formalmente. Fez uma pausa e todos os olhos se viraram para a velha gata de pelagem espessa e focinho achatado. Coração de Fogo percebeu que, agitada, ela não parava de se mexer.

Quando ela chegara ao acampamento do Clã do Trovão, ele estava no início de seu aprendizado e passara quase uma lua inteira cuidando dela para que recuperasse a saúde. E agora ele podia perceber, pela maneira como a orelha direita da gata se torcia levemente, que ela não estava à vontade ante o olhar dos outros clãs. Presa Amarela tinha sido a curandeira do Clã das Sombras e era raro um gato deixar um clã para se juntar a outro. Devagar, ela passou os olhos pela multidão até encontrar os de Nariz Molhado, o novo curandeiro do Clã das Sombras. Depois de uma breve pausa, trocaram um cumprimento respeitoso. A orelha de Presa Amarela se empinou e Coração de Fogo relaxou.

Estrela Azul voltou a falar: – Também trazemos dois guerreiros recém-nomeados, Coração de Fogo e Listra Cinzenta.

Coração de Fogo levantou a cabeça com altivez, mas ao sentir que todos os olhares convergiam para ele, sentiu-se um pouco constrangido, o que fez sua cauda se agitar nervosamente.

Manto da Noite deu um passo à frente e, roçando em Estrela Azul, colocou-se na parte mais alta da pedra: – Eu, Manto da Noite, fui indicado líder do Clã das Sombras. Nosso antigo líder, Estrela Partida, quebrou o Código dos Guerreiros e fomos forçados a expulsá-lo – anunciou.

– Nem sequer mencionou que nós os ajudamos a fazer isso – Listra Cinzenta cochichou para Coração de Fogo.

Manto da Noite continuou: – Os espíritos de nossos ancestrais falaram com Nariz Molhado e me indicaram como líder. Ainda não fui até a Boca da Terra para receber o dom das nove vidas concedido pelo Clã das Estrelas, mas farei a jornada amanhã à noite, quando a lua ainda estará cheia. Depois da vigília na Pedra da Lua, serei conhecido como Estrela da Noite.

– Onde Estrela Partida está agora? – uma voz se destacou na multidão. Era Pele de Geada, a rainha branca do Clã do Trovão.

– Acho que podemos considerar que deixou a floresta, com outros guerreiros banidos. Sabe que seria perigoso retornar – respondeu Manto da Noite.

– Espero que sim – Coração de Fogo ouviu Pele de Geada murmurar para a vizinha, uma roliça rainha marrom.

O líder do Clã do Rio, Estrela Torta, adiantou-se. – Esperemos que Estrela Partida tenha tido o bom-senso de deixar a floresta para sempre. Sua cobiça por territórios ameaçou a todos nós.

Estrela Torta esperou que os gritos de anuência cessassem para continuar. – Quando Estrela Partida era o líder do Clã das Sombras, permiti que caçassem em nosso rio. Mas agora têm um novo líder e o acordo não pode permanecer. As presas no nosso rio pertencem apenas ao Clã do Rio.

Miados de triunfo se ergueram entre os felinos do Clã do Rio, mas Coração de Fogo, alarmado, viu que Manto da Noite estava arrepiado.

– O Clã das Sombras continua com as mesmas necessidades da época de Estrela Partida. Temos muitas bocas para alimentar, Estrela Torta. Você fez um acordo com todo o Clã das Sombras! – disse Manto da Noite, elevando a voz.

Estrela Torta deu um pulo e se virou para Manto da Noite. Abaixou as orelhas e sibilou. Os felinos, ao pé da rocha, fizeram silêncio.

Com rapidez, Estrela Azul se colocou entre os dois líderes e miou, gentil: – O Clã das Sombras sofreu muitas perdas ultimamente. Com menos bocas para alimentar, Manto da Noite, você realmente precisa dos peixes do Clã do Rio?

Estrela Torta ciciou de novo, mas Manto da Noite manteve o olhar, sem se intimidar.

Estrela Azul voltou a falar, dessa vez com mais veemência: – Vocês acabaram de expulsar seu líder e vários dos seus guerreiros mais fortes! E Estrela Partida quebrou o Código dos Guerreiros ao forçar Estrela Torta a concordar em partilhar o rio.

Coração de Fogo, desconfortável, engoliu em seco ao perceber que Manto da Noite mostrava as garras, mas Estrela Azul não piscou. Seu olhar, azul e gelado, brilhou ao luar quando ela grunhiu: – Lembre-se de que você nem sequer recebeu suas nove vidas do Clã das Estrelas. Está confiante a ponto de fazer essas exigências? – Coração de Fogo ficou tenso e sentiu o pelo se eriçar. Todos ficaram esperando pela resposta.

Manto da Noite, zangado, desviou o olhar. Sua cauda balançava de um lado para outro, mas ele ficou calado.

Estrela Azul vencera. Sua voz estava mais branda quando voltou a falar. – Todos sabemos que o Clã das Sombras sofreu muito nesses últimos meses. O Clã do Trovão aceitou deixar vocês em paz até se recuperarem. – Ela olhou para o líder do Clã do Rio. – Tenho certeza de que Estrela Torta vai concordar em demonstrar a vocês o mesmo respeito.

Estrela Torta estreitou os olhos e acenou que sim com a cabeça. – Mas somente enquanto o cheiro do Clã das Sombras não for percebido em nosso território – grunhiu.

Coração de Fogo relaxou, deixando o pelo abaixar nos ombros. Agora que sabia como era lutar numa batalha de verdade, admirava ainda mais a coragem da líder em desafiar os dois grandes guerreiros. Ouviram-se na multidão miados abafados de alívio e anuência, acalmando-se, de súbito, a tensão na Pedra do Conselho.

– Você não sentirá o nosso cheiro, Estrela Torta – miou Manto da Noite. – Estrela Azul está certa, não precisamos dos seus peixes. Afinal, temos o planalto para caçar, agora que o Clã do Vento abandonou o território.

Estrela Torta olhou para Manto da Noite, com os olhos brilhando. – É verdade – concordou. – Isso significa presas extras para todos nós.

Estrela Azul levantou a cabeça de repente. – Não! O Clã do Vento precisa voltar!

Estrela Torta e Manto da Noite olharam para ela: – Por quê? – perguntou Estrela Torta.

– Se partilharmos os territórios de caça do Clã do Vento, teremos mais comida para todos os nossos filhotes! – observou Manto da Noite.

– A floresta precisa de quatro clãs – insistiu Estrela Azul. – Assim como temos Quatro Árvores e quatro estações, o Clã das Estrelas nos deu quatro clãs. Precisamos encontrar o Clã do Vento o mais depressa possível e trazê-lo de volta.

Ouviram-se as vozes dos gatos do Clã do Trovão em apoio à líder, mas, impaciente, Estrela Torta subiu o tom de voz, gritando: – Seu argumento é fraco, Estrela Azul. Precisamos mesmo de quatro estações? Não seria melhor se não houvesse a estação sem folhas e a fome e o frio que ela traz?

Calma, a gata fitou os guerreiros a seu lado. – O Clã das Estrelas nos deu a estação sem folhas para deixar a terra se recuperar e se preparar para o renovo. Esta floresta e o planalto sustentaram quatro clãs por diversas gerações. Não nos cabe desafiar o Clã das Estrelas.

Pelo de Leopardo, a representante do Clã do Rio, falou: – Por que devemos enfrentar a fome por causa de um clã que não pode sequer defender o próprio território? – grunhiu.

– Estrela Azul tem razão! O Clã do Vento tem de retornar! – Garra de Tigre retrucou, levantando-se para ficar mais alto do que os felinos à sua volta.

Estrela Azul voltou a falar: – Estrela Torta – miou virando-se para o líder do Clã do Rio –, as zonas de caça do Clã do Rio são conhecidas pela riqueza. Vocês têm o rio e todos os seus peixes. Por que precisam de mais presas? – Estrela Torta desviou o olhar e não respondeu. Coração de Fogo percebeu que os felinos do Clã do Rio, ansiosos, murmuravam entre si. Ele tentou imaginar por que a pergunta de Estrela Azul deixara os gatos com o pelo arrepiado.

Ela continuou: – Manto da Noite, foi Estrela Partida que expulsou o Clã do Vento do território deles. – A gata de ombros largos fez uma pausa. – Foi por isso que o Clã do Trovão os ajudou a bani-lo.

Coração de Fogo estreitou os olhos. Sabia que Estrela Azul, com delicadeza, estava lembrando a Manto da Noite a dívida que tinha com o Clã do Trovão.

O líder do Clã das Sombras semicerrou os olhos. Depois de um silêncio que pareceu durar um século, tornou a abri-los e miou: – Muito bem, Estrela Azul. Vamos permitir que o Clã do Vento retorne. – Coração de Fogo viu quando Estrela Torta virou o rosto, zangado, os olhos pretos contraídos em fendas.

Estrela Azul acenou com a cabeça e miou. – Dois de nós concordamos, Estrela Torta. Precisamos encontrar o Clã do Vento e trazê-lo para casa. Até lá, nenhum clã deve caçar no território deles.

A Reunião começou a se desfazer quando os gatos começaram a se preparar para voltar a seus acampamentos. Coração de Fogo ficou parado um instante, observando os líderes na Pedra do Conselho. Estrela Azul roçou seu nariz no focinho de Estrela Torta e pulou para o chão da floresta. Na rocha, Estrela Torta virou-se para Manto da Noite. Alguma coisa no olhar que trocaram fez o pelo de Coração de Fogo arrepiar. Seria porque, afinal de contas, Estrela Azul não tinha, na verdade, o apoio de Manto da Noite? O jovem guerreiro mirou rapidamente à volta. Pela expressão zangada de Garra de Tigre, podia afirmar que o representante do Clã do Trovão também percebera a troca de olhares.

Pela primeira vez, Coração de Fogo e Garra de Tigre partilhavam a mesma preocupação. Aquela virada nas alianças entre os clãs, ele não esperava. Depois de o Clã do Trovão ter-se arriscado para ajudar o Clã das Sombras a expulsar Estrela Partida, como podiam, agora, estar do lado do Clã do Rio?

CAPÍTULO 3

Estrela Azul, num passo rápido, liderou a volta ao acampamento. O barulho que os felinos fizeram ao chegar acordou os que tinham ficado. Enquanto o grupo passava pela entrada de tojos, figuras sonolentas começaram a sair das tocas.

– Quais são as novas? – perguntou Meio Rabo.

– Os gatos do Clã das Sombras estavam lá? – perguntou Pele de Salgueiro.

– Estavam, sim – Estrela Azul respondeu, séria. Ela passou por Pele de Salgueiro e saltou para a Pedra Grande. Não foi necessário fazer a convocação habitual do clã; os gatos já estavam reunidos aos pés da rocha. Garra de Tigre, num pulo, colocou-se ao lado da líder.

– Houve muita tensão entre os clãs esta noite – ela começou. – E fiquei sabendo de uma possível nova aliança entre Estrela Torta e Manto da Noite.

Listra Cinzenta se espremeu no pequeno espaço próximo a Coração de Fogo e perguntou. – O que estão dizendo? Pensei que Manto da Noite estivesse do lado de Estrela Azul.

– Manto da Noite? – Caolha perguntou, de trás da multidão, com sua voz velha e rouca.

– Ele foi nomeado o novo líder do Clã das Sombras – explicou Estrela Azul.

– Mas seu nome... ele ainda não foi aceito pelo Clã das Estrelas? – Caolha perguntou.

– Ele pretende fazer a jornada até a Pedra da Lua amanhã à noite – disse Garra de Tigre.

– Nenhum líder pode falar em nome do clã numa Reunião sem primeiro receber a aprovação do Clã das Estrelas – disse Caolha alto suficiente para que todos ouvissem.

– Ele tem o apoio do Clã das Sombras, Caolha – Estrela Azul respondeu, acenando para a velha gata. – Não podemos ignorar o que ele disse esta noite. – Caolha, descontente, farejou o ar, e a líder levantou a cabeça para se dirigir a todo o clã. – Na Reunião, sugeri que encontremos os felinos do Clã do Vento para trazê-los para casa. Mas Estrela Torta e Manto da Noite não desejam que voltem.

– No entanto, é pouco provável que queiram juntar forças, não? – observou Listra Cinzenta. – Quase tiveram uma discussão sobre os direitos de caça no rio.

Coração de Fogo virou-se para o amigo. – Você não percebeu os olhares que trocaram no final do encontro? Ambos estão loucos para colocar as patas no território do Clã do Vento.

– Por quê? – perguntou Pata de Areia, que estava ao lado de seu mentor, Nevasca.

– Suspeito que o Clã das Sombras não seja tão fraco quanto pensávamos. E Manto da Noite parece ter mais ambição do que qualquer gato podia esperar – o felino branco respondeu.

– Mas por que o *Clã do Rio* quer caçar no território do Clã do Vento? Eles sempre engordaram à custa dos peixes de seu precioso rio! – uivou Pele de Salgueiro. – O planalto fica muito longe para irem caçar alguns míseros coelhos!

Cauda Mosqueada, a rainha que fora belíssima em outros tempos, falou com a voz enfraquecida pela idade: – Na Reunião, alguns dos anciãos do Clã do Rio comentaram que alguns Duas-Pernas estão se apossando de parte das águas.

– É verdade – acrescentou Pele de Geada. – Dizem que há Duas-Pernas vivendo em abrigos ao lado do rio, perturbando os peixes. Os gatos do Clã do Rio são obrigados a ficar escondidos no mato, de barriga vazia, olhando para eles!

Estrela Azul estava pensativa. – No momento, precisamos ter cuidado para não fazer nada que possa aproximar o Clã das Sombras e o Clã do Rio. Agora vão descansar. Vento Veloz e Pata de Poeira, ocupem-se da patrulha do amanhecer.

Uma brisa fria fez crepitar nas árvores as folhas prestes a cair. Os gatos, ainda confabulando baixinho, foram para as tocas.

Pela segunda noite seguida, Coração de Fogo sonhou. Estava no escuro. Bem perto, o ruído e o fedor de um Caminho do Trovão. Teve a sensação de estar sendo atingido pelos monstros que rugiam para cima e para baixo, deixando-o cego com seus olhos reluzentes. De súbito, no meio do barulho, distinguiu o gemido queixoso de um filhote. O lamento desesperado cortava o estrondo dos monstros.

Coração de Fogo acordou de repente. Por um instante pensou que fora aquele choro que o acordara. Mas só se ouviam os roncos abafados dos guerreiros próximos. Um rugido veio de algum lugar do meio da toca. Parecia ser Garra de Tigre. Sentindo-se por demais inquieto para voltar a dormir, Coração de Fogo saiu sem fazer barulho.

Lá fora estava escuro, e as estrelas pontilhando o céu lhe diziam que o amanhecer ainda demorava. Com o queixume do filhote ecoando na mente, Coração de Fogo dirigiu-se ao berçário, com as orelhas empinadas. Ouviu passos além do muro do acampamento. Farejou o ar. Eram apenas Risca de Carvão e Rabo Longo, que guardavam o território do Clã do Trovão. Coração de Fogo sentiu o cheiro deles.

O silêncio do acampamento o tranquilizou. *Todos os gatos devem ter pesadelos com o Caminho do Trovão*, pensou. Voltou à toca e, depois de rodar em círculos, instalou-se confortavelmente em seu ninho. Listra Cinzenta ronronou um pouquinho em seu sono enquanto o amigo se alojava a seu lado e fechava os olhos.

Listra Cinzenta o despertou, cutucando-o com o nariz.

– Não me perturbe! – Coração de Fogo resmungou.

– Acorde! – sibilou Listra Cinzenta.

– Por quê? Não estamos em patrulha – Coração de Fogo reclamou.

– Estrela Azul quer falar com a gente. Agora.

Tonto, Coração de Fogo pôs-se de pé e seguiu o amigo, que saía da toca. O sol começava a deixar o céu cor-de-rosa, e as árvores à volta do acampamento estavam recobertas de gelo.

Os dois felinos atravessaram a clareira até a toca de Estrela Azul e anunciaram a chegada com miados abafados.

– Entrem! – respondeu Garra de Tigre por trás da cortina de líquen. Coração de Fogo sobressaltou-se ao lembrar a conversa com Estrela Azul no caminho para a Reunião. Será que ela mencionara a Garra de Tigre suas acusações? Listra Cinzenta entrou na toca da líder. Desconfortável, Coração de Fogo entrou logo atrás.

Estrela Azul estava no seu ninho, com a cabeça elevada e os olhos brilhando. Garra de Tigre, no meio do chão liso de arenito. Coração de Fogo tentou decifrar-lhe a expressão, mas os olhos do gato malhado estavam, como sempre, frios e firmes.

A líder logo começou a falar: – Coração de Fogo, Listra Cinzenta, tenho uma missão importante para vocês.

– Uma missão? – Coração de Fogo repetiu. Alívio e empolgação varreram sua ansiedade.

– Quero que encontrem os gatos do Clã do Vento e os tragam de volta – anunciou.

– Antes que se empolguem demais, tenham em mente que isso pode ser muito perigoso – Garra de Tigre rugiu.

– Não sei para onde foram os felinos do Clã do Vento. Assim, vocês terão de seguir o que restou do cheiro deles, provavelmente em território hostil.

– Mas vocês estiveram no território do Clã do Vento, quando viajaram comigo até a Pedra da Lua – Estrela Azul observou. – O cheiro deles será familiar, como será o território dos Duas-Pernas além do planalto.

– Vamos só nós dois? – perguntou Coração de Fogo.

– Precisamos dos outros guerreiros aqui – miou o representante. – A estação sem folhas está chegando e será necessário reunir o máximo de presas frescas que pudermos. Teremos muitas luas de escassez pela frente.

Estrela Azul concordou. – Garra de Tigre vai ajudá-los a se preparar para a jornada. – As patas de Coração de Fogo pinicaram, numa sensação de desconforto. A líder mantinha, como sempre, a confiança em seu representante. Por que ele era o único no Clã do Trovão que não confiava nas intenções de Garra de Tigre?

– É indispensável que partam o mais depressa possível – continuou Estrela Azul. – Boa sorte.

– Vamos encontrá-los – Listra Cinzenta prometeu.

Voltando seus pensamentos para a jornada que tinha pela frente, Coração de Fogo concordou.

Garra de Tigre os seguiu ao saírem da toca de Estrela Azul. – Vocês lembram como chegar ao território do Clã do Vento?

– Claro, Garra de Tigre, estivemos lá há apenas...

Coração de Fogo interrompeu a resposta apressada de Listra Cinzenta: – Há apenas algumas *luas* – miou rapidamente, lançando um olhar de alerta para o amigo. Listra Cinzenta por pouco não revelara a viagem que tinham feito com Pata Negra algumas noites antes.

Garra de Tigre hesitou. Coração de Fogo prendeu a respiração. Teria ele notado a falha de Listra Cinzenta?

– E vocês se lembram do cheiro do Clã do Vento? – perguntou o representante.

Coração de Fogo agradeceu em silêncio ao Clã das Estrelas.

Os jovens guerreiros fizeram que sim, e Coração de Fogo começou a se imaginar correndo entre as folhas pontiagudas dos tojos no planalto à procura do clã desaparecido.

– Vocês vão precisar de ervas que lhes deem forças e que os deixem sem apetite. Peguem com Presa Amarela antes de partir. – Garra de Tigre fez uma pausa. – E não esqueçam que Manto da Noite planeja ir até a Pedra da Lua esta noite. Mantenham-se longe do caminho que ele vai percorrer.

– Certo, Garra de Tigre – disse Coração de Fogo.

– Ele nunca vai saber que estamos por ali – Listra Cinzenta garantiu.

– É exatamente o que espero – miou Garra de Tigre. – Agora, vão! – Sem mais uma palavra, o representante se foi.

– Ele podia ter-nos desejado boa sorte – reclamou Listra Cinzenta.

– Provavelmente acha que não precisamos de sorte – brincou Coração de Fogo ao atravessarem a clareira rumo à toca de Presa Amarela. Mas ao mesmo tempo, pensava, Garra de Tigre parecia tratá-los com o mesmo respeito dispensado a outros guerreiros; seria possível que ele não fosse o traidor que Pata Negra imaginava? Ainda estava frio, apesar do sol que despontava, mas nenhum dos dois tremia; Coração de Fogo sentia o pelo se espessando, à medida que os dias se tornavam mais curtos.

A toca de Presa Amarela ficava na extremidade de um túnel sob samambaias. Uma grande rocha partida ao meio avultava no canto de uma pequena clareira coberta de sombra. Folha Manchada tinha morado ali. A lembrança da delicada gata atartarugada, morta por um guerreiro do Clã das Sombras, tocou os sentimentos de Coração de Fogo. Ele sentia muita falta dela.

– Presa Amarela! – Listra Cinzenta chamou. – Viemos buscar ervas para levar na viagem!

Os dois felinos ouviram um miado fraco vindo da sombra no centro da rocha, de onde surgiu Presa Amarela:
– Aonde vocês vão? – perguntou.

– Temos que encontrar os gatos do Clã do Vento e trazê-los de volta – explicou Coração de Fogo, sem conseguir esconder o orgulho.

– Sua primeira missão como guerreiros! – disse a curandeira, com a voz rouca. – Parabéns! Vou apanhar as ervas necessárias. – Retornou depois de alguns instantes, trazendo na boca um pequeno molho de folhas secas. – Sirvam-se!
– ronronou, colocando as ervas no chão.

Coração de Fogo e Listra Cinzenta mascaram obedientemente as folhas nada saborosas. – Eca! – reclamou Listra Cinzenta. – Tão ruins quanto da última vez. – Coração de Fogo concordou, fazendo uma careta. Folha Manchada lhes dera as mesmas ervas na viagem que tinham feito com Estrela Azul até a Pedra da Lua.

Listra Cinzenta engoliu a última porção e cutucou com o nariz o ombro de Coração de Fogo: – Vamos, seu molengão! Pé na estrada! Adeus – disse a Presa Amarela por sobre o ombro, enquanto se apressava para fora da clareira.

– Espere por mim – miou Coração de Fogo, correndo atrás do amigo.

– Adeus! Boa sorte, jovens – miou a curandeira.

Ao passarem pelo túnel, Coração de Fogo ouviu as samambaias farfalhando na brisa da manhã. Pareciam sussurrar: – Boa sorte! Façam uma boa viagem!

CAPÍTULO 4

Ao sairem do acampamento, os dois jovens guerreiros quase atropelaram Nevasca, que conduzia Pata de Areia e Vento Veloz à floresta, para se ocuparem da patrulha do amanhecer.

– Desculpe! – arfou Coração de Fogo, detendo-se bruscamente e obrigando Listra Cinzenta, que vinha logo atrás, a deter-se também.

O gato branco abaixou a cabeça e miou: – Soube que vão sair em missão.

– É verdade – respondeu Coração de Fogo.

– Que o Clã das Estrelas os proteja – miou, sério, Nevasca.

– Qual é a missão? – Pata de Areia perguntou com ares de deboche. – Vocês vão caçar ratos silvestres?

Mas a expressão da gata mudou quando Vento Veloz, um gato magro e malhado, murmurou-lhe alguma coisa no ouvido. O desprezo contido no olhar verde de Pata de Areia deu lugar, então, a uma curiosidade velada.

A patrulha abriu passagem para Coração de Fogo e Listra Cinzenta. A dupla se apressou, escalando a lateral da ravina.

Os jovens guerreiros trocaram poucas palavras ao seguirem através da floresta até Quatro Árvores, querendo economizar fôlego para a longa jornada que tinham pela frente. Pararam no alto da encosta íngreme, na extremidade da clareira sombreada pelos carvalhos, arfando por causa da subida.

– *Sempre* venta assim aqui no alto? – resmungou Listra Cinzenta, o pelo espesso se arrepiando com a rajada de ar frio que cortava o planalto.

– Suponho que seja porque não há árvores para bloquear o vento – observou Coração de Fogo, apertando os olhos. Estavam no território do Clã do Vento. Ao farejar o ar, ele detectou um odor que, pelo que lhe diziam todos os sentidos, não era para estar ali. – Está sentindo o cheiro dos guerreiros do Clã do Rio? – perguntou, desconfortável.

Listra Cinzenta elevou o nariz. – Não. Você acha que pode haver alguns deles por aqui?

– Talvez. Eles podem querer tirar vantagem da ausência do Clã do Vento, principalmente por saberem que seus felinos logo voltarão.

– Ainda não sinto cheiro de nada – murmurou Listra Cinzenta.

Os dois amigos caminharam com cuidado por uma trilha de turfas congelada, protegida por urzes.

Um odor fresco fez Coração de Fogo parar de repente. – Está sentindo esse cheiro? – sibilou para o amigo.

– Estou – respondeu Listra Cinzenta, colando o corpo ao chão. – O Clã do Rio!

Coração de Fogo se agachou, mantendo as orelhas sob as urzes. A seu lado, Listra Cinzenta levantou a cabeça para olhar por cima dos arbustos. – Consigo vê-los – murmurou. – Estão caçando.

Coração de Fogo se esticou com cuidado para olhar.

Quatro guerreiros do Clã do Rio perseguiam um coelho por um trecho de tojos. Coração de Fogo reconheceu Garra Negra, que estivera na Reunião. O guerreiro negro-acinzentado, com as garras à mostra, deu um pulo, mas voltou a se sentar sem conseguir pegar a presa. O coelho provavelmente conseguira chegar à segurança de sua toca.

Coração de Fogo e Listra Cinzenta voltaram a se abaixar, comprimindo a barriga na turfa.

– Não são bons caçadores de coelhos – Listra Cinzenta debochou.

– Acho que o Clã do Rio está mais acostumado a pegar peixes – disse o amigo, baixinho. Seu nariz pinicou com o cheiro de coelho apavorado que se aproximava. Com uma ponta de medo, Coração de Fogo ouviu os passos dos guerreiros do Clã do Rio se acercando rapidamente da presa. – Estão vindo para cá. Precisamos nos esconder!

– Siga-me. Estou sentindo o cheiro de texugos por aqui.

– Texugos? – repetiu Coração de Fogo. – É seguro prosseguir? – Ele ouvira a história de como Meio Rabo perdera a cauda numa luta com um texugo velho e mal-humorado.

– Não se preocupe. O cheiro é forte, mas rançoso – Listra Cinzenta assegurou. – Deve haver uma antiga toca deles aqui.

Coração de Fogo farejou o ar. Suas glândulas olfativas perceberam um cheiro forte, parecido com o de uma raposa. – Tem certeza de que está abandonado?

– Já, já vamos saber. Mexa-se, precisamos sair daqui – respondeu o amigo, logo tomando a frente entre os arbustos baixinhos. O farfalhar de urzes indicou a Coração de Fogo que os guerreiros do Clã do Rio se aproximavam.

– Aqui – Listra Cinzenta colocou-se ao lado de um tufo de urzes que deixava à mostra um buraco arenoso no chão. – Entre aqui! O cheiro do texugo vai disfarçar o nosso. Podemos esperar até que se vão.

Coração de Fogo rapidamente deslizou no buraco escuro, seguido por Listra Cinzenta. O fedor de texugo era insuportável.

Os dois gatos ouviram pegadas no chão acima. Prenderam a respiração quando o barulho cessou de repente e um dos guerreiros do Clã do Vento gritou: – Toca de texugos! – Pelo tom rouco, Coração de Fogo reconheceu Garra Negra.

Uma segunda voz perguntou: – Está abandonada? O coelho pode estar escondido aí.

Coração de Fogo sentiu o pelo de Listra Cinzenta se arrepiar a seu lado, no escuro. Pôs as garras de fora e fixou o olhar na entrada do buraco, pronto para lutar se os guerreiros avançassem.

– Espere; o cheiro indica aquele caminho – miou Garra Negra. Ouviu-se um movimento de patas acima, quando os guerreiros do Clã do Rio se afastaram.

Devagar, Listra Cinzenta soltou a respiração. – Você acha que foram embora?

– Talvez seja melhor esperarmos um pouco mais, para ter certeza de que nenhum deles ficou para trás – sugeriu Coração de Fogo.

Não se ouviam mais ruídos no exterior. Listra Cinzenta cutucou o amigo e miou: – Vamos.

Com cuidado, os dois gatos saíram à luz do dia. Não havia sinal da patrulha do Clã do Rio. A brisa fresca limpou das glândulas olfativas de Coração de Fogo o fedor de texugo. – Devemos procurar pelo acampamento do Clã do Vento – miou para Listra Cinzenta. – Vai ser o melhor lugar para sentir o cheiro deles.

– Tudo bem.

Devagar, caminharam através das urzes, mantendo a boca ligeiramente aberta para perceber o odor de algum outro guerreiro do Clã do Rio. Pararam ao pé de uma rocha grande e achatada, que se erguia, íngreme, acima dos arbustos de tojos.

– Vou subir para ter uma visão geral – ofereceu-se Listra Cinzenta. – Meu pelo se confunde melhor com a pedra.

– Certo. Mas mantenha a cabeça baixa.

Coração de Fogo observou o amigo subir na rocha. Listra Cinzenta se agachou no alto e percorreu o planalto com os olhos, deslizando de volta até onde estava Coração de

Fogo. – Há um buraco ali adiante, acho – bufou, movimentando a cauda. – Vejo uma falha nas urzes.

– Vamos verificar. Pode ser o acampamento.

– Foi o que pensei. Provavelmente é o único lugar aqui protegido do vento.

Ao se aproximarem da descida, Coração de Fogo disparou na frente de Listra Cinzenta e, lá de cima, observou. Parecia que um guerreiro do Clã das Estrelas tinha descido do céu e tirado uma porção de turfa do planalto, substituindo-a por um espesso emaranhado de tojos que cresciam dos dois lados, quase até o chão.

Coração de Fogo farejou o ar. Sentia diferentes odores, todos do Clã do Vento, velhos e jovens, de macho e de fêmea, e, ao fundo, o cheiro fraco de presa fresca que havia muito se tornara carniça. Tinha de ser ali o acampamento abandonado.

Desceu a encosta e enfiou-se nos arbustos. O tojo repuxava seu pelo e arranhava-lhe o nariz, deixando-o com os olhos cheios de água. Atrás dele, ouvia Listra Cinzenta esbravejar porque os espinhos machucavam suas orelhas. Finalmente, chegaram a uma clareira protegida, cujo chão arenoso mostrava as marcas feitas por gerações de patas. Num canto da clareira havia uma rocha, polida pelos ventos constantes de muitas luas.

– Este é mesmo o acampamento – murmurou Coração de Fogo.

– Não acredito que Estrela Partida tenha conseguido expulsar o Clã do Vento de um lugar tão bem protegido!

– miou Listra Cinzenta, esfregando com uma pata o nariz machucado.

– Parece que a luta foi boa – observou Coração de Fogo, dando-se conta, chocado, de como o acampamento estava devastado. Chumaços de pelo cobriam o chão e a areia estava manchada de sangue seco. Ninhos de musgo tinham sido arrancados das tocas e destruídos. Por todo lado, odores rançosos do Clã das Sombras se misturavam ao cheiro dos gatos apavorados do Clã do Vento.

Coração de Fogo levantou os ombros e miou: – Vamos encontrar a trilha de cheiro que leva para fora daqui. – Começou a farejar o ar com cuidado, movendo-se à frente, na pista do odor mais forte. Listra Cinzenta o seguiu até um vão estreito nos tojos.

– Os felinos do Clã do Vento devem ser ainda menores do que me lembro! – resmungou ao tentar se espremer entre a vegetação, para ir atrás do amigo.

Divertido, Coração de Fogo lançou um olhar para o companheiro. A trilha estava muito clara agora; realmente se tratava do Clã do Rio, mas era um odor misturado e pungente, como se exalado por muitos gatos em pânico. Gotas de sangue seco salpicavam o chão. – Estamos no caminho certo – miou, sombrio. Duas luas de chuva e vento não tinham conseguido lavar as marcas do que haviam sofrido. Era fácil para Coração de Fogo vislumbrar os gatos do clã, derrotados e feridos, fugindo de casa. Tomado de raiva, deu um salto e saiu atrás de Listra Cinzenta.

A trilha os levou à extremidade do planalto, onde pararam para recuperar o fôlego. Em frente, uma encosta levava até a fazenda dos Duas-Pernas. Ao longe, onde o sol começava a se pôr, viam-se as formas elevadas das Pedras Altas.

– Fico imaginando se Manto da Noite já está lá – murmurou Coração de Fogo. Em um túnel abaixo das Pedras Altas, ficava a sagrada Pedra da Lua, onde os líderes de cada clã dividiam sonhos com o Clã das Estrelas.

– Mas não queremos dar de cara com ele, não é? – miou Listra Cinzenta, balançando a cauda ao ver grande extensão de terras dos Duas-Pernas. – Já vai ser bem difícil driblar os Duas-Pernas, os ratos e os cachorros sem encontrar o novo líder do Clã das Sombras!

Coração de Fogo concordou. Lembrou-se de sua última viagem àquelas terras, com Estrela Azul e Garra de Tigre. Quase morreram atacados por ratos; só a chegada de Cevada, o isolado, os salvara. Mesmo assim, a líder tinha perdido uma de suas vidas; essa recordação picou Coração de Fogo como uma formiga vermelha.

– Acha que vamos encontrar algum vestígio de Pata Negra por aqui? – miou Listra Cinzenta, virando o rosto largo para o amigo.

– Espero que sim – respondeu, solene, Coração de Fogo. A última coisa que tinha visto de Pata Negra fora a ponta branca da cauda desaparecendo na tempestade no planalto. Teria o aprendiz do Clã do Trovão chegado a salvo ao território de Cevada?

Os dois guerreiros começaram a descer a encosta, farejando com cuidado cada monte de grama, para ter certeza de que continuavam na trilha do Clã do Vento.

– Não parece que rumaram para as Pedras Altas – observou Listra Cinzenta. A trilha os conduziu para um campo largo e gramado, que bordearam, ficando perto da cerca viva, como fizera o Clã do Vento. O cheiro os guiou, através de um pequeno bosque, até um caminho pertencente aos Duas-Pernas.

– Veja! – miou Listra Cinzenta. Pilhas de ossos de presas, desbotados pelo sol, estavam espalhadas pela vegetação. Camadas de musgo tinham se formado sob os trechos mais fechados das amoreiras.

– O Clã do Vento deve ter tentado se instalar aqui – Coração de Fogo miou, surpreso.

– O que os terá feito partir? – perguntou Listra Cinzenta, farejando o ar. – O odor é antigo.

Coração de Fogo encolheu os ombros e os dois gatos seguiram a trilha até uma cerca viva compacta. Depois de certa dificuldade, contorcendo-se, conseguiram alcançar a margem gramada. Além de uma vala estreita, via-se uma trilha larga, de terra.

O guerreiro cinza rapidamente pulou a vala até a pista vermelha. Coração de Fogo olhou à volta, retesando o corpo ao reconhecer a distância uma silhueta distorcida. – Listra Cinzenta, pare – sibilou.

– O que foi?

Com o nariz, ele apontou: – Olhe ali aquele Lugar dos Duas-Pernas! Devemos estar perto do território de Cevada.

As orelhas de Listra Cinzenta pinicavam nervosamente. – É onde moram aqueles cachorros! Mas com certeza foi por aqui que os felinos do Clã do Vento vieram. Vamos ter de nos apressar. Precisamos ultrapassar o ninho dos Duas--Pernas antes de o sol se pôr.

Coração de Fogo lembrou-se de Cevada ter contado que os Duas-Pernas deixavam os cachorros soltos à noite; e o sol já mergulhava no cume escarpado das Pedras Altas. Ele assentiu: – Talvez os cachorros tenham expulsado da floresta o Clã do Vento. – Com um espasmo de ansiedade, pensou em Pata Negra. – Você acha que ele encontrou o Cevada? – perguntou.

– Quem? Pata Negra? Por que não? Nós conseguimos chegar até aqui! Não o subestime. Lembra quando Garra de Tigre o enviou até a Rocha das Cobras? Ele voltou com uma serpente!

Coração de Fogo ronronou com a recordação e Listra Cinzenta saltou sobre a trilha, através da cerca viva, seguido pelo amigo, que se apressou a acompanhá-lo, passo a passo.

Um cachorro latia furiosamente no ninho dos Duas--Pernas, mas logo seu terrível ladrar enfraqueceu na distância. A temperatura diminuiu com o cair do sol e a geada começou a se formar na grama.

– Continuamos ou não? – perguntou Listra Cinzenta. – E se a trilha acabar nos levando às Pedras Altas? Manto da Noite, com certeza, já está por lá a essa altura.

Coração de Fogo farejou as copas amarronzadas de algumas samambaias. Sentiu nas narinas o cheiro do Clã do Vento, acre por causa do medo. – É melhor continuarmos – miou. – Vamos parar quando for necessário.

A brisa fria trouxe outro odor até o gato; havia por perto um Caminho do Trovão. Pata Cinzenta crispou o rosto. Também sentira o cheiro. Os guerreiros trocaram um olhar de desânimo, mas continuaram. O fedor ficou cada vez mais forte, até que ouviram o rugido dos monstros do Caminho do Trovão a distância. Quando chegaram à cerca viva que acompanhava o caminho largo e cinza, ficou difícil discernir a trilha do Clã do Vento.

Listra Cinzenta parou e olhou à volta, com a incerteza estampada no rosto. Mas Coração de Fogo identificava apenas o cheiro de medo. Percorreu as sombras que ladeavam as árvores até chegar a um lugar onde a vegetação era menos fechada. – Eles se refugiaram aqui – Coração de Fogo miou, imaginando os felinos do Clã do Vento apavorados, olhando através da cerca o Caminho do Trovão.

– Foi provavelmente a primeira vez que a maior parte deles viu o Caminho do Trovão – observou Listra Cinzenta, aproximando-se do amigo.

Coração de Fogo olhou para ele surpreso. Jamais encontrara um felino do Clã do Vento; tinham sido expulsos do próprio território quase ao mesmo tempo que ele se tornara um aprendiz. – Eles não patrulham as fronteiras? – perguntou, confuso.

– Você viu o território deles; é bastante selvagem e árido, não é fácil pegar presas. Acho que jamais pensaram que outros clãs fossem querer caçar ali. Afinal, o Clã do Rio tem seu rio e, num bom ano, nossas florestas ficam cheias de presas; nenhum gato precisa dos coelhos magrelas deles.

Um monstro rugiu do outro lado da cerca viva, com os olhos brilhando. Os dois gatos se encolheram quando o vento atingiu-lhes o pelo, conseguindo penetrar o muro de folhas. Quando o barulho se perdeu, levantaram-se com cuidado e farejaram à volta das raízes da vegetação.

– A trilha parece levar até aqui embaixo – disse Coração de Fogo, espremendo-se pela grama que beirava o Caminho do Trovão. Listra Cinzenta o seguiu.

Mas do outro lado da cerca viva, a trilha de cheiro desapareceu de repente.

– Devem ter voltado atrás ou atravessado o Caminho do Trovão – miou Coração de Fogo. – Olhe por aqui que vou verificar o outro lado. – Esforçou-se para manter a voz calma, mas a exaustão começava a deixá-lo desesperado. Não era possível que tivessem perdido a trilha agora, depois de chegar tão longe!

CAPÍTULO 5

Coração de Fogo esperou até ouvir apenas o som latejante do sangue pulsando nas orelhas. Foi até a beira do Caminho do Trovão, que se estendia à sua frente largo e fétido, porém silencioso. O gato disparou. O chão sob suas patas era gelado e liso. Ele só parou ao alcançar a grama do outro lado.

O ar estava contaminado pelo cheiro acre do Caminho do Trovão e seus monstros; assim, Coração de Fogo tomou a direção da cerca viva. Não havia, ainda, nenhum vestígio dos gatos do Clã do Vento. Seu coração se entristeceu.

De repente, um monstro passou, fazendo-o dar um pulo no ar, em pânico. Ele se enfiou na folhagem e se agachou, tremendo, sem saber o que fazer.

Foi quando farejou um vestígio muito tênue, trazido pelo vento que o monstro provocara ao passar. O Clã do Vento estivera ali!

Coração de Fogo gritou o mais alto que pôde para chamar Listra Cinzenta. Depois de uma pausa, ouviu o som de patas atravessando o Caminho do Trovão até ele.

– Você os encontrou? – perguntou o amigo, arfando.

– Não tenho certeza. Senti um resto de cheiro, mas não pude localizá-lo exatamente – Coração de Fogo dirigiu-se até a cerca viva, com Listra Cinzenta logo atrás. Farejou o campo aberto à frente. – Você tem alguma ideia do que há além?

– Não. Não acho que algum gato de clã já tenha chegado tão longe.

– A não ser os gatos do Clã do Vento – murmurou, sério, Coração de Fogo. Longe dos odores confusos do Caminho do Trovão, a trilha, de repente, ficou evidente. Com certeza o Clã do Vento passara por ali. Os dois gatos saíram em disparada pela grama alta, atravessando direto o campo.

– Coração de Fogo! – gritou, assustado, Listra Cinzenta.

– O quê?

– Olhe!

O amigo parou e levantou a cabeça. Viu um Caminho do Trovão à frente deles fazendo um arco no ar sobre maciças pernas de pedra, iluminado pelos olhos dos monstros que nele passavam. Outro Caminho do Trovão corria abaixo do primeiro, indo em sentido contrário na escuridão.

Com a cabeça, Listra Cinzenta apontou um cardo. – Cheire isso! – murmurou, incrédulo.

Coração de Fogo aspirou o odor. Uma marca recém-deixada pelo Clã do Vento!

– Devem ter se instalado perto daqui! – disse, baixinho, o gato cinza, sem acreditar.

Coração de Fogo sentiu o estômago doer. Os dois gatos se olharam em silêncio por um instante. Então, sem nada dizer, rumaram para os malcheirosos Caminhos do Trovão.

Por fim, Listra Cinzenta falou: – Por que o Clã do Vento viria a um lugar como este?

– Acho que nem Estrela Partida iria querer segui-los aqui – respondeu, com malícia, Coração de Fogo. Dizendo isso, parou. Um pensamento não lhe saía da cabeça.

Listra Cinzenta parou a seu lado. – O que é?

– Se o Clã do Vento está se escondendo tão perto dos Caminhos do Trovão – miou, devagar, Coração de Fogo –, devem estar dispostos a tudo para não serem encontrados. É mais provável que acreditem em nós se chegarmos à luz do dia, não de modo sorrateiro, na escuridão.

– Isso quer dizer que podemos descansar? – perguntou o amigo, despencando no chão.

– Só até o amanhecer. Vamos encontrar um lugar para nos esconder e tentar dormir um pouco. Você está com fome? – Listra Cinzenta fez que não. – Nem eu – disse Coração de Fogo. – Não sei se é por causa das ervas ou porque o fedor do Caminho do Trovão me deixou nauseado.

– Onde vamos dormir? – perguntou Listra Cinzenta olhando à volta.

Coração de Fogo já tinha percebido uma sombra escura no chão, mais acima. – O que é isso?

– Uma toca? – perguntou Listra Cinzenta, demonstrando surpresa. – É grande demais para um coelho. Com certeza não é uma toca de texugo!

– Vamos ver – sugeriu o amigo.

O buraco era maior que uma toca de texugo, liso e revestido com pedra. Coração de Fogo farejou o lugar e colocou na borda as patas dianteiras, olhando para dentro com cuidado. Um túnel de pedra levava ao fundo, até o chão. – Sinto o ar passando por aqui – miou, a voz ecoando nas sombras. – Tem de haver uma saída adiante. – Inclinou-se para trás para sair e apontou o nariz para o emaranhado de Caminhos do Trovão.

– Está vazio? – perguntou Listra Cinzenta.

– Pelo cheiro, sim.

– Vamos, então. – O gato cinza foi na frente e entrou no túnel. Passado um trecho que media o comprimento de algumas raposas, a encosta se nivelava.

Coração de Fogo parou e farejou o ar úmido. Conseguia sentir apenas o cheiro dos vapores do Caminho do Trovão. Acima, um rugido ensurdecedor. Quando o chão vibrava, sentia as patas tremer. O Caminho do Trovão estava *acima* deles? Seu pelo arrepiou por causa da correnteza de ar que não parava de soprar, e sentiu a pelagem de Listra Cinzenta a roçá-lo de leve – o amigo estava girando no mesmo lugar, preparando-se para dormir. Coração de Fogo agachou-se, encolhendo-se ao lado do gato cinza. Fechou os olhos que ardiam e pensou nas brisas delicadas da floresta e no farfalhar das folhas. A exaustão lutou um pouco com certa vontade de estar em casa, em sua toca, antes que se entregasse à escuridão que lhe inundou a mente.

Quando voltou a abrir os olhos, uma luz cinza brilhava no fim do túnel. O amanhecer devia estar próximo. Seus ossos doíam por causa do chão duro e frio. Cutucou Listra Cinzenta, que resmungou: – Já amanheceu?

– Quase – respondeu o amigo, pondo-se de pé. Listra Cinzenta se espreguiçou e também se levantou.

– Acho que devemos seguir por ali – miou Coração de Fogo, desviando a cabeça da luz. – Provavelmente esse túnel passa diretamente embaixo do Caminho do Trovão. Pode nos levar mais perto de... – Sua voz vacilou; não tinha palavras para descrever o emaranhado de Caminhos do Trovão que vira na noite anterior. A seu lado, Listra Cinzenta concordou; juntos, começaram a caminhar em silêncio, na escuridão.

Não demorou para Coração de Fogo vislumbrar luz. Apressaram o passo até subirem uma pequena encosta escarpada, que os levou a um mundo banhado pela luz cinza da madrugada.

Tinham chegado perto de um trecho de grama árida e suja, onde uma fogueira ardia. Havia Caminhos do Trovão dos dois lados, e outro fazia um arco no alto. Alguns Duas-Pernas estavam à volta do fogo. Um deles se espreguiçou e virou de lado; outro resmungou, zangado, enquanto dormia, mas o barulho e o fedor dos Caminhos do Trovão não pareciam incomodá-los.

Coração de Fogo observou-os com cuidado; depois, congelou quando outra coisa lhe chamou a atenção: silhuetas escuras que se moviam rapidamente, para a frente e para trás, ante as chamas. Gatos! Seriam do Clã do Vento? Olhou para o fogo e para os felinos, e sua mente inundou-se com a lembrança do sonho, o barulho do Caminho do Trovão, a visão das labaredas e dos gatos, e a voz de Folha Manchada murmurando: "O fogo vai salvar o clã."

Uma onda de emoção enfraqueceu-lhe as pernas. Aquilo significava que o destino do Clã do Trovão estava inexoravelmente ligado ao do Clã do Vento?

– Coração de Fogo? Coração de Fogo!

A voz de Listra Cinzenta o trouxe violentamente de volta à realidade. Respirou fundo para se acalmar e miou:

– Precisamos encontrar Estrela Alta e falar com ele.

– Então você acha que *é* o Clã do Vento?

– Você sentiu o cheiro deles; quem mais poderia ser?

Listra Cinzenta o fitou, os olhos brilhando em triunfo. – Nós os encontramos!

Coração de Fogo concordou, sem mencionar que encontrar o Clã do Vento era apenas a metade da missão. Ainda precisavam convencer os felinos de que era seguro voltar para casa.

Listra Cinzenta preparou-se para dar um pulo para a frente. – Vamos!

– Espere – advertiu Coração de Fogo. – Não queremos afugentá-los.

Foi quando um dos Duas-Pernas levantou-se com um movimento brusco e começou a gritar com os gatos esfarrapados que rodeavam o fogo. O barulho acordou os outros Duas-Pernas, que, zangados, também começaram a esbravejar.

Os felinos do Clã do Vento se espalharam. Sem nenhuma precaução, Coração de Fogo e Listra Cinzenta correram atrás deles. Coração de Fogo sentiu a pele formigar de medo quando se aproximaram da fogueira e dos Duas-Pernas.

O instinto lhe dizia para ficar longe, mas ele não ousava perder de vista os gatos do Clã do Vento, que fugiam.

Um dos Duas-Pernas se pôs em pé, colocando-se de súbito à frente dele. Coração de Fogo escorregou, levantando uma nuvem de poeira. Alguma coisa explodiu a seu lado, cobrindo-o com estilhaços pontiagudos, que, no entanto, não conseguiram penetrar-lhe o pelo espesso. Ele olhou para trás, procurando Listra Cinzenta. Ficou aliviado ao vê-lo logo ali, com os olhos arregalados de susto, o pelo eriçado.

Correram para a segurança das sombras, sob o Caminho do Trovão que ficava no alto. Mais à frente, Coração de Fogo observou os felinos do Clã do Vento pararem perto de uma das grandes pernas de pedra do Caminho do Trovão. Um por um, os gatos sumiram no chão.

– Para onde foram? – miou, surpreso, Listra Cinzenta.

– Será que há outro túnel? – imaginou Coração de Fogo. – Vamos descobrir.

Com cuidado, os dois amigos se aproximaram do lugar onde os gatos tinham desaparecido. Ao chegarem, viram um buraco na terra. A entrada era redonda e revestida com pedras, como a do lugar onde tinham dormido na véspera, e dava numa completa escuridão.

Coração de Fogo ia à frente, com todos os sentidos alertas para a aproximação de alguma patrulha do Clã do Vento. O chão sob suas patas estava molhado e escorregadio, e o som de água pingando ecoava ao redor deles. Quando o túnel se nivelou, ele empinou as orelhas e abriu a boca. O ar úmido tinha um cheiro desagradável e acre, pior do que o odor do túnel onde haviam dormido. Os vapores do Caminho do Trovão se misturavam com o cheiro de medo dos felinos do Clã do Vento.

Estava escuro demais e não conseguiam enxergar coisa alguma, mas depois de alguns passos, os bigodes de Coração de Fogo perceberam uma curva no túnel. Ele balançou a ponta da cauda, que tocou levemente Listra Cinzenta. Não via o amigo na escuridão, mas ele deve ter entendido o sinal, pois parou a seu lado e, juntos, vasculharam aquele canto.

À frente, o túnel era iluminado por um buraco estreito no teto, que levava ao terreno abandonado que ficava acima. Coração de Fogo viu muitos gatos amontoados sob a luz cinza, guerreiros e anciãos, rainhas e filhotes, todos terrivelmente magros. Uma brisa fria soprava, inclemente, do buraco no teto, agitando a pelagem fina nos corpos esqueléticos. Ele encolheu os ombros ao sentir o fedor de doença e de carniça trazido pela brisa.

De repente, o túnel balançou ao rugido de um monstro acima deles. Tensos, Listra Cinzenta e Coração de Fogo se sobressaltaram, mas os gatos do Clã do Vento não esboçaram reação. Simplesmente se aninharam, com os olhos semicerrados, indiferentes ao que acontecia.

O barulho cessou. Coração de Fogo respirou fundo e colocou-se no canto, sob a luz fraca.

Um gato cinza do Clã do Vento rodopiou, com o pelo arrepiado, e soltou um guincho de alarme para o resto do clã. Num movimento harmônico, os guerreiros se puseram em fila ao longo do túnel, colocando-se à frente das rainhas e dos anciãos com as costas arqueadas e sibilando ferozmente.

Apavorado, Coração de Fogo viu o brilho das garras à mostra e dos dentes afiados como espinhos. Aqueles gatos, quase mortos de fome, estavam prontos para atacar.

CAPÍTULO 6

Coração de Fogo encostou o corpo em Listra Cinzenta, que saltara para o lado dele. Se quisessem sair vivos dali, precisavam mostrar que não eram uma ameaça.

Os guerreiros do Clã do Vento mantiveram a posição, sem mover um músculo. Coração de Fogo se deu conta de que *esperavam por um sinal do líder! Ainda seguiam o Código dos Guerreiros, mesmo tendo que viver naquelas condições.*

Um felino preto e branco saiu de trás da fila de guerreiros, abrindo caminho. Coração de Fogo se assustou ao reconhecer o gato de cauda longa que vira em seus sonhos. Devia ser Estrela Alta, o líder do Clã do Vento.

Estrela Alta farejou o ar, mas Coração de Fogo e Listra Cinzenta estavam na direção do vento, que soprava constantemente, levando embora seus odores. Quando o gato preto e branco se aproximou, Coração de Fogo sentiu o fedor de carniça que exalava de seu pelo. Como Listra Cinzenta, permaneceu totalmente imóvel, olhando para baixo, enquanto Estrela Alta os rodeava, farejando-lhes a pelagem de perto.

Finalmente o líder se pôs ao lado de seus guerreiros. Coração de Fogo ouviu-o murmurar "Clã do Trovão". Os felinos abaixaram o pelo, mas continuaram em formação defensiva, protegendo os demais.

Estrela Alta voltou o rosto para os visitantes e se sentou, enrolando a cauda com cuidado à volta das patas. – Esperava o Clã das Sombras – grunhiu, com os olhos queimando, hostis. – Por que estão aqui?

– Viemos procurá-los – miou Coração de Fogo, com a voz trêmula pela tensão. – Estrela Azul e os outros líderes dos clãs querem que retornem para casa.

A voz de Estrela Alta ainda demonstrava suspeita: – Aquelas terras não são mais seguras para meu clã – miou. Seu olhar apreensivo revelava o tormento da perseguição, transmitindo a Coração de Fogo uma ponta de tristeza.

– O Clã das Sombras expulsou Estrela Partida – o guerreiro explicou. – Ele não é mais uma ameaça.

Os guerreiros atrás de Estrela Alta se entreolharam. Murmúrios de surpresa percorreram o grupo de felinos.

– É preciso que vocês voltem o mais depressa possível – Coração de Fogo insistiu. – O Clã das Sombras e o Clã do Rio estão começando a caçar no planalto. Quando vínhamos para cá, vimos uma patrulha de caça do Clã do Rio perto da antiga toca dos texugos.

Estrela Alta eriçou-se de raiva.

– Mas eles são péssimos caçadores de coelhos – acrescentou Listra Cinzenta. – Devem ter voltado para casa de barriga vazia.

Estrela Alta e seus guerreiros ronronaram, satisfeitos. A animação dos felinos encorajou Coração de Fogo, mas era evidente que os gatos estavam muito fracos para a longa e árdua viagem de volta. – Podemos acompanhá-los no trajeto? – sugeriu, de forma respeitosa.

Os olhos do líder brilharam. Sabia que aquela pergunta disfarçava uma oferta de ajuda. Com o olhar firme, finalmente, respondeu: – Obrigado.

Coração de Fogo se deu conta de que não tinha se apresentado: – Esse é Listra Cinzenta – miou, com uma reverência. – E eu sou Coração de Fogo. Somos guerreiros do Clã do Trovão.

– Coração de Fogo – repetiu Estrela Alta, pensativo. A luz do sol agora inundava o recinto através do buraco no teto, fazendo brilhar o pelo do jovem guerreiro no túnel escuro. – O nome lhe cai bem.

Outro monstro rugiu acima de suas cabeças. Coração de Fogo e Listra Cinzenta se encolheram. Estrela Alta observou-os, divertido, e sacudiu a cauda. Foi como um sinal, pois a fila de guerreiros atrás dele se desfez. – Devemos partir imediatamente – anunciou, pondo-se de pé.

– Estão todos prontos para a viagem? – o líder perguntou quando os guerreiros começaram a se movimentar entre as rainhas e os anciãos.

– Todos, menos o filhote de Flor da Manhã – respondeu um guerreiro de manchas marrom. – Ele é novo demais.

– Então devemos nos revezar para carregá-lo – replicou o líder.

Os felinos do Clã do Vento avançaram com dificuldade; seus olhos traduziam dor e exaustão. Uma rainha atartarugada levava delicadamente um filhote pela nuca. A pequena criatura mal abria os olhos.

– Estão prontos? – perguntou Estrela Alta.

Um gato preto com uma pata deformada passou os olhos entre os felinos e respondeu por eles: – Prontos.

Os amigos se viraram e partiram na direção da entrada do túnel, e ali esperaram até que os gatos do Clã do Vento saíssem, ofuscados pela luz do dia. Alguns anciãos, com o rosto contraído pelo sol fraco, levaram tanto tempo para se acostumar à claridade que Coração de Fogo deduziu que fazia um bom tempo que estavam no túnel. O líder foi o último a sair e colocou-se à frente do clã.

– Querem voltar pelo caminho que fizemos? – perguntou-lhe Coração de Fogo. – Acredito ser um atalho.

– É seguro? – replicou Estrela Alta. Coração de Fogo notou novamente a apreensão em seu olhar.

– Não tivemos problemas para chegar – miou Listra Cinzenta.

Resoluto, Estrela Alta balançou a cauda, como para dissipar qualquer dúvida. – Ótimo – declarou. – Você vem comigo, Listra Cinzenta. Mostre-me o caminho. Coração de Fogo viajará ao lado do clã. Fale com meu representante, se houver algum problema.

– Quem é ele? – perguntou Coração de Fogo.

Estrela Alta indicou com a cabeça: – Pé Morto. – O guerreiro se virou ao ouvir seu nome e empinou as orelhas.

Coração de Fogo inclinou a cabeça para cumprimentá-lo e, afastando-se de Listra Cinzenta e do líder, juntou-se aos demais.

Quando o clã fez a volta sob o arco do Caminho do Trovão, Coração de Fogo ainda sentia o odor das chamas, mas quando chegaram ao campo devastado, os Duas-Pernas não estavam à vista. Listra Cinzenta foi direto ao túnel onde tinha passado a noite com o amigo. Estrela Alta foi o primeiro a entrar; Coração de Fogo esperou, até que todos os gatos tivessem desaparecido no túnel. Só o representante ficou de fora.

– Tem certeza de que o túnel leva à luz do dia? – miou o gato preto, precavido.

– Ele passa debaixo do Caminho do Trovão. Vocês nunca usaram esse túnel? – perguntou, surpreso, Coração de Fogo.

– Quando nossos guerreiros cruzam o Caminho do Trovão, preferem ver para onde estão indo – grunhiu Pé Morto. Coração de Fogo aquiesceu. – Vá na frente – acrescentou o representante.

O guerreiro desceu pelo buraco escuro. Quando saiu, encontrou os felinos do Clã do Vento olhando fixamente o campo que levava ao último Caminho do Trovão. Estrela Alta consultou rapidamente Listra Cinzenta antes de começarem a atravessar a grama, extensa e coberta de gelo. Coração de Fogo seguiu com o resto do clã, protegendo um lado do grupo, enquanto Pé Morto, mancando, seguia firme do outro lado.

Antes mesmo de chegarem à metade do campo, ficou claro que muitos estavam tendo dificuldade para acompanhar o ritmo. – Estrela Alta! – gritou Pé Morto. – Precisamos ir mais devagar!

Coração de Fogo olhou sobre o ombro e viu que alguns gatos ficavam cada vez mais para trás. Um deles era Flor da Manhã, com o filhote pendurado na boca. Dirigiu-se até ela, que mal conseguia respirar. Não devia fazer muito tempo que dera à luz.

– Deixe que eu o levo – ele ofereceu. – Só até você recuperar o fôlego.

Flor da Manhã, embora desconfiada, tranquilizou-se quando encontrou o olhar do guerreiro. Colocou o filhote no chão e Coração de Fogo o apanhou com cuidado, caminhando ao lado da jovem mãe, para ela não perder de vista o fardo precioso.

Estrela Alta diminuiu o passo, mas não muito. Apesar da evidente exaustão e do fato de suas costelas serem visíveis sob o pelo, uma energia feroz dava rapidez a suas patas.

Coração de Fogo entendia a urgência do líder. O sol continuava a subir no horizonte. Alguns dos gatos do Clã do Vento estavam doentes, outros eram velhos, e todos sofriam por causa da fome. Se pretendiam atravessar o Caminho do Trovão sem sofrer baixas, teriam de se apressar, antes que os monstros chegassem em bandos.

Quando Coração de Fogo e Flor da Manhã atingiram a cerca viva, o Clã do Vento estava reunido à volta do líder.

– Vamos atravessar o Caminho do Trovão aqui – anunciou Estrela Alta, elevando a voz, pois um monstro acabava de passar. O líder do Clã do Vento espremeu-se sob a folhagem, seguido por Pé Morto, Listra Cinzenta e um guerreiro mais jovem.

Flor da Manhã inclinou-se para Coração de Fogo para pegar seu filhote. Já não estava mais arfando e, agradecida, esfregou sua bochecha na do guerreiro quando ele lhe entregou o pequeno felino. Ele inclinou a cabeça para a rainha atartarugada e seguiu Listra Cinzenta sob a cerca viva.

Estrela Alta e Pé Morto, sem nada dizer, fixaram o olhar no caminho largo e cinza. Listra Cinzenta, ao lado deles, apontou com a cauda o guerreiro mais jovem, apresentando-o a Coração de Fogo: – Esse é Bigode Ralo.

Um monstro passou correndo, quase abafando suas palavras e levantando uma poeira malcheirosa.

Com os olhos marejados, Coração de Fogo cumprimentou Bigode Ralo e dirigiu sua atenção ao Caminho do Trovão. – É melhor tentarmos atravessar em pequenos grupos – sugeriu. – Listra Cinzenta e eu ficaremos com quem precisar de ajuda. – Olhou para o líder do clã e acrescentou: – Se você estiver de acordo, Estrela Alta.

O líder aquiesceu: – O grupo mais forte vai primeiro.

Os outros gatos do Clã do Vento começaram a surgir da cerca viva. Logo estavam todos reunidos atrás deles, espremidos contra os galhos secos, o mais longe possível do Caminho do Trovão.

Coração de Fogo e Listra Cinzenta chegaram até a beira, procurando uma brecha na fila de monstros. O Caminho do Trovão estava muito mais movimentado do que na noite anterior.

Bigode Ralo liderava o primeiro grupo.

– Quer que atravessemos com vocês? – ofereceu Coração de Fogo, ao farejar o medo do jovem. O gato de manchas marrons concordou com a cabeça. Os felinos que o seguiam olharam para um lado do Caminho do Trovão, depois para o outro. Tudo estava calmo, e o grupo atravessou correndo, em segurança.

Em seguida vieram dois guerreiros, junto com uma dupla de anciãos macérrimos. – Já! – Coração de Fogo ordenou, assim que se viram seguros depois que mais um monstro passou por eles.

Os quatro gatos do Clã do Vento pisaram no Caminho do Trovão, então vazio. Os anciãos se contraíram de dor ao atravessar, pois tinham as patas esfoladas do túnel úmido. Com a respiração presa, Coração de Fogo torcia para que chegassem logo ao outro lado. Um monstro barulhento se aproximava.

– Cuidado! – Listra Cinzenta gritou. Os dois anciãos deram um pulo à frente, com o pelo arrepiado, jogando-se para a outra margem um segundo antes de o monstro passar a toda velocidade.

Dois grupos maiores fizeram a travessia, sobrando apenas um. Estrela Alta e Pé Morto só iriam quando todos estivessem a salvo. Flor da Manhã e seu bebê ficaram ao lado de Coração de Fogo. Atrás dela, três gatos muito idosos tremiam.

– Vamos atravessar com vocês – miou Coração de Fogo, olhando para Listra Cinzenta, que concordou. – Diga-nos quando for seguro, Listra Cinzenta. – Coração de Fogo inclinou-se para apanhar o filhote de Flor da Manhã, mas ela se retraiu, com as orelhas abaixadas. O gato fitou-lhe os amedrontados olhos cor de âmbar e compreendeu. Ela e o bebê iam viver ou morrer juntos.

– Já! – Ao grito do guerreiro cinza, Coração de Fogo e Flor da Manhã puseram os pés no Caminho do Trovão. Os anciãos moveram-se vagarosamente atrás deles, ao lado de Listra Cinzenta. O tempo parecia ter parado enquanto os anciãos avançavam, lentos, com as pernas rijas e marcadas pelas batalhas. *Se um monstro vier agora, todos nos tornaremos presas frescas*, pensou Coração de Fogo. O outro lado ainda estava a diversos pulos de coelho de distância.

– Vamos – apressou Listra Cinzenta. Os anciãos tentaram acelerar, mas um deles tropeçou, e o guerreiro teve de empurrá-lo com o focinho para ajudá-lo a ficar de pé.

Coração de Fogo ouviu ao longe o rugido de um monstro. – Não pare! – sibilou para Flor da Manhã. – Nós traremos os anciãos.

A gata tropeçou. O bebê gritou ao cair no chão duro. Coração de Fogo e Listra Cinzenta colaram-se aos corpos dos macilentos anciãos, fazendo-os avançar. O ruído do monstro só fazia aumentar.

Coração de Fogo segurou pela nuca o ancião mais próximo e o arrastou, antes de se virar para rebocar o segundo mais para perto da beirada. O monstro se avizinhava, veloz. Coração de Fogo fechou os olhos e se preparou.

Ouviu-se um guincho, e um cheiro acre atingiu a garganta do jovem guerreiro; em seguida, o monstro passou a toda velocidade, levando para longe o seu rugido. Coração de Fogo abriu os olhos e olhou à volta. Listra Cinzenta estava agachado no meio do Caminho do Trovão, incólume, mas com os olhos arregalados como luas cheias. Um ancião estava encolhido entre eles; os outros dois tremiam perto da margem, enquanto o monstro se afastava velozmente, fazendo curvas no Caminho do Trovão. *Obrigado, Clã das Estrelas!* Nenhum dos felinos fora atingido.

Coração de Fogo respirou fundo, chegando a tremer, e miou para o último ancião: – Vamos, estamos quase lá.

Estrela Alta contou com Pé Morto para reunir à sua volta, na margem, os felinos do clã, que tremiam.

Bigode Ralo esfregou seu nariz no focinho de Coração de Fogo e murmurou: – Você teria morrido por nós. Nosso clã jamais esquecerá isso.

Atrás deles ouviu-se a voz de Estrela Alta: – Bigode Ralo está certo; honraremos vocês dois em nossas histórias. Precisamos prosseguir – continuou. – Ainda temos uma longa viagem pela frente.

Quando os gatos se preparavam para a caminhada, Coração de Fogo aproximou-se de Flor da Manhã, que estava ocupada, lambendo o filhote.

– Ele está bem? – perguntou o guerreiro.

– Está, sim.

– E você?

Ela nada disse.

Coração de Fogo virou-se para uma rainha cinza, que respondeu à pergunta que ele silenciara: – Não se preocupe. A partir de agora eu me encarrego do bebê.

O clã seguiu a cerca viva ao longo do Caminho do Trovão, antes de virar para pegar a trilha da floresta. Os odores ali pareciam confortar os felinos, mas a viagem tinha cobrado seu preço; eles estavam caminhando mais devagar que nunca. Quando atingiram o final da cerca, Coração de Fogo teve de usar toda a sua força para ajudar os mais fracos na travessia.

O sol já tinha passado do seu ponto mais alto quando ele avistou os Duas-Pernas a distância. Esperançoso, farejou o ar, mas não havia nenhum cheiro de Pata Negra. Sentiu uma pontada de tristeza e tentou ignorar o pensamento perturbador de que jamais deveria ter enviado o amigo para lá sozinho.

As nuvens sobre as Pedras Altas se tornavam cada vez mais escuras à medida que encobriam o sol poente. Um vento frio eriçou o pelo dos gatos, trazendo as primeiras gotas de chuva.

Coração de Fogo olhou os felinos do Clã do Vento. Eles não tinham condições de viajar numa noite longa e chuvosa. Também estava cansado e, pela primeira vez desde que comera as ervas de Presa Amarela, sentia os efeitos da fome.

Olhou para Listra Cinzenta e percebeu que o amigo encontrava-se na mesma situação. Sua cauda estava caída de exaustão; as orelhas abaixadas por causa das gotas da chuva.

– Estrela Alta – Coração de Fogo chamou. – Talvez devêssemos parar logo e procurar abrigo para a noite.

O líder diminuiu o passo, esperou que o guerreiro o alcançasse e disse: – Concordo. Há uma vala aqui, onde podemos nos abrigar até o nascer do sol.

Os dois amigos trocaram olhares. – Talvez seja melhor ficarmos escondidos na cerca viva – sugeriu Coração de Fogo. – Há ratos nessas valas.

Estrela Alta concordou: – Está bem, então – voltou-se para o clã e anunciou que passariam a noite ali. As rainhas e os anciãos imediatamente se deixaram cair no chão, apesar da chuva; os guerreiros e os aprendizes se reuniram para planejar patrulhas de caça.

Coração de Fogo e Listra Cinzenta juntaram-se a eles. – Não sei se aqui é um bom lugar para caçar – miou o guerreiro de pelagem cor de chama. – É uma região cheia de Duas-Pernas.

O estômago de Listra Cinzenta roncou, como se estivesse de acordo. Os outros guerreiros o olharam com um olhar divertido, mas simpático. Em seguida, paralisaram, ao ouvir a grama atrás deles farfalhar. Com os pelos arrepiados e as costas arqueadas, os guerreiros do Clã do Vento colocaram suas garras afiadas à mostra, mas os dois gatos do Clã do Trovão se viraram com alegria. O vento trazia um cheiro tão familiar quanto o de suas tocas.

– Pata Negra! – Coração de Fogo engasgou ao ver o gato preto e de pelo brilhante surgir da grama alta.

Correu até o velho amigo e o tocou com o nariz. – Graças ao Clã das Estrelas você está vivo! – murmurou. Deu um passo para trás e examinou-o, surpreso. O que tinha acontecido com o aprendiz magrela e assustado? Aquele gato era roliço e de ótima aparência; o pelo, antes tão opaco, agora resistia à chuva como uma folha de azevinho.

– Pata de Fogo! – Pata Negra miou, deliciado.

– *Coração de Fogo* – corrigiu Listra Cinzenta, dando um passo à frente e tocando o nariz de Pata Negra com o seu. – Agora somos guerreiros! Eu sou Listra Cinzenta.

– Vocês conhecem esse gato? – grunhiu Pé Morto.

O tom hostil na voz do gato fez Coração de Fogo se retrair. Olhou para os eriçados felinos do Clã do Vento e, em silêncio, se recriminou por ter dito em voz alta o nome de Pata Negra. Esperava que os guerreiros de Estrela Alta estivessem por demais distraídos para escutar. Se o Clã do Vento mencionasse o nome dele na Reunião, a notícia se espalharia entre os clãs como fogo na floresta. Para todos os efeitos, Pata Negra estava morto!

– Ele é um isolado? – perguntou Bigode Ralo.

– Ele pode nos ajudar a encontrar comida – Coração de Fogo miou rapidamente, olhando para Pata Negra.

O gato preto concordou: – Conheço os melhores lugares para caçar por aqui! – miou. Seu pelo nem sequer se arrepiou sob tantos olhares hostis. *Como mudara!*, pensou Coração de Fogo.

– Por que um isolado nos ajudaria? – perguntou Pé Morto.

– Os isolados já nos ajudaram antes – disse Listra Cinzenta. – Um deles, uma vez, nos salvou de um ataque de ratos aqui perto.

Pata Negra se adiantou e, respeitoso, inclinou a cabeça ao se dirigir aos guerreiros do Clã do Vento. – Permitam-me ajudá-los! Devo minha vida a Coração de Fogo e a Listra Cinzenta; e se eles estão viajando com vocês, é porque os consideram amigos. – O gato levantou os olhos, mirando os demais felinos do Clã do Vento, que lhe devolveram o olhar, agora mais fatigado que hostil. A chuva apertara e, com o pelo molhado, eles pareciam mais magros do que nunca.

– Vou atrás de Cevada – miou Pata Negra. – Ele também vai ajudar. – E, dizendo isso, desapareceu na grama alta.

Os olhos do líder queimavam de curiosidade, mas tudo o que perguntou a Coração de Fogo foi: – Podemos confiar nele?

– Totalmente.

Estrela Alta acenou para seus guerreiros, que abaixaram o pelo e se acomodaram, esperando.

Coração de Fogo estava molhado até os ossos quando Pata Negra reapareceu, dessa vez com Cevada. O guerreiro cumprimentou o isolado preto e branco com um miado amigável. Era bom tornar a vê-lo.

Cevada olhou os gatos encharcados e miou: – Precisamos encontrar um abrigo adequado para vocês. Venham comigo!

Coração de Fogo imediatamente deu um pulo à frente, feliz por movimentar as pernas enrijecidas. Listra Cinzenta saltou logo depois, mas os gatos do Clã do Vento não se mexeram, com medo e desconfiança estampados nos olhos.

Estrela Alta piscou para o clã: – Temos de confiar nele – grunhiu, antes de seguir o isolado. Um a um, os felinos marcharam atrás do líder.

Cevada e Pata Negra os conduziram pela cerca viva até outro campo. Num ponto de vegetação mais densa, entre amoreiras e urtigas, ficava um ninho abandonado dos Duas-Pernas. As paredes tinham muitos buracos, porque as pedras tinham caído, e restava apenas metade do telhado.

Atemorizados, os gatos do Clã do Vento fitaram a construção. – Ninguém me faz entrar aí! – murmurou um dos anciãos.

– Os Duas-Pernas não vêm mais aqui – Cevada assegurou.

– Aqui estaremos protegidos da chuva – acrescentou Coração de Fogo.

Um dos aprendizes provocou em voz alta: – Não me espanta que ele queira se esconder num ninho dos Duas-Pernas. Uma vez gatinho de gente, sempre gatinho de gente.

Coração de Fogo se arrepiou. Fazia muitas luas que não ouvia um insulto. Mas a história de que um gatinho de gente se juntara a um clã deve ter sido motivo de fofoca em todas as Reuniões. Naturalmente o Clã do Vento a conhecia. Ele se virou bruscamente e encarou o jovem: – Você passou duas luas morando num túnel dos Duas-Pernas. Isso fez de você um rato?

O aprendiz do Clã do Vento se aprumou, eriçou o pelo, mas Listra Cinzenta colocou-se entre os dois felinos: – O que é que há, pessoal? Parados aqui, só vamos ficar mais molhados.

Estrela Alta miou: – Nessas últimas luas, já enfrentamos coisas piores do que um abrigo dos Duas-Pernas. Uma noite não vai nos fazer mal algum.

Um murmúrio nervoso percorreu o clã, evidentemente relutante. Mas, lançando um olhar para Coração de Fogo, Flor da Manhã pegou seu bebê e entrou no abrigo. A rainha cinza a seguiu, empurrando o próprio filhote para tirá-lo da chuva. Os outros gatos, aos poucos, fizeram o mesmo, até que todos estavam lá dentro.

Coração de Fogo examinou o abrigo sombrio. Exceto em alguns trechos onde ervas daninhas tinham forçado o caminho sob as paredes de pedra, não havia vegetação no chão. O vento e a chuva penetravam pelos orifícios das paredes e do telhado, mas ainda assim estariam mais secos e protegidos do que em qualquer lugar lá fora. Observou enquanto os felinos, cautelosos, farejavam tudo. Quando começaram a se instalar, evitando as goteiras e os vãos por onde entravam correntes de ar, ele olhou para Listra Cinzenta, aliviado. Apenas Estrela Alta e Pé Morto continuavam de pé.

– E a comida? – perguntou Pé Morto.

Cevada falou: – É melhor vocês todos descansarem. Pata...

Coração de Fogo o interrompeu antes que dissesse o nome de Pata Negra: – Por que vocês dois não mostram a mim e a Listra Cinzenta os melhores lugares de caça por aqui?

– Pé Morto e Bigode Ralo vão com vocês – miou Estrela Alta. Coração de Fogo não soube ao certo se o líder ainda desconfiava dos dois estranhos ou se queria mostrar que seu clã podia cuidar de si mesmo.

Os seis felinos se aventuraram de novo na chuva. Seria difícil caçar, mas Coração de Fogo estava faminto. A fome sempre o tornava um caçador melhor. Naquela noite, ratos silvestres e camundongos não teriam a menor chance. – Basta me mostrar onde estão! – miou para Cevada e para Pata Negra.

Os dois gatos os levaram para um pequeno bosque. Coração de Fogo inspirou com vontade o cheiro familiar. Agachou-se, então, em posição de caça, e começou a espreitar as samambaias à procura de presas.

Quando o grupo de caça retornou, cada gato trazia uma bocada de presas frescas. Os felinos do Clã do Vento, naquela noite, fizeram um banquete com os novos aliados. Todos, do mais velho ao mais novo, tiveram sua porção; depois, juntaram-se para trocar lambidas e pentear uns aos outros, enquanto, do lado de fora, o vento e a chuva castigavam as paredes do abrigo.

Quando se fez noite, Cevada se levantou. – Vou cair fora! Há ratos a serem caçados! – miou.

Coração de Fogo se ergueu e tocou com seu nariz o focinho do isolado: – De novo, muito obrigado – murmurou. – Essa foi a segunda vez que você nos ajudou.

– Obrigado por me enviar Pata Negra – replicou Cevada. – Ele está se tornando um ótimo caçador de ratos, e é bom dividir uma refeição com um gato amigo de vez em quando.

– Ele é feliz aqui? – quis saber Coração de Fogo.

– Pergunte-lhe você mesmo – miou Cevada, que, dizendo isso, virou-se e desapareceu na noite.

Ao se aproximar de Estrela Alta, que lavava as patas, Coração de Fogo percebeu que elas estavam inchadas e pareciam doloridas. – Se quiser, podemos nos revezar para montar guarda esta noite – ofereceu, apontando Listra Cinzenta e Pata Negra com a cabeça.

Com os olhos nublados pela exaustão, o líder fitou-o, agradecido. – Obrigado – miou. Coração de Fogo piscou-lhe, respeitoso, e foi ter com os amigos.

A oferta fora genuína, mas também significava que os três poderiam ficar sozinhos. O guerreiro estava ansioso para falar à vontade com Pata Negra, longe dos ouvidos do Clã do Vento, e perguntar-lhe o que andava fazendo da vida. Listra Cinzenta e Pata Negra se juntaram a ele, assim que os chamou.

Coração de Fogo levou-os para um canto do ninho dos Duas-Pernas, perto o bastante da entrada para que continuassem em guarda, mas longe suficiente dos outros felinos para poderem conversar em particular. – E então? O que aconteceu depois que o deixamos? – perguntou a Pata Negra assim que se ajeitaram.

– Rumei para o território do Clã do Vento, como você sugeriu.

– E os cachorros dos Duas-Pernas? – Listra Cinzenta perguntou. – Estavam soltos?

– Estavam, mas foi fácil evitá-los.

Coração de Fogo ficou surpreso; agora o amigo desconsiderava os cachorros. – Fácil? – repetiu.

– De muito longe eu já sentia o cheiro deles. Bastou esperar até amanhecer; tão logo os prenderam de novo, fui atrás de Cevada. Ele tem sido ótimo. Acho que gosta de me ter por perto. – De súbito, seu rosto ficou sério. – Bem mais do que Garra de Tigre – miou, amargo. – O que você disse a ele?

Coração de Fogo percebeu o olhar apreensivo de Pata Negra quando ele mencionou o antigo mentor. – Dissemos que você foi morto por uma patrulha do Clã das Sombras – respondeu tranquilamente. Dois aprendizes do Clã do Vento se aproximavam. Coração de Fogo empinou as orelhas para alertar os amigos de que tinham plateia.

– Claro – miou Pata Negra, elevando a voz. – Nós, isolados, comemos os aprendizes dos clãs quando os apanhamos.

Os jovens o olharam com desdém, miando: – Você não nos assusta.

– É mesmo? – ronronou Pata Negra. – Pois garanto que a carne de vocês deve ser dura e fibrosa.

– Como é que são tão amigos de um isolado? – perguntou um dos aprendizes a Coração de Fogo.

– Um guerreiro sábio faz amigos em todo lugar – respondeu. – Se não fosse esse isolado, ainda estaríamos gelados e famintos, em vez de secos e bem alimentados.

– Estreitou os olhos numa advertência, e os aprendizes, envergonhados, foram embora.

– Então o Clã do Trovão pensa que estou morto – miou Pata Negra, depois de os jovens saírem. Olhando para as próprias patas, disse: – Bem, talvez seja melhor assim. – Levantou os olhos, fitando os amigos. – Fico feliz por revê-los – disse, amável. Coração de Fogo ronronou e Listra Cinzenta, com carinho, cutucou o amigo com a pata. – Mas vocês parecem cansados – continuou Pata Negra. – Precisam dormir um pouco. Montarei guarda esta noite; posso descansar amanhã. – Ele se levantou e, com delicadeza, lambeu a cabeça dos amigos. Dirigiu-se à entrada do abrigo e sentou-se, fixando o olhar na chuva.

Coração de Fogo perguntou a Listra Cinzenta: – Você está cansado?

– Exausto – ele admitiu, descansando a cabeça nas patas e fechando os olhos.

O guerreiro avermelhado olhou mais uma vez para Pata Negra, sozinho na entrada do abrigo. Sabia agora que tomara a decisão certa, ajudando-o a deixar o Clã do Trovão. Talvez Estrela Azul tivesse razão ao dizer que ele estaria melhor longe. *Cada gato tem seu próprio destino*, pensou. Pata Negra estava feliz, era o que importava.

Quando Coração de Fogo acordou, Pata Negra não estava mais lá. Já passava do amanhecer. As nuvens cinzentas de chuva tinham começado a se afastar. Tingidas pelo brilho rosado do sol nascente, pareciam botões de flor boiando em um lago. Ele se pôs a observá-las por um buraco no telhado, enquanto os felinos do Clã do Vento começavam a se movimentar, procurando as sobras de caça da noite anterior.

Um gato marrom de cauda curta juntou-se a ele para admirar as nuvens. O guerreiro pulou quando, de súbito, um grito curioso escapou da garganta do gato, atraindo outros felinos do Clã do Vento, que se aproximaram, entre murmúrios ansiosos.

– O que foi, Casca de Árvore? – perguntou Flor da Manhã. – O Clã das Estrelas falou com você? – Coração de Fogo deduziu que o gato era o curandeiro do Clã do Vento. Instintivamente se retesou ao ver Casca de Árvore de pelo arrepiado.

– As nuvens estão manchadas de sangue! – ele disse com a voz rascante, os olhos arregalados. – É um aviso dos nossos ancestrais. Teremos problemas a enfrentar. O dia de hoje trará uma morte desnecessária.

CAPÍTULO 7

Por um momento, nenhum dos gatos falou ou se moveu. Até que Pé Morto grunhiu: – Todos os clãs viram essas nuvens. Não podemos ter certeza de que a mensagem é para nós.

Miados de esperança se espalharam pelo Clã do Vento. Depois de examinar seus felinos, Estrela Alta miou, calmo: – Seja o que for que o Clã das Estrelas tenha planejado para nós, voltaremos hoje para casa. Farejo que haverá mais chuva, está na hora de partir. – Coração de Fogo sentiu alívio com o tom pragmático do líder. A última coisa de que necessitavam eram demonstrações de histeria por causa de uma profecia ameaçadora.

Estrela Alta liderou a marcha no ar gelado da manhã. Coração de Fogo e Listra Cinzenta vinham atrás. O líder do Clã do Vento estava certo: o vento trazia a promessa de mais chuva, que chegaria em breve.

– É melhor irmos na frente para reconhecer o terreno – Coração de Fogo sugeriu.

– Seria um favor – respondeu Estrela Alta. – Avisem se virem cachorros, Duas-Pernas ou ratos. Meu clã está mais forte esta manhã, mas tivemos problemas com cães, quando partimos. É preciso estar alerta. – Coração de Fogo viu, pelo olhar preocupado do líder, que o aviso de Casca de Árvore o perturbara mais do que suas palavras confiantes davam a entender. O clã podia estar mais forte, mas não em condições de rechaçar ataques.

Coração de Fogo correu, seguido de perto por Listra Cinzenta. Eles se alternavam voltando até o clã, para relatar a Estrela Alta que o caminho adiante estava livre, ou alertá-lo para não avançar até que um Duas-Pernas passasse com seu cachorro. Os felinos, em silêncio, obedeciam ao líder, caminhando com dificuldade, apesar da noite de descanso.

No sol alto, nuvens escuras voltaram a se juntar, fazendo cair as primeiras gotas de chuva. O terreno tornou-se um aclive e, quando Coração de Fogo se colocou em uma das margens, reconheceu a pista de terra vermelha que ia do território dos Duas-Pernas às zonas de caça do Clã do Vento. Exultante, ele procurou o olhar de Listra Cinzenta com um ar de triunfo. *Quase lá!*

Ao ouvir o som de passos pesados e abafados por trás da cerca viva, Coração de Fogo girou o corpo e disparou de volta ao campo. Os felinos do Clã do Vento tinham acertado marcha com eles. Pé Morto vinha à frente do grupo e ficou assustado quando o viu surgir repentinamente.

– Por aqui – Coração de Fogo miou, mostrando-lhe a brecha entre as folhas, que respingavam chuva. Estava ansioso para ver a reação do clã ao olhar para o planalto do outro lado. Com Pé Morto à frente, os gatos começaram, devagar, a marchar em fila.

Coração de Fogo colocou-se logo atrás do último felino, mas Pé Morto e dois guerreiros já tinham ultrapassado a vala e atravessado a trilha; estavam levando o grupo até a outra margem através da cerca viva. Tinham acelerado o passo; era evidente que sabiam onde estavam. Coração de Fogo teve de correr para alcançá-los. Seguiu-os pela vegetação, mantendo o ritmo, quando rumaram para a grande encosta que os levava ao planalto e para casa.

Ao pé da encosta, Pé Morto e seus guerreiros pararam para esperar o resto do clã. Fecharam os olhos por causa da chuva, mas mantiveram as cabeças erguidas. Coração de Fogo via o peito dos felinos subindo e descendo, respirando os odores familiares que vinham do planalto.

Voltou correndo até o resto do grupo e procurou por Flor da Manhã. Ela caminhava ao lado de um guerreiro malhado, que carregava seu filhote na boca. A cada poucos passos, a rainha espichava a cabeça para cheirar o pequeno fardo molhado. Não demoraria muito e ela poderia instalar o bebê no berçário do Clã do Vento.

Coração de Fogo colocou-se ao final da fila, ao lado de Listra Cinzenta. Os dois se olharam felizes, mas nada disseram, por demais tocados com a empolgação do clã em retornar para casa. Mesmo os anciãos caminhavam rapidamente, mantendo os corpos baixos e os olhos apertados por causa da chuva. Quando o clã reuniu-se a Pé Morto na raiz da encosta, o representante levantou-se e Estrela Alta tomou a frente. Sem parar, o líder começou a seguir uma estreita trilha de carneiros entre a grama maltratada e as urzes.

Quando o clã se aproximou do cume, alguns dos guerreiros aceleraram o passo mais uma vez, ganhando a frente. No alto da montanha, formaram silhuetas orgulhosas contra o céu carregado, o pelo ondulando ao vento. Mais adiante, espalharam-se em suas antigas zonas de caça. De súbito, dois aprendizes passaram rapidamente por Coração de Fogo, lançando-se nas urzes tão conhecidas.

Estrela Alta retesou-se: – Esperem! – gritou. – Pode haver grupos de caçadores de outros clãs aqui!

Assim que o ouviram, os jovens pararam de repente e voltaram correndo a se juntar ao clã, com os olhos ainda brilhando de animação.

Do alto de uma pedra, Coração de Fogo viu no chão o recôncavo que escondia o acampamento do Clã do Vento. Ronronando de prazer, Flor da Manhã pegou seu filhote da boca do guerreiro malhado e disparou para o vale. Estrela Alta balançou a cauda e três guerreiros se adiantaram para acompanhar a gata, que desapareceu da margem, rumo ao acampamento.

O líder parou e os demais felinos correram até os arbustos protetores. Com os olhos brilhando, ele se dirigiu a Coração de Fogo e a Listra Cinzenta: – Meu clã está agradecido pela ajuda de vocês, que provaram ser guerreiros dignos do Clã das Estrelas. O Clã do Vento voltou para casa; está na hora de fazerem o mesmo.

Coração de Fogo sentiu certo desapontamento. Gostaria de ver Flor da Manhã instalada no berçário com o bebê. Mas o líder estava certo: não havia necessidade de ficarem mais tempo.

Estrela Alta voltou a falar: – Pode haver grupos de caça hostis por aí. Bigode Ralo e Pé Morto vão escoltar vocês até Quatro Árvores.

Coração de Fogo inclinou a cabeça. – Obrigado, Estrela Alta.

O líder chamou seus guerreiros e os instruiu. Depois, mais uma vez, voltou os olhos cansados para o gato de pelagem vermelha. – Vocês prestaram uma grande assistência ao Clã do Vento. Digam a Estrela Azul que não vamos esquecer que foi o Clã do Trovão que nos trouxe para casa.

Pé Morto rumou para Quatro Árvores. Coração de Fogo e Listra Cinzenta o seguiram, ladeados por Bigode Ralo. Caminhavam próximos, seguindo por um caminho estreito em meio a um espesso emaranhado de tojos, que fornecia uma boa proteção contra a chuva.

De repente, Bigode Ralo parou e farejou o ar. – Cheiro de coelho! – gritou, feliz, antes de disparar entre os tojos. Pé Morto parou e esperou. Coração de Fogo percebeu um brilho nos olhos do exaurido representante. A distância, ouviu-se o barulho de passos e o farfalhar da vegetação; então, silêncio.

Um momento depois, Bigode Ralo voltou com um coelho taludo pendurado na boca.

Listra Cinzenta inclinou-se para Coração de Fogo. – Um pouco melhor do que os guerreiros do Clã do Rio, não é?

O amigo ronronou, concordando.

Bigode Ralo deixou cair a presa no chão. – Alguém aí está com fome?

Agradecidos, comeram o coelho. Quando tinha terminado sua parte, Coração de Fogo sentou-se e lambeu os lábios. Sentia-se revigorado com a refeição, mas um frio desagradável começava a incomodar-lhe os ossos, e suas patas doíam. Se ele e Listra Cinzenta refizessem o caminho da vinda, passando por Quatro Árvores, ainda tinham um longo percurso pela frente. E se pegassem um atalho pelas zonas de caça do Clã do Rio? Afinal, estavam em uma missão acertada por todos os clãs, ao menos na Reunião. Será que o Clã do Rio se oporia a que eles passassem por seu território? Afinal, não iam roubar presas.

Coração de Fogo olhou os companheiros e arriscou: – Sabem, seria mais rápido seguir o rio.

Listra Cinzenta, que lavava a pata naquele momento, levantou os olhos. – Mas assim cruzaríamos o território do Clã do Rio.

– Seguiríamos o desfiladeiro – Coração de Fogo explicou. – O Clã do Rio não caça por ali; é muito íngreme para chegarem até o rio.

Listra Cinzenta pousou a pata úmida no chão, devagar. – Até minhas garras doem – murmurou. – Para mim, seria ótimo fazer um caminho mais curto. – Esperançoso, voltou os olhos amarelos para o representante do Clã do Vento.

Pé Morto estava pensativo. – Estrela Alta nos deu ordens para irmos com vocês até Quatro Árvores – miou.

– Se não quiserem vir conosco, entenderemos – Coração de Fogo disse depressa. – Ficaremos no território do Clã do Rio por apenas um piscar de olhos. Não acho que haverá problemas.

Listra Cinzenta concordou, mas Pé Morto balançou a cabeça e miou: – Não podemos deixá-los entrar sozinhos no território do Clã do Rio. Vocês estão exaustos. Se houver qualquer contratempo, não estarão em condições de lidar com os felinos.

– Não vamos encontrar ninguém! – Coração de Fogo estava convencido e determinado a convencer Pé Morto.

O representante fitou-o com olhos sábios. – Se formos por aquele caminho – ponderou –, o Clã do Rio saberá que o Clã do Vento voltou.

Coração de Fogo empinou as orelhas, sinalizando que havia entendido. – Se sentirem o cheiro fresco do Clã do Vento, talvez desistam de caçar coelhos no seu território novamente.

Bigode Ralo lambeu dos lábios os últimos vestígios de presa fresca e observou: – Isso significa que estaremos em casa antes do nascer da lua!

– Sua única preocupação é assegurar que terá um ninho confortável na toca – Pé Morto replicou. Sua voz era grave, mas havia um brilho amigável em seus olhos.

– Então vamos atravessar o território do Clã do Rio? – Coração de Fogo perguntou.

– Vamos, sim – decidiu Pé Morto. Ele mudou de direção e conduziu os gatos por uma velha trilha de texugos, que os afastava do planalto. Logo estavam no território do Clã do Rio. Mesmo com o vento e a chuva, Coração de Fogo ouvia o barulho das águas que caíam e ressoavam como trovão mais acima.

Os felinos seguiram a trilha até o ruído. O caminho se estreitava até se tornar apenas uma faixa de grama, bem na beira de um desfiladeiro. De um lado, o terreno se espalhava para cima, íngreme e cheio de pedras; do outro, mergulhava direto no abismo. Coração de Fogo mirou o outro lado do precipício, à distância de apenas algumas raposas. Ali era assustadoramente estreito; ele se perguntava se conseguiria pular. Talvez se não estivesse tão cansado e faminto... As patas formigaram de medo quando ele pensou na queda, mas era impossível desviar o olhar.

Sob seus pés, o chão descia num penhasco íngreme. Samambaias pendiam de escarpas pequeninas, com as folhas brilhantes, não por causa da chuva, mas pelo respingo da torrente caudalosa que fazia espuma no pé do desfiladeiro.

Coração de Fogo se afastou da borda, com o pelo ao longo da espinha eriçado de medo. Adiante dele, Pé Morto, Bigode Ralo e Listra Cinzenta seguiam com dificuldade, de cabeça baixa. Teriam de fazer aquele caminho até poder cortá-lo, passando pelo pequeno trecho de floresta que ficava entre eles e o território do Clã do Trovão.

Coração de Fogo correu aos tropeços para alcançar os outros felinos. As orelhas de Pé Morto estavam empinadas; sua cauda, abaixada, quase tocava o chão. Bigode Ralo estava também evidentemente nervoso; a qualquer ruído, olhava desconfiado para a encosta ao lado. Ansioso, Coração de Fogo espiou por sobre os ombros, os olhos agitados indo de um lado para outro. O estado de alerta dos gatos do Clã do Vento o deixava desconfortável.

A encosta íngreme começou a se tornar plana, permitindo que se afastassem da beirada do precipício. A chuva molhava seus rostos e o céu escuro dizia a Coração de Fogo que o sol estava se pondo, mas faltava pouco para alcançarem a floresta, onde encontrariam mais proteção. Pensar em comida e em um ninho seco animava o jovem guerreiro.

De repente, um grito de alerta ecoou da garganta de Pé Morto. Coração de Fogo retesou-se e farejou o ar. Uma patrulha do Clã do Rio! Ouviram um guincho que vinha de trás deles; ao se voltarem, viram seis guerreiros do Clã do Rio se aproximando. O pelo de Coração de Fogo eriçou-se de pavor. O desfiladeiro de águas furiosas ainda estava perigosamente próximo.

Um gato marrom-escuro do Clã do Rio aterrissou sobre ele. Coração de Fogo rolou para longe do precipício, agitando furiosamente as pernas traseiras. Sentiu uma mordida nos ombros e lutou sob o peso do guerreiro, que sibilava. Debateu-se, desesperado, no chão encharcado, tentando se soltar. O guerreiro do Clã do Rio arranhou-o com garras afiadas. Coração de Fogo se contorceu e cravou os dentes na pelagem do atacante. Fechou a mandíbula com vontade e ouviu o grito do guerreiro; mas isso só fez o inimigo investir com mais fúria: – É a última vez que você coloca o pé no território do Clã do Rio – sibilou o gato marrom.

Coração de Fogo percebeu que, em volta, seus companheiros lutavam ferozmente. Como ele, estavam exaustos da longa jornada. Ouviu Listra Cinzenta gritando, bravio. Bigode Ralo sibilava de dor e raiva. Foi quando, da floresta, outro som chegou-lhe aos ouvidos. Um som furioso que, mesmo assim, encheu-o de esperança. O grito de guerra de Garra de Tigre! Sentiu o cheiro de uma patrulha do Clã do Trovão se aproximando, pronta para a batalha – Garra de Tigre, Pele de Salgueiro, Nevasca e Pata de Areia.

Gritando e cuspindo, os felinos do Clã do Trovão saltaram para a luta. O gato marrom soltou Coração de Fogo, que logo se colocou em posição de ataque. Viu quando Garra de Tigre imobilizou no chão um gato malhado de cinza, dando-lhe uma mordida de advertência na pata traseira. O gato correu para os arbustos, aos gritos. Garra de Tigre virou-se e fixou os olhos sem brilho em Pelo de Leopardo. A representante do Clã do Rio lutava com Pé Morto. O guerreiro manco não era páreo para aquela gata feroz. Coração de Fogo se preparou para pular e ajudá-lo, mas Garra de Tigre se adiantou, jogando-se para a frente, e agarrou os ombros largos de Pelo de Leopardo. Com um grito assustador, ele a separou do combalido representante do Clã do Vento.

Coração de Fogo ouviu um grito agudo. Ao se virar viu Pata de Areia engalfinhada com uma gata do Clã do Rio. Contorcendo-se e lutando, a dupla rolou diversas vezes na grama úmida, sibilando e arranhando-se com violência. Coração de Fogo sufocou um grito. Elas estavam chegando perto da beira do desfiladeiro! Mais um pouco e cairiam.

Ele pulou. Com um golpe forte afastou a guerreira do Clã do Rio de Pata de Areia e do penhasco. A aprendiz escorregou, aproximando-se da beirada. Coração de Fogo atirou-se para a frente e, com os dentes, conseguiu agarrá-la pela nuca. Enquanto ele a arrastava para longe do perigo, ela guinchou com raiva, esperneando no chão lamacento. Assim que Coração de Fogo parou, a aprendiz ficou de pé num pulo e, com os olhos enfurecidos, sibilou: – Posso vencer minhas lutas sem sua ajuda!

O gato abriu a boca para se explicar, mas um brado terrível fez com que ambos virassem a cabeça. Listra Cinzenta estava perigosamente debruçado na lateral do abismo, com as pernas traseiras de todo esticadas. Ao lado dele, uma pata branca se agarrava na borda do penhasco. Inclinado e com a boca aberta, Listra Cinzenta se esforçava para segurá-la, mas ela acabou desaparecendo num movimento rápido. O guerreiro cinza soltou um grito dolorido.

Todos os felinos pararam de lutar ao ouvir o grito de agonia ecoar pelo desfiladeiro. Coração de Fogo ficou paralisado, arfando de choque e exaustão. Os gatos do Clã do Rio correram até a beira do abismo. Coração de Fogo aproximou-se lentamente e esticou o olhar por sobre a borda. Lá embaixo, entre o borrifo barulhento das águas, viu a cabeça escura de um guerreiro do Clã do Rio afundar sob as borbulhas.

Com um sentimento frio de horror, lembrou-se das palavras do curandeiro do Clã do Rio: – O dia de hoje trará uma morte desnecessária.

CAPÍTULO 8

Pelo de Leopardo levantou a cabeça e gritou ao vento:

– Garra Branca! Não!

Listra Cinzenta arrastou-se para trás, até colocar as quatro patas em terra firme. Seu pelo molhado estava todo arrepiado e, em estado de choque, ele tinha os olhos arregalados. – Tentei agarrá-lo... ele perdeu o pé... não tive a intenção de... – As palavras escapavam em desordem, entre respirações ofegantes. Coração de Fogo foi ter com o amigo e apertou o nariz contra seu corpo, oferecendo conforto; mas Listra Cinzenta, às cegas, recuou.

Um a um os demais felinos se afastaram da beirada do abismo e olharam para o gato cinza. Os felinos do Clã do Rio tinham os olhos contraídos de raiva e os ombros tensos. Pele de Salgueiro e Nevasca, por instinto, ladearam Listra Cinzenta, em posição de defesa.

Pelo de Leopardo uivou do fundo da garganta, mas foi um alerta para seus companheiros. Deviam se afastar. A representante do Clã do Rio encarou Garra de Tigre: – Isso foi além de uma luta de fronteira – murmurou. – Vamos voltar ao nosso clã. Essa questão deverá ser resolvida em outra ocasião e de outra maneira.

Garra de Tigre retribuiu o olhar, com ar desafiador. Sem demonstrar medo algum, limitou-se apenas a um discreto aceno de cabeça. Pelo de Leopardo balançou a ponta da cauda e se afastou, seguida pelo clã; toda a patrulha desapareceu entre os arbustos.

As palavras ameaçadoras de Pelo de Leopardo fizeram Coração de Fogo tremer. Ao perceber que aquela batalha podia ter iniciado uma guerra, um pressentimento instalou-se em seu peito, como uma sombra gelada.

– Devemos partir – miou Pé Morto, dando um passo à frente com seu andar manco. – Seus dois jovens guerreiros nos foram muito úteis, e meu clã lhe agradece. – Mas as palavras formais de gratidão pareciam sem sentido depois da tragédia que tinham acabado de presenciar. Garra de Tigre concordou, e os dois guerreiros do Clã do Vento se puseram em marcha, de volta para casa. Coração de Fogo miou baixinho uma despedida para Bigode Ralo, quando este passou por ele. O gato o olhou de relance e continuou seu caminho.

Coração de Fogo notou que Pata de Areia estava na beira do precipício, fitando a torrente de água lá embaixo. Suas patas pareciam coladas no chão, e ela não conseguia desviar o olhar. Só agora ela se dera conta de que estivera muito perto de partilhar o destino de Garra Branca.

Quando ele ia se aproximar da aprendiz, Garra de Tigre rugiu: – Sigam-me!

O guerreiro malhado disparou por entre as árvores, seguido pelo resto da patrulha, mas Coração de Fogo hesitou ao lado de Listra Cinzenta. – Vamos – apressou. – Precisamos manter o passo! – O amigo encolheu os ombros, com os olhos opacos e nublados de dor, e começou a seguir os demais, arrastando as patas como se fossem de pedra.

Logo os gatos que estavam à frente se perderam de vista, mas Coração de Fogo era capaz de rastreá-los pelo odor. Garra de Tigre os conduzia de volta ao território do Clã do Trovão, direto pelo trecho de floresta do Clã do Rio. Coração de Fogo entendeu que não havia razão para se preocupar naquele momento com as patrulhas do Clã do Rio. O mal já estava feito. Não tinha sentido fazer o caminho mais longo, por Quatro Árvores.

Garra de Tigre fez a patrulha parar e esperar por Coração de Fogo e Listra Cinzenta na fronteira do território do Clã do Trovão.

– Pensei ter dito que me seguissem – ele rugiu.

– Listra Cinzenta estava... – começou Coração de Fogo.

– Quanto mais depressa ele retornar ao acampamento, melhor – o representante o interrompeu.

Listra Cinzenta nada disse, mas Coração de Fogo se arrepiou com o tom rude. – A morte de Garra Branca não foi culpa dele!

Garra de Tigre virou-se e miou: – Eu sei. Mas aconteceu. Vamos e, desta vez, acompanhem o passo! – disse, cruzando, de um salto, as marcas de cheiro que delimitavam o território do Clã do Trovão.

Coração de Fogo ansiava por aquele momento desde que deixara a toca do Clã do Vento entre os Caminhos do Trovão. Agora, mantendo os olhos em Listra Cinzenta, mal percebia as marcas ao passar.

A chuva diminuía à medida que seguiam pela conhecida trilha que levava ao acampamento. Quando a patrulha surgiu do túnel de tojos, alguns gatos saíram das tocas, com as caudas elevadas em saudação.

– Vocês acharam o Clã do Vento? Eles estão a salvo? – Pelo de Rato perguntou. Coração de Fogo fez um gesto indefinido; estava se sentindo muito vazio para responder. Pelo de Rato abaixou a cauda. Os outros felinos ficaram na beirada da clareira. A expressão dos que retornavam lhes dizia que algo sério acontecera.

– Venham comigo – Garra de Tigre ordenou a Coração de Fogo e a Listra Cinzenta, dirigindo-se para a toca de Estrela Azul. Coração de Fogo caminhava tão perto do amigo que lhe roçava o pelo. Listra Cinzenta simplesmente seguia em frente, sem se chegar mais nem se afastar.

Das sombras além da cortina de líquen, um miado afetuoso os recepcionou. Os três gatos entraram na caverna aconchegante.

– Bem-vindos! – Estrela Azul pulou, ronronando. – Encontraram o Clã do Vento? Trouxeram os felinos de volta?

– Trouxemos sim, Estrela Azul – Coração de Fogo respondeu tranquilamente. – Estão a salvo, no acampamento deles. Estrela Alta pediu-me que lhe dissesse obrigado.

– Ótimo, ótimo – ela miou. Seus olhos escureceram ao perceber a expressão severa de Garra de Tigre. – O que aconteceu?

– Coração de Fogo decidiu voltar para casa pelo território do Clã do Rio – grunhiu Garra de Tigre.

Listra Cinzenta levantou o rosto pela primeira vez. – Coração de Fogo não tomou a decisão sozinho... – começou a falar.

Garra de Tigre o interrompeu: – Foram descobertos por uma patrulha do Clã do Rio. Se minha patrulha não tivesse ouvido os gritos a tempo, não teriam conseguido chegar em casa.

– Então você os salvou – miou Estrela Azul, mais calma. – Obrigada, Garra de Tigre.

– Não é tão simples assim – bufou o representante. – Eles estavam lutando ao lado do precipício. Um guerreiro do Clã do Rio, que brigava com Listra Cinzenta, caiu da beirada. – Coração de Fogo percebeu o amigo encolher-se ao ouvir aquelas palavras.

Os olhos de Estrela Azul se arregalaram. – Morreu? – perguntou, horrorizada.

Coração de Fogo logo respondeu. – Foi um acidente! Listra Cinzenta jamais mataria um gato numa luta de fronteira!

– Duvido que Pelo de Leopardo veja assim. – Garra de Tigre virou-se para Coração de Fogo, balançando a cauda de um lado para o outro. – O que vocês estavam pensando? Passar pelo território do Clã do Rio! E com os gatos do Clã do Vento. Vocês deixaram claro a todos que somos aliados, o que só faz unir o Clã do Rio e o Clã das Sombras.

– O Clã do Vento estava com vocês no território do Clã do Rio? – A líder parecia ainda mais sobressaltada.

– Apenas dois guerreiros. Estrela Alta mandou-os como nossa escolta até em casa; estávamos cansados... – murmurou Coração de Fogo.

– Vocês não deviam ter passado pelo território do Clã do Rio – o representante rosnou. – Principalmente com os felinos do Clã do Vento.

– Não se tratava de uma aliança. Eles estavam nos escoltando! – Coração de Fogo protestou.

– O Clã do Rio está a par disso? – disparou Garra de Tigre.

– Sabiam que estávamos à procura do Clã do Vento para trazer os felinos de volta. Isso foi acordado na Reunião. Eles não deviam ter-nos atacado; era uma missão especial, como a jornada até Pedras Altas.

– Eles não concordaram em deixar vocês passarem pelo território deles! – Garra de Tigre ralhou. – Você *ainda* não entendeu como agem os clãs, não é?

Estrela Azul se levantou. Seus olhos faiscavam ao fitar os três gatos, mas sua voz estava calma. – Vocês não deviam ter entrado nas zonas de caça do Clã do Rio. Foi uma atitude perigosa. – Seu olhar severo passou de Coração de Fogo a Listra Cinzenta. Coração de Fogo procurou na líder um ar de reprovação, mas não encontrou nada parecido. Sentiu um misto de gratidão e culpa, pois causara uma ruptura com o Clã do Rio que poderia ameaçar a segurança de seu clã por muitas luas.

A líder continuou, balançando a cauda, nervosa. – Ao mesmo tempo fizeram bem em encontrar o Clã do Vento e trazê-los de volta. Mas vamos precisar nos preparar para um ataque do Clã do Rio. É necessário começar a treinar mais guerreiros. Coração de Fogo e Listra Cinzenta, Pele de Geada me disse que há dois filhotes quase prontos para começar o treinamento. Quero que cada um de vocês tome um como aprendiz.

Coração de Fogo ficou estupefato. Quanta honra! Não conseguia acreditar que Estrela Azul tivesse sugerido aquilo – especialmente agora. Olhou furtivamente para Garra de Tigre, que estava rígido como uma rocha.

Listra Cinzenta ergueu a cabeça. – Mas os filhotes de Pele de Geada ainda não têm seis luas!

– Mas logo terão. As divisões na última Reunião me deixaram preocupada, e hoje.... – A voz de Estrela Azul tornou-se mais fraca, e Coração de Fogo percebeu que Listra Cinzenta, mais uma vez, fixou o olhar nas próprias patas, abaixando a cabeça.

Garra de Tigre a encarou com dureza nos olhos cor de âmbar e perguntou: – Não seria melhor escalar guerreiros mais experientes para a tarefa, como Rabo Longo ou Risca de Carvão? Esses dois são pouco mais que aprendizes!

– Considerei esse aspecto. Mas Rabo Longo estará bastante ocupado com Pata Veloz, e Risca de Carvão está preparando Pata de Poeira para se tornar um guerreiro.

– E Vento Veloz?

– Ele é um ótimo caçador e um guerreiro leal. Mas não acho que tenha paciência para ser mentor. O Clã do Trovão pode usar melhor suas habilidades.

– E você acha que esses dois têm a bagagem necessária para treinar guerreiros do Clã do Trovão? – miou, debochado, o representante.

Coração de Fogo se encolheu. Garra de Tigre, ao falar, olhara apenas para ele. *Será que ele pensa que um gatinho de gente não está apto para treinar gatos nascidos no clã?* – perguntou-se, zangado.

A líder devolveu o olhar do representante. – Vamos descobrir. Não se esqueça de que trouxeram o Clã do Vento para casa. E, naturalmente, Garra de Tigre, conto com você para supervisionar o treinamento. – O representante concordou. Estrela Azul voltou-se para Coração de Fogo e Listra Cinzenta e ordenou: – Comam alguma coisa. Depois, descansem. Faremos a cerimônia de nomeação para os filhotes na lua alta.

Coração de Fogo levou Listra Cinzenta para fora da toca, deixando Garra de Tigre com Estrela Azul. A chuva tinha se tornado uma garoa.

– Estou morrendo de fome – miou Coração de Fogo, sentindo o cheiro morno de presa fresca na clareira. – Vamos buscar alguma coisa para comer?

O amigo, atrás dele, tinha os olhos distantes e tristes. Balançou a cabeça devagar e murmurou: – Tudo o que quero é dormir.

Com o estômago cheio, Coração de Fogo dirigiu-se para a toca dos guerreiros. Listra Cinzenta estava enrolado como uma bola, com a cabeça sob as patas. Os olhos de Coração de Fogo estavam pesados, mas com a pelagem ainda encharcada, teve de se lavar com cuidado antes de se instalar no ninho aconchegante.

* * *

Pele de Salgueiro acordou Coração de Fogo com um toque delicado, murmurando: – Está na hora da cerimônia.

O gato levantou a cabeça e piscou. – Obrigado, Pele de Salgueiro – miou, quando a gata saiu da toca.

Ele cutucou Listra Cinzenta, sibilando: – Cerimônia. – Então se levantou, espreguiçando-se na ponta dos dedos, até as pernas tremerem. Estava prestes a se tornar mentor! Suas patas formigavam de empolgação.

Listra Cinzenta desenrolou o corpo devagar, como um gato velho. De repente, as patas de Coração de Fogo pareceram se lembrar da longa jornada que tinham feito e voltaram a doer.

Pelo menos, a chuva tinha parado. Em silêncio, os dois amigos entraram na clareira. A lua brilhava sobre as árvores, prateando os galhos molhados.

– Parabéns por terem trazido o Clã do Vento para casa! – A voz alegre fez Coração de Fogo pular. Voltou-se e viu Meio Rabo se colocando a seu lado. – Vocês devem se reunir com os anciãos uma noite para contar essa história.

Ele concordou, com o olhar perdido; depois voltou a fitar a clareira. Pele de Geada já estava aos pés da Pedra Grande, ladeada por dois filhotes, uma gata acinzentada e um gato alaranjado. A rainha branca virou a cabeça e lambeu atrás das orelhas dos filhotes. A jovem balançou a cabeça, impaciente, quando a mãe lhe fez o carinho.

Mais uma vez, com a empolgação, a pelagem de Coração de Fogo se eriçou.

Ao lado dele, Listra Cinzenta mantinha os olhos no chão. – Você não está entusiasmado? – perguntou Coração de Fogo.

O amigo deu de ombros.

– Listra Cinzenta – ele miou, abaixando a voz –, a morte de Garra Branca não foi culpa sua. Aquele era o pior lugar para um ataque, e os gatos do Clã do Rio, certamente, sabiam disso. Pata de Areia quase caiu também.

Pousou rapidamente os olhos na aprendiz, ali perto. Ao lado dela, Pata de Poeira o fitava com evidente inveja. Coração de Fogo não podia culpá-lo. Estava prestes a se tornar um mentor e Pata de Poeira nem sequer recebera seu nome de guerreiro. Mas logo se encolheu quando o jovem murmurou para Pata de Areia, alto suficiente para ele ouvir: – Tenho pena do aprendiz de Coração de Fogo. Imagine um gato de clã treinado por um gatinho de gente!

Pela primeira vez, Pata de Areia não reagiu; apenas lançou um olhar desconfortável para Coração de Fogo.

O guerreiro virou-se e insistiu com Listra Cinzenta: – Estrela Azul não o culpa. Ela sabe que você é um bom guerreiro. Está-lhe dando a oportunidade de treinar um aprendiz.

O amigo levantou os olhos e comentou, com voz amarga: – Ela só está fazendo isso porque o Clã do Trovão precisa de mais aprendizes. E por que precisamos? Porque eu dei ao Clã do Rio uma desculpa para nos odiar!

Coração de Fogo ficou chocado com o tom grave dessas palavras. Estrela Azul os convocou antes que ele dissesse mais alguma coisa. Ambos foram até a líder.

Quando chegaram ao centro da clareira, a gata olhou para a assembleia. – Nesta lua alta, estamos aqui reunidos para nomear dois novos aprendizes. Aproximem-se os dois.

A jovem gata cinza disparou do lado da mãe para a clareira, com a cauda felpuda erguida e os olhos azuis arregalados. O filhote alaranjado, mais devagar, também se aproximou. Tinha as orelhas empinadas e, ao caminhar até a base da Pedra Grande, franziu a testa, sério.

Coração de Fogo sentiu a respiração acelerar. De que filhote ficaria encarregado? Seria mais fácil treinar o alaranjado de ar solene, mas havia alguma coisa no entusiasmo desajeitado da jovem cinza que o fazia lembrar-se de si mesmo, quando chegara ao clã.

– De hoje em diante – miou Estrela Azul, fitando a gata cinza – até receber seu nome de guerreira, essa aprendiz será conhecida como Pata de Cinza.

– Pata de Cinza! – a jovem repetiu o próprio nome em voz alta. Uma ordem de silêncio chegou no sibilar de Pele de Geada; a aprendiz abaixou a cabeça, desculpando-se.

– Coração de Fogo – miou a líder. – Você está pronto para receber seu primeiro aprendiz. Vai se encarregar do treinamento de Pata de Cinza. – O orgulho fez o peito do gato estufar. – Você teve sorte, Coração de Fogo, por ter tido mais de um mentor. Espero que passe para essa jovem tudo o que lhe ensinei. – De súbito, o guerreiro começou a se sentir um tanto sobrecarregado, pois as palavras da líder lhe passavam uma responsabilidade para a qual não tinha certeza de estar preparado. – E que partilhe com ela as habilidades que aprendeu com Garra de Tigre e com Coração de Leão – acrescentou Estrela Azul.

À menção de Coração de Leão, Coração de Fogo lembrou-se do guerreiro dourado encorajando-o com carinho do alto do Tule de Prata. Elevou a cabeça e retribuiu o olhar da líder tão firmemente quanto conseguiu.

– E esse aprendiz – disse Estrela Azul olhando para o gato alaranjado – será conhecido como Pata de Samambaia. – O jovem ficou imóvel e nada disse.

– Listra Cinzenta, você vai treinar Pata de Samambaia. Você teve Coração de Leão como mentor. Espero que passe a seu aprendiz as habilidades e a sabedoria que recebeu do amigo que já não está entre nós.

O gato cinza ergueu a cabeça ao ouvir essas palavras; por um momento, um brilho de orgulho perpassou seu olhar. Ele deu um passo à frente e tocou, com o nariz, o focinho do jovem. Pata de Samambaia retribuiu educadamente o cumprimento. Somente seus olhos, faiscantes como estrelas, denunciavam que estava tão empolgado quanto a irmã.

Ao ver aquele gesto de carinho, Coração de Fogo percebeu que devia ter feito a mesma coisa. Rapidamente se adiantou; Pata de Cinza arremeteu a cabeça para cima e os dois acabaram batendo dolorosamente os focinhos. A aprendiz tentou tocar novamente o nariz do mentor, agora menos atrapalhada, mas os olhos de Coração de Fogo começaram a marejar. Ao notar o esforço da jovem para evitar que seus bigodes se mexessem, divertida que estava com a situação, ele foi tomado por um súbito sentimento de vergonha. *Sou um mentor*, pensou.

Coração de Fogo observou o resto do clã. Todos pareciam aprovar. Então seus olhos encontraram os de Garra de Tigre. Da beirada da clareira, o olhar cor de âmbar do representante parecia zombar dele.

Rapidamente Coração de Fogo abaixou a cabeça e viu que a aprendiz o encarava com indisfarçável orgulho. Sua pelagem avermelhada, de repente, começou a eriçar. Mais do que tudo, ele queria ser um grande guerreiro e um bom mentor; mas com pesar constatou que Garra de Tigre estava apenas esperando pelo seu fracasso.

CAPÍTULO 9

Coração de Fogo acordou e viu Listra Cinzenta a seu lado, agachado como um coelho, com os ombros retesados e o pelo eriçado. – Listra Cinzenta? – miou baixinho.

Listra Cinzenta pulou de susto.

– Tudo bem com você?

O gato cinza endireitou o corpo. – Estou bem. – Coração de Fogo suspeitou que o miado animado não era sincero, mas ao menos ele estava tentando ser mais positivo.

– Parece que está fazendo frio – miou Coração de Fogo, ainda aconchegado entre os corpos mornos dos outros guerreiros. As palavras de Listra Cinzenta tinham provocado nuvens de vapor.

– Está frio mesmo! – Listra Cinzenta exclamou, inclinando-se para lamber o peito.

Coração de Fogo se levantou e balançou a cabeça. O ar tinha gosto de gelo. – O que você vai fazer com Pata de Samambaia hoje? – perguntou ao amigo.

– Mostrar-lhe a floresta.

– Eu podia trazer Pata de Cinza e iríamos juntos.

– Acho melhor irmos sozinhos hoje.

Coração de Fogo se ressentiu. Quando eram aprendizes, tinham conhecido juntos as zonas de caça do Clã do Trovão. Gostaria que fizessem o mesmo percurso, agora, como mentores. Mas se Listra Cinzenta preferia ir sem ele, não podia culpá-lo. – Tudo bem – miou. – Vejo você mais tarde. Podemos partilhar um camundongo e comparar os aprendizes.

– Isso seria bom.

Coração de Fogo rastejou para fora da toca, onde estava ainda mais frio. O ar que lhe saía do nariz parecia fumaça. Ele tremia, a pelagem ondulava; esticou as pernas, uma de cada vez. O chão sob as patas pareceu-lhe de pedra no caminho até a toca dos aprendizes. Pata de Cinza dormia profundamente, um monte acinzentado e felpudo que subia e descia quando respirava.

– Pata de Cinza – chamou baixinho. Ela imediatamente levantou a cabeça. Coração de Fogo recuou e, num instante, a aprendiz saiu da toca, já desperta e entusiasmada.

– O que vamos fazer hoje? – ela perguntou, olhando-o, com as orelhas empinadas.

– Pensei em levar você para conhecer o território do Clã do Trovão.

– Vamos ver o Caminho do Trovão? – a jovem perguntou, ansiosa.

– Ah... hã... vamos – respondeu o mentor, pensando como ela ficaria decepcionada ao ver que se tratava de um lugar sujo e malcheiroso. – Você está com fome? – perguntou, imaginando se era melhor dizer-lhe que se alimentasse primeiro.

– Não! – ela exclamou, balançando a cabeça.

– Tudo bem, comeremos mais tarde. Então, siga-me.

– Certo, Coração de Fogo – disse a pupila, com os olhos brilhando. A ponta de tristeza que incomodava o coração do mentor desde que falara com Listra Cinzenta foi afastada por um sentimento afetuoso de orgulho. Ele rumou para a entrada do acampamento.

Pata de Cinza correu e, no túnel de tojos, ultrapassou o mentor, que precisou acelerar o passo para alcançá-la. – Pensei ter dito para você me seguir! – gritou quando a aprendiz, apressada, subia a ravina.

– Mas eu queria olhar lá de cima – ela protestou.

Com um pulo, Coração de Fogo a alcançou com facilidade. Subiu até o topo e se sentou para lavar uma pata, sempre de olho na aprendiz, que pulava de rocha em rocha. Quando ela chegou ao cume, estava arfando, mas tinha o mesmo entusiasmo. – Olhe as árvores! Parecem ser feitas de pedra da lua – a jovem miou, ofegante.

Estava certa. As árvores abaixo cintilavam, brancas, à luz do sol. Coração de Fogo inspirou fundo o ar frio – É melhor economizar energia – aconselhou. – Temos um longo caminho a percorrer hoje.

– Claro, tudo bem. Para que lado vamos agora? – Ela arranhou o chão com as patas, impaciente, pronta para correr para a floresta.

– Venha atrás de mim – miou Coração de Fogo. E, estreitando os olhos com ar brincalhão, acrescentou: – Desta vez, atenção, eu disse *atrás de mim*! – Ele a guiou por uma trilha pela beirada da ravina até o vale arenoso onde aprendera a caçar e a lutar.

– Aqui é que vai acontecer a maioria das sessões de treinamento – explicou. Durante o renovo, as árvores que circundavam a clareira filtravam os raios de sol numa luz morna e cheia de matizes. Agora a luz fria do sol descia direto até a terra vermelha e gelada.

– Um rio passava por aqui muitas luas atrás. Ainda há um riacho além daquela pequena elevação – miou Coração de Fogo, apontando com o nariz. – Fica seco a maior parte do verão. Foi onde peguei minha primeira presa.

– O que você pegou? – perguntou a aprendiz, que, sem esperar a resposta, continuou. – O riacho estará congelado? Vamos ver se há gelo! – Ela correu para o vale, subindo a elevação.

– Você verá em outra hora! – o mentor exclamou. Mas Pata de Cinza continuou a correr e ele teve de fazer o mesmo. Alcançou-a no alto da elevação e, juntos, observaram o riacho. Havia gelo nas beiradas, mas a velocidade da água deslizando sobre o leito arenoso impedira que congelasse de todo.

– Você não conseguiria caçar muita coisa agora por aqui – miou a jovem. – Talvez só peixe.

A visão do lugar onde apanhara a primeira presa trouxe lembranças felizes a Coração de Fogo. Ele observou a aprendiz, na margem do rio, esticar a cabeça para olhar a água negra. – Se eu fosse você, deixaria a pesca para o Clã do Rio – advertiu o mentor. – Se gostam de molhar o pelo, que o façam. Eu prefiro minhas patas bem secas.

A gata caminhava em círculos, sem cessar. – E agora?

A empolgação da jovem e suas próprias lembranças de aprendiz encheram Coração de Fogo de energia. Ele pulou, gritando sobre os ombros: – A Árvore da Coruja! – Pata de Cinza o seguiu, elevando a cauda curta e de pelo fofo.

Atravessaram o riacho caminhando sobre uma árvore caída que Coração de Fogo tinha usado como passarela muitas vezes. – Mais adiante há pedras onde podemos pisar, mas por aqui é mais rápido. Tenha cuidado! – O tronco branco estava descascado. – Fica escorregadio quando está molhado ou gelado.

Ele a deixou passar primeiro, mantendo-se logo atrás para o caso de ela escorregar. O riacho não era especialmente fundo, mas estaria frio como gelo e a jovem era ainda muito pequena para lidar com o pelo encharcado.

Ela atravessou o tronco com facilidade, e Coração de Fogo sentiu uma ponta de orgulho ao observá-la pular para o chão no outro extremo. – Muito bem – ronronou.

Os olhos de Pata de Cinza brilharam. – Obrigada – miou. – Então; onde é a tal Árvore da Coruja?

– Por aqui! – ele disse, entrando pela vegetação. As samambaias tinham se tornado marrons desde o renovo. No final da estação das folhas caídas, seriam achatadas pela chuva e pelo vento; por ora, ainda estavam altas e frescas. O mentor e a aprendiz avançaram sob a folhagem em arco.

Mais adiante, um grande carvalho se destacava. Pata de Cinza jogou a cabeça para trás para olhar o topo e perguntou: – Tem mesmo uma coruja morando aí?

– Tem, sim. Está vendo o buraco naquele tronco lá?

A jovem estreitou os olhos para ver entre os galhos. – Como você sabe que não é um buraco de esquilo?

– Sinta o cheiro!

Pata de Cinza farejou ruidosamente, mas balançou a cabeça; era de curiosidade seu olhar. – Vou lhe mostrar como é o cheiro de esquilos em outra hora – miou o mentor. – Você não vai perceber nenhum deles por aqui. Nenhum esquilo ousaria fazer seu ninho tão perto de um buraco de coruja. Olhe para o chão. O que vê?

Confusa, Pata de Cinza abaixou o rosto. – Folhas?

– Tente escarafunchar por baixo delas.

O chão da floresta estava forrado com folhas de carvalho marrons, que estalavam por causa da geada. Pata de Cinza meteu o nariz no meio delas, enfiando o rosto até as orelhas. Quando o levantou, tinha na boca algo do tamanho e do formato de uma pinha. – Eca, cheira como carniça – disparou. Coração de Fogo ronronou, divertido.

– Você sabia que aquilo estava lá, não sabia?

– Estrela Azul me pregou a mesma peça, quando eu era aprendiz. Você nunca vai esquecer o fedor.

– O que é isso?

– Pelota de coruja – ele explicou.

Lembrou o que a líder lhe dissera. – As corujas comem as mesmas presas que nós, mas não conseguem digerir os ossos e o pelo; assim, em suas barrigas as sobras são enroladas em pelotas, que elas regurgitam. Encontrar uma delas sob uma árvore significa que encontrou uma coruja.

– Por que você ia querer encontrar uma coruja? – perguntou a aprendiz, assustada, com a voz esganiçada. Os bigodes de Coração de Fogo mexeram quando ele fitou-lhe os olhos arregalados, azuis como os da mãe. Pele de Geada certamente lhe contara a lenda dos anciãos sobre como as corujas carregavam filhotes de gato que se afastavam da mãe.

– As corujas, na floresta, enxergam melhor do que nós. Em noite de vento, quando é difícil seguir os odores, preste atenção nas corujas e siga-as para encontrar caça. – Os olhos da jovem ainda estavam arregalados, mas agora sem medo. Ela concordou com um aceno de cabeça. *Ela realmente presta atenção às vezes!*, pensou, aliviado, Coração de Fogo.

– E agora? – miou a aprendiz.

– O Grande Plátano – decidiu o mentor. Caminharam pela floresta enquanto o sol surgia no céu azul-pálido, atravessando um caminho dos Duas-Pernas e outro riacho pequenino. Finalmente chegaram ao plátano.

– É enorme! – arfou Pata de Cinza.

– Orelhinha conta que, quando era aprendiz, chegou ao galho mais alto – miou Coração de Fogo.

– De jeito nenhum!

– Imagino que, na época em que Orelhinha era aprendiz, essa árvore provavelmente era apenas um arbusto! – brincou o mentor. Ele ainda olhava para cima quando um farfalhar lhe indicou que a gata tinha disparado de novo.

Suspirou e seguiu-a pelas samambaias. Seu nariz detectou um cheiro familiar que o deixou nervoso. Pata de Cinza se dirigia para as Rochas das Cobras. *Serpentes!* O mentor apressou o passo.

Ele se afastou das árvores e olhou à volta, ansioso. A jovem estava numa pedra na base da encosta íngreme e rochosa. – Vamos apostar uma corrida até o alto! – ela miou.

Coração de Fogo parou, horrorizado, ao vê-la se agachar, pronta para pular para a pedra seguinte. – Pata de Cinza! Desça daí!

Prendeu a respiração ao ver a jovem se virar e descer, atrapalhada. Ela tremia, com o pelo arrepiado, quando o mentor correu ao seu encontro. – Este lugar se chama Rochas das Cobras – ele disse, arfando.

Pata de Cinza arregalou os olhos ao fitá-lo. – Rochas das Cobras?

– Há serpentes aqui. Uma picada de uma delas mataria um gato pequeno como você! – Coração de Fogo deu uma rápida lambida no alto da cabeça da aprendiz. – Venha. Vamos olhar o Caminho do Trovão.

Ela parou imediatamente de tremer. – O Caminho do Trovão?

– Isso! Atrás de mim! – Coração de Fogo a conduziu entre as samambaias por uma trilha que beirava as Rochas das Cobras, levando a um trecho da floresta cortado pelo Caminho do Trovão, duro e cinza como um rio de pedra.

Enquanto olhavam da beirada da floresta, ele observava a aprendiz. Pelo balançar de sua cauda, percebeu que ela

estava ansiosa para ir adiante e farejar o Caminho do Trovão, ali tão perto. Um rugido familiar começou a eriçar-lhe o pelo da orelha, e ele sentiu o chão tremer-lhe sob os pés.
– Fique onde está! – advertiu. – Um monstro vem aí.

Pata de Cinza entreabriu a boca. – Eca! – miou, torcendo o nariz e abaixando as orelhas. O barulho tonitruante se aproximava, e uma forma surgiu no horizonte. – Aquilo é um monstro? – a jovem perguntou. Coração de Fogo fez que sim.

Ela colocou as garras de fora e cravou-as na terra quando o monstro rugiu mais perto. Apertou os olhos quando ele passou, agitando o ar numa tempestade de vento e trovão, e os manteve fechados até o barulho se perder na distância.

Coração de Fogo balançou a cabeça para limpar as glândulas olfativas. – Fareje o ar. Você consegue distinguir algum cheiro além do fedor do Caminho do Trovão? – Esperou a aprendiz levantar a cabeça e inspirar diversas vezes.

Depois de alguns momentos, ela miou: – Esse cheiro me faz lembrar do dia em que Estrela Partida atacou nosso acampamento. Quando você trouxe de volta os filhotes que ele pegou, eles estavam com esse cheiro. É o Clã das Sombras! O território deles fica além do Caminho do Trovão?

– Isso mesmo – respondeu o mentor, sentindo o pelo eriçar ao se imaginar tão perto do território do clã hostil.
– É melhor sairmos daqui.

Decidiu levar Pata de Cinza no longo percurso de volta passando pelo Lugar dos Duas-Pernas, para que ela visse os Pinheiros Altos e o Ponto de Corte de Árvores.

Ao caminharem sob os pinheiros, os odores do Lugar dos Duas-Pernas deixaram Coração de Fogo desconfortável, apesar de ter vivido perto dali quando filhote. – Fique alerta. Os Duas-Pernas, às vezes, passeiam por aqui com cachorros.

Os dois felinos se agacharam sob as árvores para olhar as cercas que marcavam o território dos Duas-Pernas. O ar fresco trouxe até Coração de Fogo um odor que lhe despertou um estranho sentimento de aconchego, mas ele não sabia por quê.

– Veja! – Pata de Cinza apontou com o nariz uma gata que atravessava a floresta. Era malhada de marrom-claro, com peito e patas caracteristicamente brancos. A barriga estava inchada, pesada por causa dos bebês que esperava.

– Gatinha de gente! – disse, com desprezo, Pata de Cinza, com o pelo eriçado. – Vamos expulsá-la!

Coração de Fogo esperava sentir o mesmo ímpeto de agressão que lhe vinha ao ver um estranho no território do seu clã, mas o pelo de sua nuca permaneceu baixo. Por algum motivo que não compreendia, sabia que aquela gata não era uma ameaça. Antes que Pata de Cinza atacasse, ele propositadamente se encostou num tronco de samambaia, que rangeu.

A desconhecida levantou o rosto, atraída pelo barulho. Seus olhos se estatelaram de susto; girou no próprio corpo e se afastou das árvores num passo atrapalhado. Em poucos instantes estava sobre uma das cercas dos Duas-Pernas.

– Ratos! – reclamou Pata de Cinza. – Quero ir atrás dela! Aposto que Pata de Samambaia deve ter caçado centenas de coisas hoje.

– É, mas provavelmente ele não foi quase mordido por uma serpente – observou Coração de Fogo, balançando a cauda para a aprendiz. – Agora vamos; estou ficando com fome.

A pupila o seguiu pelos Pinheiros Altos, reclamando dos espinhos que lhe machucavam as patas. O mentor mandou-a ficar quieta, pois não havia nenhuma vegetação onde pudessem se esconder, e ele sentia o mesmo desconforto que qualquer gato de clã quando estava a céu aberto. Seguiram uma das trilhas malcheirosas do monstro Cortador de Árvores e pararam na beira do Ponto de Corte de Árvores. Não havia barulho, e Coração de Fogo sabia que isso duraria até o próximo renovo. Até então, apenas as marcas da trilha, profundas, largas e congeladas no chão, lembrariam aos felinos do Clã do Trovão do monstro que vivia na sua floresta.

De volta ao acampamento, Coração de Fogo estava exausto, com os músculos cansados da longa jornada com o Clã do Vento. A aprendiz também estava esgotada. Segurou um bocejo e foi procurar Pata de Samambaia.

Coração de Fogo localizou Listra Cinzenta, que lhe acenava ao lado da moita de urtigas.

– Ei, consegui umas presas frescas para você – o gato cinza miou. Agarrou um camundongo morto e o lançou para o amigo.

Coração de Fogo o apanhou com a boca e deitou-se perto de Listra Cinzenta. – Como foi o dia? – perguntou com a boca cheia.

– Melhor do que ontem.

Coração de Fogo o olhou, preocupado, mas ele continuou: – Na verdade, gostei muito. Pata de Samambaia está animado para aprender, isso logo se vê!

– Pata de Cinza também – replicou Coração de Fogo, voltando a mastigar.

– Imagine – continuou Listra Cinzenta, com um brilho no olhar –, acabo esquecendo que sou o mentor, não o aprendiz!

– Eu também.

Trocaram lambidas até a lua surgir e o frio da noite os fez voltar à toca. Listra Cinzenta em pouco tempo já estava roncando, mas Coração de Fogo sentia-se estranhamente desperto. A imagem da gata grávida voltava-lhe à mente; embora cercado pelos odores familiares do Clã do Trovão, aquele cheiro suave de gatinha de gente permanecia-lhe nas narinas.

Finalmente ele dormiu, mas todos os seus sonhos traziam o mesmo odor, até que sonhou com a época em que era apenas um filhote. Lembrou-se de estar deitado junto à barriga da mãe, enroscado numa cama mais macia que qualquer musgo de floresta, com seus irmãos e irmãs. E o cheiro da gata permanecia.

Coração de Fogo abriu os olhos, de súbito sacudido do sono. Claro! A gatinha que vira na floresta... era sua irmã!

CAPÍTULO 10

Coração de Fogo acordou junto com o dia, com a imagem da irmã ainda clara na mente. Saiu da toca, esperando que a rotina o distraísse. Era mais uma manhã fria, de orvalho congelado. Nevasca e Rabo Longo esperavam perto da entrada do acampamento, preparando-se para sair em patrulha. Pelo de Rato o cumprimentou com um miado caloroso quando passou por ele para se juntar ao grupo. Nevasca chamou Pata de Areia, que saiu correndo da toca, a tempo de seguir a patrulha que marchava com passos vigorosos. Era uma cena que Coração de Fogo tinha visto muitas vezes, mas pela primeira vez não teve vontade de acompanhar a turma que partia, com estardalhaço, rumo à floresta que tinha o frescor da manhã.

Atravessou a clareira, perguntando-se se Pata de Cinza já estaria acordada. Cara Rajada acabava de se espremer pela porta estreita do berçário. Atrás dela vinha um filhote malhado, depois outro. Um terceiro, também cinza-claro com manchas mais escuras, chegou tropeçando e caiu no chão.

Cara Rajada o levantou pela nuca, carinhosamente, colocando-o de novo em pé. A ternura da gata fez com que as imagens do sonho inundassem Coração de Fogo. Sua mãe provavelmente o tratara da mesma forma. Ele sabia que o quarto bebê de Cara Rajada morrera logo após o nascimento, e ela parecia agora amar de forma ainda mais intensa os que ficaram.

O guerreiro foi tomado por um sentimento repentino de inveja ao pensar que todos os gatos ali partilhavam alguma coisa, mas não com ele; *todos tinham nascido no clã.* Ele sempre se orgulhara de sua lealdade ao clã que o acolhera e lhe dera uma vida que jamais conheceria como gatinho de gente. Ainda sentia aquela lealdade; morreria para proteger o Clã do Trovão, mas ninguém do grupo compreendia ou respeitava suas raízes de gatinho de gente. Tinha certeza de que a gata que vira na véspera o faria. Com dor no coração, pôs-se a imaginar as lembranças que poderiam partilhar.

Coração de Fogo ouviu os passos pesados de Listra Cinzenta. Virou-se para cumprimentar o amigo, esticando a cabeça para tocar-lhe o nariz, e perguntou: – Você poderia se ocupar de Pata de Cinza hoje?

Listra Cinzenta olhou-o com curiosidade. – Por quê?

– Ah, nada importante – respondeu, da maneira mais natural possível. – Apenas quero verificar algo que vi ontem. Mas fique alerta com Pata de Cinza; ela não dá muita atenção às ordens. Fique de olho, ou ela vai correr em todas as direções.

Os bigodes de Listra Cinzenta se movimentaram, divertidos. – Ela parece ser mesmo levada! Mesmo assim, será bom para Pata de Samambaia. Ele nunca vai para canto algum sem antes pensar cuidadosamente.

– Obrigado, Listra Cinzenta! – Coração de Fogo foi aos pulos para a entrada do acampamento antes que o amigo se lembrasse de perguntar aonde ia.

Ao vislumbrar entre as árvores o Lugar dos Duas-Pernas, Coração de Fogo se agachou. Abriu a boca e inspirou o ar frio da manhã. Não havia sinal de uma patrulha do Clã do Trovão nem cheiro dos Duas-Pernas. Ele relaxou um pouco.

Devagar, aproximou-se da cerca dos Duas-Pernas onde vira a gata desaparecer. Hesitou e olhou à volta, farejando o ar mais uma vez. Então pulou, aterrissando numa das estacas da cerca com apenas um movimento. Não se via nenhum Duas-Pernas por ali; apenas um jardim vazio, com suas plantas de cheiro forte.

Ele se sentiu exposto na cerca. O galho de uma árvore se pendurava sobre sua cabeça. As folhas tinham caído, mas seria mais fácil se esconder ali. Sem barulho, aproximou-se e deitou-se para esperar, achatando o corpo contra a casca áspera.

Viu a pequena passagem recortada na entrada para o Lugar dos Duas-Pernas. Tivera uma daquela no seu tempo de filhote. Fixou o olhar na passagem, esperando que o rosto da irmã aparecesse a qualquer momento. O sol nascia lentamente no céu da manhã, mas o jovem guerreiro começou a sentir frio. O galho úmido sugava-lhe o calor do corpo. Talvez os Duas-Pernas estivessem mantendo sua irmã presa. Afinal, ela logo daria à luz. Coração de Fogo lambeu uma pata e se perguntou se deveria voltar ao acampamento.

De repente, ouviu um barulho mais alto. Levantou o rosto e viu a irmã sair pela passagem da porta. A ansiedade fez eriçar o pelo ao longo da sua espinha do gato, e ele teve que fazer um esforço para não pular imediatamente no jardim. Sabia que a assustaria, como na véspera. Ele agora cheirava como um gato de floresta, não como um amigável gatinho de gente.

Coração de Fogo esperou até a irmã alcançar a extremidade da grama; então se aproximou silenciosamente da ponta do galho, escorregando para a cerca. Sem fazer barulho, pulou nos arbustos abaixo. O odor da gata lhe trouxe de volta a lembrança do sonho.

Como chamar sua atenção sem amedrontá-la? Desesperado, procurou na mente a solução, tentando lembrar como a irmã se chamava. Só se recordava de seu próprio nome de gatinho de gente. Baixinho, falou: – Sou eu, Ferrugem!

A gata parou, imóvel, olhando à volta. Coração de Fogo respirou fundo e saiu de dentro dos arbustos.

Os olhos da gatinha se esbugalharam; estava aterrorizada. Coração de Fogo sabia com que aparência se mostrava a ela: magro e selvagem, com os cheiros agudos da floresta na pelagem. O pelo da nuca da gata eriçou; ela sibilou, feroz. Sua coragem não deixou de impressioná-lo.

De repente, recordou o nome dela: – Princesa! Sou eu, Ferrugem, seu irmão! Você se lembra de mim?

Princesa continuava tensa. Coração de Fogo imaginou que ela estivesse se perguntando como aquele estranho poderia saber esses nomes. Ele se agachou, humilde, com o peito cheio de esperança, enquanto observava a expressão da irmã, aos poucos, passar de medo a curiosidade.

– Ferrugem? – Princesa farejou o ar, com os olhos arregalados e alerta. Coração de Fogo deu um passo à frente, cauteloso. A gatinha não se mexeu; ele chegou mais perto. Ela se manteve imóvel até o gato estar a um camundongo de distância.

– Você não tem o cheiro do Ferrugem – ela miou.

– Não moro mais com os Duas-Pernas. Vivo na floresta com o Clã do Trovão. Agora tenho o cheiro deles. – *Provavelmente ela jamais ouvira falar dos clãs*, ele se deu conta, lembrando a própria inocência antes de encontrar Listra Cinzenta na floresta.

Princesa se esticou e, com cuidado, esfregou o nariz na bochecha do irmão. – Mas o cheiro da nossa mãe ainda permanece – murmurou, quase para si mesma. Essas palavras o encheram de felicidade, até que os olhos da gata se estreitaram e ela recuou, desconfiada, com as orelhas abaixadas. – Por que está aqui?

– Vi você ontem na floresta. Tinha de voltar para falar com você.

– Por quê?

Coração de Fogo olhou para ela, surpreso: – Porque você é minha irmã. – Será que ela não sentia nada por ele?

Princesa o examinou por um instante. Para alívio dele, a expressão cautelosa da gata desaparecera. – Você está muito magro – miou, crítica.

– Talvez mais magro que um gatinho de gente, mas não para um gato de clã, da floresta. Senti seu cheiro nos meus sonhos na última noite. Sonhei com você e com nossos irmãos... – Fez uma pausa. – Onde está nossa mãe?

– Ainda na mesma casa.

– E os...?

Princesa adivinhou o que ele ia perguntar. – ... nossos irmãos e irmãs? A maioria mora perto daqui. De vez em quando, eu os vejo em seus jardins.

Os dois se sentaram em silêncio por um momento; então ele perguntou: – Você se lembra do forro macio da cesta da nossa mãe? – Sentiu uma ponta de culpa por ter saudade daquela maciez de gatinho de gente, mas Princesa murmurou: – Claro; quem me dera eu tivesse uma igual para quando meus bebês chegarem.

O desconforto de Coração de Fogo se desfez. Era bom poder falar de uma lembrança tão terna sem ter vergonha. – É sua primeira ninhada?

Ela concordou, mas com certa insegurança no olhar. O guerreiro sentiu-se invadir por uma onda de compaixão. Apesar de terem a mesma idade, ela lhe parecia muito jovem e ingênua. – Você vai ficar bem – ele miou, lembrando o parto de Cara Rajada. – Vê-se que os Duas-Pernas cuidam bem de você. Tenho certeza de que seus bebês serão saudáveis e estarão seguros.

Princesa chegou mais perto, estreitando o pelo contra o dele. Coração de Fogo sentiu o peito se encher de emoção. Pela primeira vez desde a infância, teve noção do que era natural para os gatos de clã: a intimidade da família, um elo comum determinado pelo nascimento e pela herança.

De repente, o guerreiro quis que a irmã conhecesse um pouco da vida que levava agora. – Você sabe a respeito dos clãs?

Perplexa, Princesa o olhou. – Você mencionou um Clã do Trovão.

Coração de Fogo fez que sim. – Há um total de quatro clãs – continuou aos borbotões. – No clã, um toma conta do outro. Os gatos mais jovens caçam para os anciãos, os guerreiros protegem dos outros clãs as zonas de caça. Treinei durante todo o renovo para me tornar um guerreiro. Agora tenho meu próprio aprendiz. – Coração de Fogo via, pela expressão espantada da irmã, que ela não entendia tudo o que ele estava dizendo, embora seus olhos brilhassem de prazer ao escutá-lo.

– Parece que você gosta da vida que leva – ela miou, admirada.

De dentro da casa ouviu-se um Duas-Pernas chamar. Imediatamente Coração de Fogo correu para se esconder sob o arbusto mais próximo.

– Tenho de ir – Princesa miou. – Ficarão preocupados se eu não voltar, e tenho muitas boquinhas para alimentar.

Sinto os bebês se movimentando dentro de mim. – Com ternura, olhou para a barriga inchada.

Debaixo do arbusto, Coração de Fogo disse: – Vá, então. De qualquer forma, preciso retornar ao meu clã. Mas voltarei para vê-la.

– Claro, vou adorar! – ela disse por sobre o ombro, já retornando ao ninho dos Duas-Pernas. – Adeus!

– Até breve – respondeu o guerreiro. Em seguida, a irmã desapareceu de vista, e ele ouviu bater a pequena passagem da porta da cozinha.

Com o jardim em silêncio, rastejou pelos arbustos e pulou a cerca, correndo para a mata. Tinha a mente cheia de lembranças da infância, de súbito mais reais do que os odores da floresta à sua volta.

Parou no alto da ravina, observando, abaixo, o acampamento do Clã do Trovão. Ainda não se sentia pronto para voltar. Tinha medo que tudo lhe parecesse estranho. *Vou caçar*, pensou. Pata de Cinza ficaria bem com Listra Cinzenta por mais um pouco, e o clã bem que gostaria de ter presas frescas a mais. Rumou de volta à floresta.

Quando finalmente retornou ao acampamento, trazia na boca um rato silvestre e um pombo torcaz. O sol se punha, e os gatos do clã se reuniam para a refeição da noite. Listra Cinzenta estava sozinho ao lado da moita de urtigas, com um gordo pintassilgo entre as patas. Coração de Fogo o cumprimentou, ao atravessar a clareira para colocar sua presa na pilha já formada.

Garra de Tigre, com os olhos estreitados, estava aos pés da Pedra Grande. – Vi que Pata de Cinza passou o dia com Listra Cinzenta – miou quando o guerreiro depositou sua presa. – Onde você estava?

O gato devolveu o olhar do representante. – Parecia um bom dia para caçar, bom demais para desperdiçar – respondeu, com o coração disparando no peito. – No momento, o clã precisa de toda presa fresca que puder caçar.

Garra de Tigre concordou, com os olhos sombrios de suspeita: – Sim, mas precisamos igualmente de guerreiros. O treinamento de Pata de Cinza também é sua responsabilidade.

– Tem razão, Garra de Tigre – miou de volta Coração de Fogo, inclinando a cabeça, respeitoso. – Vou ocupar-me dela amanhã.

– Ótimo. – O representante virou o rosto e observou o acampamento. Coração de Fogo pegou um camundongo para comer e foi se instalar perto de Listra Cinzenta.

– Encontrou o que estava procurando? – o amigo perguntou, distraído.

– Encontrei – Coração de Fogo sentiu uma pontada de tristeza pela dor que viu nos olhos do gato cinza. – Você está pensando naquele guerreiro do Clã do Rio?

– Tento não pensar – respondeu, baixinho, Listra Cinzenta. – Mas quando estou só, fico lembrando a previsão de Casca de Árvore de uma morte desnecessária e dos problemas que viriam...

– Olhe – Coração de Fogo o interrompeu, empurrando o camundongo para o amigo. – Esse pintassilgo parece ter mais penas que carne, e não estou com tanta fome assim. Quer trocar? – Listra Cinzenta lançou-lhe um olhar agradecido, e os dois amigos trocaram de presa e começaram a comer.

Enquanto mastigava, Coração de Fogo examinou a clareira. Viu Pata de Areia e Pata de Poeira do lado de fora da toca dos aprendizes. O jovem estava ocupado, despedaçando um coelho. Coração de Fogo encontrou o olhar de Pata de Areia, mas ela evitou encará-lo.

Pata de Cinza estava deitada ao lado do velho tronco de árvore onde ele partilhara muitas refeições quando aprendiz. Conversava animadamente com Pata de Samambaia, que de vez em quando balançava a cabeça enquanto arrancava as penas de um pardal. A visão dos dois jovens, irmão e irmã, ali juntos, tão à vontade, fez Coração de Fogo lembrar-se, de novo, de Princesa; pela primeira vez ficou desconfortável ao testemunhar um quadro familiar em seu clã. Tivera o cuidado de lamber o pelo para eliminar o cheiro da irmã, antes de voltar ao acampamento, mas era o odor de Princesa que permanecia em suas narinas quando o sol desapareceu no horizonte distante. Ele encontrara o aconchego perdido, mas isso lhe trouxera também uma sensação de solidão, até ali um sentimento vago e sem nome no peito. *Seriam as lembranças fortemente enraizadas que partilhava com Princesa mais fortes que sua lealdade ao clã?*

CAPÍTULO 11

– Outro dia de sol! – Coração de Fogo ronronou para Listra Cinzenta, sentindo a pelagem cor de chama brilhar no sol fraco da manhã. Graças ao tempo bom, ele visitara Princesa quase todos os dias, escapulindo entre períodos de patrulhas, caçadas e sessões de treinamento. Agora caminhava com o amigo pela pequena trilha até o vale arenoso, onde Pata de Cinza e Pata de Samambaia estariam esperando.

– Tomara que o tempo fique bom pelo resto da estação sem folhas – miou Listra Cinzenta. Coração de Fogo sabia que o amigo, por causa de sua pelagem espessa, detestava chuva; quando molhado, o pelo de Listra Cinzenta grudava na pele e ficava úmido por muito tempo, ao contrário do que acontecia com o seu, mais curto.

Os dois guerreiros chegaram à beirada do vale arenoso exatamente quando Pata de Cinza jogava para o alto uma pilha de folhas congeladas, que se espalharam em todas as direções. Ela pulou e se contorceu, na tentativa de pegar uma delas ainda no ar.

Os amigos trocaram olhares, divertidos.

– Ao menos Pata de Cinza vai se aquecer e estará pronta para a tarefa de hoje – observou Listra Cinzenta.

Pata de Samambaia ficou de pé num pulo e olhou para o mentor, com os olhos arregalados. – Bom-dia, Listra Cinzenta – o aprendiz miou. – Qual é a tarefa de hoje?

– Uma missão de caça – ele respondeu, entrando no vale, seguido por Coração de Fogo.

– Onde? – perguntou Pata de Cinza correndo até eles. – O que vamos caçar?

– Vamos para as Rochas Ensolaradas – respondeu Coração de Fogo, de súbito partilhando seu entusiasmo. – E vamos caçar tudo o que pudermos.

– Gostaria de apanhar um rato silvestre. Nunca provei.

– Tenho para mim que tudo o que caçarmos hoje vai direto para os anciãos – advertiu Listra Cinzenta. – Mas estou certo de que, se você lhes pedir com delicadeza, terão prazer em partilhar a caça.

– Está bem. Qual o caminho para as Rochas Ensolaradas? – ela saltou para um lado do vale e olhou para a floresta, com a cauda esticada.

– Por aqui! – miou Coração de Fogo, pulando para o outro lado.

– Certo – a jovem desceu correndo a encosta e atravessou o vale, até chegar perto do mentor, fazendo as folhas do chão voarem para todo canto.

Listra Cinzenta saltou e pegou uma das folhas que passavam perto de seu nariz. Prendeu-a no chão, ronronando, satisfeito, e viu Pata de Samambaia olhando-o firme. – Nunca perca a oportunidade de praticar suas habilidades de caça – disse-lhe rapidamente o mentor.

Os quatro gatos percorreram as familiares trilhas de odores até as Rochas Ensolaradas. O sol estava acima das árvores quando chegaram ao campo aberto. À frente, uma rocha inclinada surgia da terra macia, com a superfície lisa, mas marcada de fissuras. Os felinos precisaram estreitar os olhos para olhá-la. Atrás da sombra da floresta, o lado plano da pedra refletia o sol com um brilho estonteante.

– Eis as Rochas Ensolaradas – anunciou Coração de Fogo, piscando. – Vamos!

– Mrrrrrrr! Que gostoso! – miou Pata de Cinza ao segui-lo na subida na pedra. Coração de Fogo percebeu que ela estava certa. A superfície parecia confortavelmente quente e lisa depois da floresta gelada.

Descansaram no alto de uma encosta que descia verticalmente até a floresta. Coração de Fogo prestou atenção no borbulhar suave do riacho que seguia a fronteira do Clã do Rio, descendo para o planalto. As águas tocavam as Rochas Ensolaradas antes de entrarem no território do clã, onde corriam mais profundas. O gato quase não conseguia ouvi-las; talvez as águas estivessem baixas depois da estação da seca.

Ele se espreguiçou, aproveitando o calor da rocha sob o corpo e o sol morno no pelo. Fechou os olhos, orgulhoso de estar ali, um lugar onde, havia gerações, felinos do Clã do Trovão vinham se aquecer, e pelo qual tinham lutado ferozmente.

Listra Cinzenta se aproximou. – Venham – miou para os dois aprendizes. – Aproveitem o sol enquanto está por aqui. Temos pela frente muitos dias frios e úmidos. – Os jovens deitaram ao lado dos mentores e ronronaram ao sentir o calor penetrar-lhes o pelo.

– Foi aqui que Rabo Vermelho morreu? – perguntou Pata de Samambaia.

– Foi – respondeu Coração de Fogo, cauteloso.

– E onde Garra de Tigre vingou sua morte matando Coração de Carvalho?

O pelo de Coração de Fogo se eriçou com a lembrança da descrição que Pata Negra fizera da luta; segundo ele *Rabo Vermelho* fora responsável pela morte de Coração de Carvalho e, então, Garra de Tigre matara Rabo Vermelho, o representante de seu próprio clã. Ele afastou os pensamentos que o perturbavam e simplesmente respondeu: – Foi sim, neste lugar. – Os aprendizes se calaram e, assombrados, olharam para baixo da encosta.

De repente, Coração de Fogo ouviu um barulho. Empinou as orelhas e sibilou: – Psiu! O que vocês estão ouvindo?

Os dois jovens apontaram as orelhas para a frente.

– Acho que ouço patas arranhando – Pata de Samambaia disse baixinho.

– Pode ser um rato silvestre – murmurou Listra Cinzenta. – Você consegue dizer de onde vem?

– De lá! – miou Pata de Cinza, com um pulo. O arranhar se tornou mais furioso, depois desapareceu.

– Acho que ele ouviu você – observou Coração de Fogo. Pata de Cinza ficou desapontada. Pata de Samambaia ronronou, divertido com a trapalhada da irmã.

– Não faz mal – miou Listra Cinzenta. – Agora vocês sabem que é melhor rastejar devagar, especialmente quando se trata de ratos silvestres. Eles são rápidos!

– Fiquem quietos e prestem atenção – Coração de Fogo aconselhou. – Da próxima vez que ouvirmos alguma coisa, descubram de onde vem o ruído e se aproximem bem devagar. Um camundongo provavelmente ouviria até o farfalhar da pelagem de vocês; assim, deixem que pense que se trata apenas do vento soprando pela rocha.

Os gatos permaneceram onde estavam, sem ousar se mexer, até ouvirem o mesmo som de arranhar. Com as orelhas empinadas, Coração de Fogo se levantou e rastejou para a frente, uma pata atrás da outra, sem fazer barulho, até alcançar a beirada da pequena fissura que marcava a frente da rocha. Então, parou. O barulho continuava. Ele se inclinou até alcançar a fissura com uma pata dianteira. Conseguiu apanhar um gordo rato silvestre que se escondia nas sombras e o jogou na pedra brilhante. O rato guinchou ao aterrissar, mas desmaiou no chão duro, e o guerreiro logo acabou com ele.

– Uau! – miou Pata de Cinza. – Também quero fazer isso!

– Não se preocupe; você terá muitas oportunidades. Por ora, vamos voltar à floresta – miou Listra Cinzenta.

– Não vamos caçar mais nada? – protestou a aprendiz.

– Você ouviu o guinchado daquele rato? – perguntou Coração de Fogo. Pata de Cinza fez que sim. – Pois bem, todas as outras criaturas que andam por aqui também ouviram. As presas agora vão se esconder por um tempo. Eu devia tê-lo apanhado e liquidado antes que ele guinchasse – ronronou.

Os bigodes de Listra Cinzenta se mexeram, divertidos. – Eu não ia dizer nada.

Coração de Fogo pegou com a boca o corpo do rato silvestre e, juntos, os gatos começaram a descer a encosta, rumo à floresta. Depois do calor das Rochas Ensolaradas, a mata parecia gelada, mesmo com a aproximação do sol alto. Ele sentiu que felinos haviam recentemente marcado com seus odores a fronteira do Clã do Rio. Adiante das marcas, o terreno fazia um declive para encontrar as águas.

Uma folha caiu, flanando perto de Pata de Samambaia. O jovem imediatamente pulou, apanhando-a entre as patas. Ao aterrissar, parecia orgulhoso.

– Muito bem! – exclamou Listra Cinzenta. – Você não terá problemas para apanhar ratos silvestres. – O aprendiz ficou duplamente satisfeito.

– Bela pegada, Pata de Samambaia – miou Pata de Cinza, fazendo com o nariz um carinho no ombro do irmão, antes de se virar para olhar, abaixo, a encosta cheia de árvores.

– O rio está calmo hoje – murmurou Coração de Fogo entre os dentes, por causa da presa que trazia na boca.

– É porque está congelado – disse, empolgada, Pata de Cinza. – Estou vendo entre as árvores!

Coração de Fogo deixou cair a presa. – Congelado? Totalmente? – perguntou, abaixando os olhos para a encosta.

O rio brilhava lá embaixo, gelado, imóvel. Será que a aprendiz estava certa? Os pés de Coração de Fogo formigavam de empolgação. Jamais vira o rio totalmente congelado.

– Podemos dar uma espiada? – pediu Pata de Cinza. Sem esperar resposta, ela passou pelas marcas de odores. A animação de Coração de Fogo transformou-se em pânico ao ver a jovem desaparecer no território do Clã do Rio. Ele não podia chamá-la, não queria alertar nenhuma patrulha do Clã do Rio que pudesse estar na área. Mas também precisava trazê-la de volta. Deixou o rato silvestre no chão e correu atrás dela, seguido de perto por Listra Cinzenta e por Pata de Samambaia.

Alcançaram a aprendiz na beira do rio, quase totalmente congelado, exceto por um canal estreito de água escura, que corria depressa entre duas pontas de gelo. Coração de Fogo sentiu um tremor ao lembrar-se de Garra Branca. Ia sugerir que saíssem dali quando percebeu as orelhas de Listra Cinzenta retesadas.

– Rato-de-água – sibilou o guerreiro cinza. E, sem dúvida, ali estava o pequeno animal, correndo pelo gelo, perto da margem.

Coração de Fogo olhou para os aprendizes, temendo que tentassem apanhar a pequena presa. Mas nenhum dos dois pupilos se mexeu. Ele ficou aliviado por um instante; mas logo seu coração se apertou, ao ver Listra Cinzenta precipitando-se sobre o gelo em velocidade de caça.

– Volte! – sibilou.

Tarde demais. O gelo sob as patas do amigo se quebrou com um terrível barulho. O gato caiu na água com um grito de alarme. Debateu-se loucamente por um instante antes de desaparecer nas profundezas frias e escuras do rio.

Pata de Samambaia olhava horrorizado e Pata de Cinza miou com desespero. Coração de Fogo não se virou para acalmá-la. Estava estático, morto de medo, fitando a água à procura do amigo. Estaria preso sob o gelo? Pisou na superfície fria e escorregadia; era impossível correr sobre ela. Voltou para a margem com um pulo. Tomado de pânico, sentiu um repentino alívio quando viu uma cabeça cinza e encharcada aparecer na água, bem mais adiante.

Mas o alívio se transformou em alarme quando se deu conta de que Listra Cinzenta estava sendo carregado rio abaixo enquanto se retorcia e debatia nas águas geladas. Suas patas se movimentavam inutilmente; todo o seu instinto de nadar fora anulado pela correnteza feroz. Coração de Fogo correu pela margem, forçando caminho entre as samambaias, mas o amigo, levado pelo rio, se afastava cada vez mais.

De repente, o guerreiro ouviu um grito da outra margem e parou. Uma gata esguia, malhada de prateado, tinha pulado no gelo mais abaixo, na direção da corrente. Pisando de leve sobre a camada de gelo, ela deslizou até um ponto à frente de Listra Cinzenta. Impressionado, Coração de Fogo observou-a nadar com firmeza contra a corrente, mantendo-se sobre a água gelada, confiante, agitando as patas. Quando Listra Cinzenta passou levado pelo rio, a gata malhada agarrou-lhe a pelagem com os dentes.

Mas, para pavor de Coração de Fogo, o peso de Listra Cinzenta puxou os dois gatos para o fundo. Ele começou a correr novamente, com os olhos fixos no rio. Onde estariam? Foi quando uma cabeça listrada de prateado apareceu entre as águas revoltas, rompendo as ondas. A gata nadava contra a corrente, arrastando com ela Listra Cinzenta. Coração de Fogo mal podia acreditar que, tão magra, pudesse nadar carregando aquele peso. Com as patas dianteiras, ela se segurou no gelo, na margem onde estava Coração de Fogo, e içou o pescoço para fora, com dificuldade, trazendo o guerreiro preso entre os dentes. Aos tropeços, resvalando, conseguiu sair do rio. Pendurado dentro da água, o corpo mole de Listra Cinzenta virava-se e contorcia-se ao ser atingido pela correnteza, mas a gata o segurava com determinação.

Coração de Fogo escorregou pela margem, correu pelo gelo e parou repentinamente ao lado da gata. Sem nada dizer, esticou-se e abocanhou o amigo. Juntos, os dois felinos tiraram da água o corpo encharcado, arrastando-o para a beira do rio.

Coração de Fogo inclinou-se sobre o amigo para conferir se estava respirando. Ficou tonto de alívio ao ver o pelo cinza e lustroso de Listra Cinzenta subindo e descendo. O gato tossiu, engasgou e por fim cuspiu a água do rio. Então aquietou-se.

– Listra Cinzenta! – Coração de Fogo miou, aflito.

– Estou bem – disse ele com dificuldade. Seu miado era arfante, mas tranquilizador.

Coração de Fogo suspirou e sentou-se. Olhou bem para a gata prateada. Ela tinha o odor do Clã do Rio. Depois de vê-la nadar, o guerreiro não estava surpreso. A gata devolveu-lhe o olhar com frieza, sacudiu o corpo e sentou-se, recuperando o fôlego em movimentos ritmados. A água escorria de seu pelo brilhante como se ela fosse recoberta de penas de pato.

Listra Cinzenta virou-se para sua salvadora. – Obrigado! – disse com a voz rascante.

– Seu idiota – ela disparou, abaixando as orelhas. – O que está fazendo no meu território?

– Me afogando? – ele retrucou.

A gata prateada movimentou as orelhas, e Coração de Fogo viu um brilho de diversão em seus olhos. – Não dá para se afogar no seu próprio território?

Os bigodes de Listra Cinzenta repuxaram. – Ah, mas quem iria me salvar lá? – devolveu ele, rouco.

Ouviu-se um leve miado atrás de Coração de Fogo. Ele se virou e viu Pata de Cinza agachada perto de uma moita de grama, mais adiante na margem. – Onde está Pata de Samambaia? – perguntou.

– Já vem aí – a jovem respondeu, apontando com o nariz. O irmão se aproximava, rastejando nervosamente.

Coração de Fogo suspirou e dirigiu-se ao amigo: – Precisamos sair daqui.

– Sei disso. – Listra Cinzenta fez um esforço e levantou-se; em seguida, virou-se para a gata prateada: – Obrigado, mais uma vez.

Ela inclinou a cabeça graciosamente, mas sibilou: – Depressa, vão embora. – E olhando sobre o ombro acrescentou: – Se meu pai souber que salvei um invasor do Clã do Trovão, ele me rasga o pelo para fazer manta de filhote!

– Então, por que me salvou? – provocou Listra Cinzenta.

Ela desviou o olhar. – Instinto. Não podia ficar olhando um gato se afogar. Agora vão!

Coração de Fogo se levantou. – Obrigado. Eu sentiria a falta dessa bola de pelo se ele se afogasse – disse, cutucando o amigo, que ainda não sacudira a água gelada do corpo e estava encharcado até a pele. – Vamos voltar ao acampamento. Você está congelando!

– Certo, estou indo! – Listra Cinzenta miou, mas antes de subir a encosta atrás do amigo virou-se para a gata. – Como é seu nome? O meu é Listra Cinzenta.

– Arroio de Prata – ela respondeu, saltando de volta para o gelo e atravessando para o outro lado do canal de água.

Os mentores conduziram seus aprendizes pelas samambaias, rumo à fronteira. Coração de Fogo notou que Listra Cinzenta olhou sobre o ombro mais de uma vez.

Pata de Cinza também percebeu. A aprendiz levantou o rosto, com uma expressão maliciosa nos olhos. – Como era bonita a gata do Clã do Rio!

Listra Cinzenta deu-lhe um tapinha de brincadeira na orelha e ela se adiantou, correndo.

– Fique perto de nós – Coração de Fogo advertiu, sibilando alto. Ainda estavam no território do Clã do Rio. Lançou um olhar zangado para Pata de Cinza quando a aprendiz parou para esperá-los. Se não fosse por ela, não estariam ali, e Listra Cinzenta não teria quase se afogado. Olhou para o amigo encharcado. Embora tivesse sacudido o pelo ao máximo, a água ainda pingava e começava a formar gelo na ponta de seus bigodes.

Coração de Fogo apressou o passo: – Você está bem? – perguntou.

– Ót... t... timo! – respondeu o amigo, batendo os dentes.

– Desculpe – miou Pata de Cinza ternamente, quando acertou o passo e colocou-se atrás de Coração de Fogo.

Ele suspirou: – A culpa não é sua. – O guerreiro sentiu o peso da preocupação. Como explicar aquilo para o clã? Nenhuma presa fresca para os anciãos (não havia mais tempo para voltar e apanhar o rato silvestre) e Listra Cinzenta encharcado. Coração de Fogo tremeu ao pensar que quase perdera o melhor amigo. Deu graças ao Clã das Estrelas por Arroio de Prata estar ali para salvá-lo.

– O riacho perto do vale de treinamento ainda tem água corrente – Pata de Samambaia miou, pensativo, lá de trás.

– O quê? – perguntou Coração de Fogo, acordando dos pensamentos sombrios.

– O clã provavelmente vai deduzir que Listra Cinzenta caiu ali – continuou o jovem.

– Podemos dizer que ele estava nos mostrando como pegar peixes – acrescentou Pata de Cinza.

– Acho que nenhum gato vai acreditar que Listra Cinzenta molharia as patas de propósito com esse tempo – Coração de Fogo observou.

– Mas não quero que o resto do clã saiba que uma gata do Clã do Rio teve que me salvar! – miou Listra Cinzenta, com um toque do seu velho humor. – E não podemos deixar que saibam que estávamos de novo no território do Clã do Rio.

Coração de Fogo concordou: – Venham. Vamos correr o resto do caminho; isso vai ajudar Listra Cinzenta a se aquecer.

Os felinos correram pela fronteira do Clã do Rio, passando pelas Rochas Ensolaradas. Quando o sol começou a mergulhar atrás das copas das árvores, alcançaram novamente o acampamento.

O pelo de Listra Cinzenta secara um pouco, mas ele tinha gotas congeladas nos bigodes e na cauda.

Coração de Fogo conduziu o grupo pela entrada de tojos. Seu coração se entristeceu ao ver Garra de Tigre na clareira, observando-os.

O representante fixou o olhar agudo no jovem guerreiro. – Nenhuma presa fresca? – grunhiu. – Achei que vocês hoje iam ensinar esses dois a caçar. Você parece que andou se afogando, Listra Cinzenta. Deve ter caído em algum rio para ficar molhado assim. – Suas narinas se abriram e ele esticou o corpo o máximo que pôde. – Não me digam que estiveram novamente no território do Clã do Rio!

CAPÍTULO 12

Coração de Fogo levantou a cabeça, pronto para falar, mas Pata de Cinza se adiantou.

– A culpa é minha, Garra de Tigre. – Audaciosa, encarou o grande felino. – Estávamos caçando no riacho congelado, perto do vale de treinamento, na curva do lago profundo. Até aquele pedacinho estava congelado. Escorreguei e Listra Cinzenta veio me ajudar, mas o gelo não aguentou seu peso; quebrou e ele caiu na água. – Garra de Tigre fitou os olhos límpidos e brilhantes da gata quando ela acrescentou: – É bastante fundo. Coração de Fogo teve de puxá-lo.

O guerreiro se encolheu ao lembrar que ficara paralisado de terror quando viu o amigo desaparecer no rio.

Garra de Tigre assentiu com a cabeça e olhou para Listra Cinzenta. – É melhor você ir ver Presa Amarela antes que morra congelado. – Dizendo isso, levantou-se e foi embora. Coração de Fogo suspirou, aliviado.

Listra Cinzenta não hesitou. A longa caminhada para casa não fizera seus dentes parar de tremer. Rumou para a toca da curandeira. Pata de Samambaia olhou para Pata de Cinza e foi para o seu ninho, com a cauda pendurada de exaustão.

Coração de Fogo olhou para a aprendiz: – Você não teve nem um pingo de medo de Garra de Tigre? – perguntou, curioso.

– Por que teria? Ele é um grande guerreiro. Eu o admiro.

Naturalmente, por que não? pensou Coração de Fogo. – Você mente muito bem – grunhiu, severo, tentando da melhor forma agir como mentor.

– Tento não mentir. Só pensei que a verdade não seria muito útil nesse caso.

O mentor teve de admitir que ela estava com a razão. Ele balançou a cabeça devagar: – Vá se aquecer.

– Está bem! – Pata de Cinza abaixou a cabeça e saiu correndo atrás do irmão.

Coração de Fogo dirigiu-se à toca dos guerreiros. Estava preocupado com a facilidade com que Pata de Cinza inventara aquela história para explicar por que Listra Cinzenta chegara encharcado. Mas também acreditava que ela fosse honesta e de boa-fé. Pensou em Pata Negra, outro gato de boa índole. Será que a história que ele contara sobre Garra de Tigre ter matado Rabo Vermelho também fora inventada dessa maneira, no calor do momento? Coração de Fogo afastou a ideia. Pata Negra estava apavorado quando falou com ele. Era evidente que acreditava na própria história. Por que outro motivo teria tanto medo, a ponto de abandonar o clã?

O guerreiro escolheu algumas peças de presa fresca e levou-as para a moita de urtigas. Instalou-se ali do lado e, pensativo, começou a mastigar um camundongo. A admiração na voz de Pata de Cinza ao falar de Garra de Tigre o preocupava. Pelo visto, ele era o único a suspeitar que o representante do Clã do Trovão não era bem o que aparentava. A atitude de Estrela Azul para com Garra de Tigre com certeza não mudara. Ela o tratava com a mesma confiança e o mesmo respeito de sempre. Com certa frustração, Coração de Fogo mordeu com vontade outro pedaço da comida.

Um espirro alto o fez levantar o rosto. Listra Cinzenta se aproximava.

– Como você está? – Coração de Fogo perguntou quando o amigo chegou, cheirando a uma das misturas de erva de Presa Amarela.

Listra Cinzenta sentou-se pesadamente e tossiu.

– Guardei um pouco de comida para você – Coração de Fogo miou, empurrando-lhe um tordo roliço e um rato silvestre.

– Presa Amarela disse que preciso ficar no acampamento. Segundo ela, estou resfriado – miou o amigo com a voz rouca.

– Não me surpreende. O que foi que ela lhe deu?

– Camomila e lavanda – Listra Cinzenta se deitou e começou a mordiscar o tordo. – Isso basta para mim. Não estou com muita fome.

Coração de Fogo ficou surpreso. Jamais pensou que o ouviria dizer aquilo. – Tem certeza? Há muito aqui.

Listra Cinzenta fitou o tordo e não respondeu.

– Tem certeza?

– O quê? – Listra Cinzenta fitou o amigo com o olhar distante. – Ah, tenho.

Ele deve estar com febre, concluiu Coração de Fogo, balançando a cabeça. Bem, ao menos ele ainda estava ali, graças à gata do Clã do Rio.

* * *

Alguns dias depois, Coração de Fogo acordou e viu dentro da toca a primeira neblina da estação sem folhas. Quando saiu, se arrastando, mal conseguia ver o outro lado da clareira. Ouviu passos apressados; Pelo de Rato surgiu das sombras.

– Garra de Tigre quer falar com você – ela miou.

– Certo, obrigado – ele respondeu, com um sobressalto percorrendo-lhe o corpo. Na véspera, escapulira para visitar Princesa. Será que o representante tinha percebido?

– O que foi? – ouviu-se a voz arfante de Listra Cinzenta atrás dele. O gato cinza sentou-se ao lado do amigo; espirrou e bocejou.

Coração de Fogo o olhou: – Garra de Tigre quer me ver. E você devia estar dormindo. – Ele começava a se preocupar com Listra Cinzenta. Já era tempo de estar recuperado. – Você descansou ontem?

– Quanto consegui, entre tosses e espirros.

– Então por que não estava no ninho quando voltei do... (Coração de Fogo hesitou, lembrando que passara a tarde conversando com Princesa) treinamento?

– Você acha que eu consigo algum lugar de paz e silêncio aqui? – ele apontou a toca com a cabeça. – Os guerreiros entram e saem o dia inteiro! Descobri um lugar mais calmo, só isso.

O gato de pelagem avermelhada ia perguntar onde era, mas Listra Cinzenta falou primeiro. – O que será que Garra de Tigre quer?

As patas de Coração de Fogo formigavam. – É melhor eu ir descobrir.

Através da bruma, ele via apenas as formas de Garra de Tigre e de Nevasca, sentados aos pés da Pedra Grande. Quando se aproximou, pararam de falar e Garra de Tigre grunhiu. – Está na hora de Pata de Cinza e Pata de Samambaia serem avaliados.

– Já? – miou, surpreso, Coração de Fogo. Não fazia muito tempo que os aprendizes treinavam.

– Estrela Azul quer verificar o progresso deles. Especialmente com Listra Cinzenta estando doente demais para treinar Pata de Samambaia. Se ele estiver atrasado, ela precisa saber, para indicar outro mentor.

A cauda de Coração de Fogo se agitou pelo aborrecimento. Com certeza Listra Cinzenta logo estaria recuperado. Seria injusto confiar seu primeiro aprendiz a outro gato. – Tenho levado Pata de Samambaia para treinar comigo e Pata de Cinza todos os dias – ele rapidamente miou.

Garra de Tigre olhou para Nevasca e concordou: – Sim, mas é sua primeira vez como mentor. É muita responsabilidade, e o Clã do Trovão precisa de guerreiros bem treinados.

Eu sei, e sou apenas um gatinho de gente, não um guerreiro nascido no clã, Coração de Fogo pensou, amargo. Abaixou o olhar para as patas, que formigavam de ressentimento. Ninguém lhe pedira para tomar conta de Pata de Samambaia, e ele estava se dedicando com afinco aos dois aprendizes.

Garra de Tigre continuou: – Mande os aprendizes numa missão de caça passando pelos Pinheiros Altos, distante como no Lugar dos Duas-Pernas. Fique de olho neles, observe-os caçar e me faça um relatório. Meu interesse é saber quanta presa fresca vão somar à nossa pilha.

– Se as habilidades de Pata de Cinza empatarem com o entusiasmo que ela demonstra, haverá muito para comer essa noite. Soube que é uma aprendiz entusiasmada – acrescentou Nevasca.

– É, sim – concordou Coração de Fogo, embora quase não estivesse ouvindo. As palavras do representante tinham-lhe acelerado o coração. *Por que Garra de Tigre o estava enviando ao Lugar dos Duas-Pernas, mais uma vez?* Sua própria avaliação acontecera exatamente na mesma rota, e Garra de Tigre o vira conversando com um velho amigo gatinho de gente; ele contara a Estrela Azul, que questionara a lealdade de Coração de Fogo ao clã. O jovem guerreiro sentiu a pelagem ao longo da espinha começar a formigar. Era essa a maneira de Garra de Tigre avisá-lo de que fora visto falando com Princesa?

Coração de Fogo virou a cabeça e lambeu rapidamente as costas, abaixando, com a língua, os pelos eriçados. Voltou a retesar o corpo e, calmo, sugeriu: – As Rochas Ensolaradas seriam igualmente um bom lugar para testar as habilidades dos aprendizes. Além disso, lá o sol pode ter dissipado um pouco dessa bruma.

– Não – grunhiu Garra de Tigre. – A patrulha do amanhecer relatou ter sentido odores do Clã do Rio nas Rochas Ensolaradas. Eles podem ter recomeçado a caçar por lá. – Seus olhos queimaram de raiva, e ele crispou a boca, revelando dentes afiados. – Precisam ser advertidos para sair dali antes que possamos usar o lugar para treino. Por ora, é mais seguro fazer a avaliação nos Pinheiros Altos.

Nevasca concordou com um aceno; as orelhas de Coração de Fogo se mexeram com a novidade; ele se sentiu desconfortável. O Clã do Rio nas Rochas Ensolaradas! Que sorte não terem sido localizados por patrulhas inimigas quando Listra Cinzenta caiu na água.

– Quanto à bruma – o representante continuou, tranquilo –, caçar em condições difíceis vai deixar o teste mais interessante.

– Certo, Garra de Tigre – miou Coração de Fogo, abaixando a cabeça em respeito aos dois guerreiros. – Vou falar com eles. Vamos começar imediatamente.

* * *

Quando Coração de Fogo explicou a avaliação aos aprendizes, Pata de Cinza agitou a cauda e correu em círculos, empolgada. – Uma avaliação! Você acha que estamos prontos?

– Claro que sim – ele respondeu, escondendo sua incerteza. – Vocês têm trabalhado duro e aprendem rápido.

– Mas a neblina não vai tornar a caçada mais difícil? – perguntou Pata de Samambaia.

– Há vantagens por causa do ar parado – respondeu o mentor.

O jovem ficou pensativo; depois seus olhos começaram a brilhar e ele miou: – Vai ser mais difícil farejar a presa, mas também será mais difícil para a presa sentir o nosso cheiro.

– Exatamente – concordou Coração de Fogo.

– Vamos agora? – perguntou Pata de Cinza.

– Assim que quiserem. Mas vão com calma, não é uma corrida... – As palavras foram em vão; Pata de Cinza já disparava até a entrada do acampamento. – Vocês têm até o pôr do sol – lembrou à aprendiz. Pata de Samambaia olhou para o mentor e virou-se para seguir a irmã, dando um pequeno suspiro.

Coração de Fogo seguiu os pupilos pelos Pinheiros Altos. A camada de espinhos sob as patas parecia estranhamente macia perto do chão congelado do resto da floresta. Ele seguiu a trilha de Pata de Cinza até encontrá-la, ansiosa, de tocaia na mata. Então reconheceu o cheiro de Pata de Samambaia e foi atrás do aprendiz. As trilhas se cruzavam aqui e ali. Percebia, pelo odor, onde os jovens gatos tinham corrido velozmente, onde haviam sentado, mesmo onde tinham ficado juntos por certo tempo.

Logo Coração de Fogo encontrou o lugar onde Pata de Cinza matara uma presa, que levara com ela. Ao seguir a trilha da aprendiz, sentia o odor da presa misturado com o da gata. Então descobriu onde Pata de Samambaia pegara um tordo; havia penas espalhadas por todo lado. Os pupilos estavam caçando bem. Ele teve certeza quando detectou um odor forte de presa fresca. Cavou entre os espinhos nas raízes de um pinheiro. Ali encontrou presas enfurnadas por Pata de Cinza, que as pegaria depois. O mentor sentiu-se orgulhoso com o trabalho da aprendiz. Ela apanhara muitas presas e agora se dirigia para a floresta de carvalhos atrás do Lugar dos Duas-Pernas.

Ele prosseguiu. Um pouco além da beira da floresta de pinheiros, percebeu o cheiro de Pata de Samambaia. Era forte, o que significava que ele estava perto. O mentor avançou, sorrateiro, e olhou perto de um carvalho novo. O pupilo estava agachado sob uma moita de amoreiras, bem disfarçado entre suas sombras. O guerreiro via-lhe apenas a cauda se movendo de um lado para o outro, como se formigasse.

O jovem tinha o olhar fixo em um rato do campo, que se mexia perto das raízes de uma árvore. Esperava, paciente. *Ótimo*, pensou Coração de Fogo, observando-o avançar, um pé de cada vez. As folhas em que pisava mal faziam barulho. Ele estava tão silencioso quanto o próprio rato do campo, que continuava a procurar comida, sem de nada suspeitar. O mentor olhava a cena com a respiração suspensa, lembrando-se de sua primeira missão de caça.

Pata de Samambaia chegou mais perto. O suave farfalhar das folhas sob as patas misturou-se aos outros sons da floresta. Coração de Fogo se viu torcendo pelo aprendiz. O jovem, deitado no chão da floresta, estava a apenas um coelho de distância da presa. O rato do campo correu para uma raiz e olhou à volta. Então, congelou. Percebeu que alguma coisa estava errada.

Agora! pensou Coração de Fogo. Pata de Samambaia pulou e aterrissou sobre o rato, agarrando-o com as patas dianteiras. Não houve tempo para a presa lutar. Tudo acabou com uma única mordida.

O aprendiz levantou a cabeça. O mentor viu a expressão satisfeita no rosto do jovem ao sentir o odor da presa que fizera. Pata de Samambaia disparou em seguida, sumindo entre as árvores. Coração de Fogo se deu conta de que estava ansioso por relatar a Garra de Tigre os feitos dos jovens.

– Olá! – A voz fininha atrás dele o fez dar um pulo no ar. Ele se voltou para ela.

– Como estamos indo? – perguntou Pata de Cinza, olhando-o de baixo com a cabeça inclinada para o lado.

– Você não devia me perguntar isso! – ralhou o mentor, lambendo o pelo arrepiado. – Não devia sequer estar falando comigo. Não está lembrada de que eu a estou avaliando?

– Ah! Desculpe.

Coração de Fogo suspirou. Ele jamais teria ousado se aproximar de Garra de Tigre durante sua avaliação. Não desejava assustar Pata de Cinza exigindo obediência, como o representante fizera com Pata Negra, mas um pouquinho de respeito de vez em quando não faria mal algum. Às vezes, ele nem se sentia como mentor da jovem.

Pata de Cinza fitou o chão por um instante, depois olhou para ele com uma expressão confusa: – Onde exatamente você nasceu, aqui no Lugar dos Duas-Pernas?

A pergunta o pegou despreparado. Ele olhou, nervoso, para a cerca dos Duas-Pernas, rezando para que os odores estranhos dos aprendizes mantivessem Princesa em seu próprio jardim naquele dia. – Por que a pergunta? – miou, procurando ganhar tempo.

– Garra de Tigre mencionou o fato, só isso. – A jovem parecia realmente curiosa, mas Coração de Fogo sentiu um quê sombrio de ameaça com a menção do nome do representante. O que mais Garra de Tigre teria falado sobre ele a Pata de Cinza?

– Nasci gatinho de gente – ele miou, seguro. – Mas agora sou um guerreiro. Minha vida é com o clã. Minha antiga vida não era ruim, mas acabou; e estou feliz.

– Ah, está bem – miou Pata de Cinza, parecendo não ligar. – Até mais tarde! – Ela girou o corpo e embrenhou-se entre as árvores.

O guerreiro ficou sozinho na floresta; ao olhar fixamente para a cerca dos Duas-Pernas, seu coração disparou. Uma lua atrás, suas palavras a Pata de Cinza a respeito de estar contente por sua antiga vida ter terminado seriam inteiramente verdade. Agora não tinha tanta certeza. A pele comichou quando se deu conta de que seus momentos mais felizes nos últimos tempos tinham acontecido ao partilhar lembranças com sua delicada irmã gatinha de gente.

CAPÍTULO 13

O SOL SE PUNHA NA FLORESTA e Coração de Fogo esperava ao lado do pinheiro onde Pata de Cinza enterrara seu primeiro lote de presa fresca. Ouviu passadas; os pupilos se aproximavam. Traziam na boca as presas, penduradas. Pata de Samambaia mal conseguia carregar a sua, de tão grande. O mentor sentiu-se aliviado. Nem Garra de Tigre poderia criticar os esforços dos aprendizes.

– Vou ajudá-los a carregar o lote – ofereceu-se o guerreiro, removendo a coberta de espinhos de pinheiros do esconderijo de Pata de Cinza. Ele cavou, apanhou a presa entre os dentes e voltou ao acampamento.

Quando chegaram à clareira, alguns dos felinos já pegavam sua porção de presas. Garra de Tigre devia estar prestando atenção na volta dos aprendizes, porque se dirigiu a eles assim que colocaram na pilha o resultado da caçada.

– Eles pegaram tudo isso sozinhos? – perguntou, cutucando a pilha com a pata enorme.

– Pegaram, sim – respondeu Coração de Fogo.

– Ótimo.Venha, junte-se a mim e a Estrela Azul. Traga algumas presas para você; já estamos comendo.

Pata de Cinza e Pata de Samambaia olharam com admiração para o mentor; era um privilégio comer com a líder e o representante do clã. Coração de Fogo não partilhava a empolgação. Teria preferido falar sozinho com Estrela Azul. O último gato com quem queria dividir uma refeição era Garra de Tigre.

– Aliás, você viu Listra Cinzenta? – perguntou o representante. Coração de Fogo ficou preocupado. O guerreiro continuou. – Resfriado, ele devia ficar no acampamento, mas não o vejo desde o sol alto.

Coração de Fogo passou o peso de uma pata para outra. Será que Listra Cinzenta estava novamente procurando silêncio e paz? – Não – admitiu. – Talvez esteja com Presa Amarela.

– Talvez – repetiu Garra de Tigre, aproximando-se do lugar onde a líder comia um pombo gorducho.

Coração de Fogo continuou, tentando afastar a preocupação com os sumiços do amigo. Ao passar, pegou na pilha um pequeno pintassilgo; depois pensou que teria sido melhor um rato silvestre. Como faria o relatório com a boca cheia de penas?

– Bem-vindo, Coração de Fogo – miou Estrela Azul quando o guerreiro sentou-se à sua frente. Ele largou a presa no chão, mas decidiu que ainda não era hora de começar a comer.

– Garra de Tigre falou que seus aprendizes pegaram muitas presas – o olhar era amigável. O representante, ao lado da líder, o observava com olhos mais críticos, fazendo sua cauda se agitar.

– É verdade. Eles jamais tinham caçado na bruma, mas isso não pareceu desencorajá-los – miou o mentor. – Observei Pata de Samambaia enquanto caçava um rato do campo. Fez uma excelente tocaia.

– E Pata de Cinza? – perguntou Estrela Azul.

Coração de Fogo percebeu um brilho de aço nos olhos da gata. Estaria preocupada com as habilidades da aprendiz? Ele respondeu: – Ela está desenvolvendo bem sua aptidão. É muito entusiasmada, isso é evidente, e parece não ter medo de nada.

– Você não teme que isso possa deixá-la descuidada?

– Ela é rápida e gosta de fazer perguntas, o que a torna uma boa aluna. Acho que isso acaba por compensar sua... – (Coração de Fogo procurou, ansioso, pela palavra certa) – avidez.

Estrela Azul balançou a cauda. – Essa *avidez*, como você diz, me preocupa – observou, olhando rapidamente para Garra de Tigre. – Ela vai precisar ser orientada com cuidado no treinamento. – Coração de Fogo se desanimou. A líder estaria descontente com sua atuação como mentor?

Os olhos de Estrela Azul se suavizaram: – Ela seria um desafio para qualquer um. Mas é evidente que será ótima caçadora. Você fez um bom trabalho com ela, Coração de Fogo. Com ambos, na verdade. – Os olhos do gato brilharam imediatamente, e a líder prosseguiu: – Vi como se ocupou do treinamento de Pata de Samambaia sem que isso lhe fosse pedido, e quero que continue responsável pelo treinamento dos dois, por enquanto.

Garra de Tigre desviou o rosto, mas a Coração de Fogo não escapou a raiva em seu olhar. – Obrigado, Estrela Azul – miou.

– Vejo que seu amigo desaparecido voltou – o representante grunhiu, sem virar a cabeça.

Coração de Fogo girou o corpo e viu Listra Cinzenta aparecer por trás do berçário. – Provavelmente estava apenas procurando paz e sossego – sugeriu. – Ainda está com febre, e não é fácil ficar o dia todo no acampamento.

– Fácil ou não, ele deveria estar concentrado em melhorar. Não é bom ficar doente na estação sem folhas. Pelo de Rato estava tossindo na hora da patrulha hoje de manhã. Só espero que o Clã das Estrelas nos proteja da tosse verde nessa estação. A doença nos roubou cinco filhotes no ano passado.

Estrela Azul concordou, solene, balançando a cabeça cinza. – Vamos rezar para que essa estação sem folhas não seja tão longa ou tão dura. Nunca é um período fácil para os clãs. – Por um instante, mostrou-se melancólica; então disse a Coração de Fogo: – Pegue esse pintassilgo e partilhe com Listra Cinzenta. Ele vai querer saber como Pata de Samambaia se saiu na avaliação.

– Está bem, obrigado, Estrela Azul – miou o guerreiro, pegando a ave e rumando para a moita de urtigas, onde o amigo se instalara com um grande rato do campo. Listra

Cinzenta já tinha comido metade da presa quando Coração de Fogo chegou. Talvez já estivesse recuperado do resfriado.

Quando ele colocou a ave ao lado do amigo, Listra Cinzenta espirrou.

– Não melhorou?

– Que nada! – respondeu, de boca cheia. – Acho que vou ter que ficar mais tempo no acampamento.

Coração de Fogo achou que ele estava muito mais animado do que antes, mas não quis demonstrar a suspeita, cada vez maior, de que ele estava aprontando alguma coisa.

– Pata de Samambaia esteve muito bem na avaliação de hoje.

– Verdade? – Listra Cinzenta deu outra mordida no rato. – Isso é bom.

– É sim; é ótimo caçador. – Coração de Fogo começou a comer o pintassilgo. Depois de um longo silêncio, perguntou: – Você se ausentou do acampamento nos últimos dias?

Listra Cinzenta parou de mastigar. – Por que a pergunta?

Desconfortável, Coração de Fogo balançou a cauda. – É que você não estava aqui quando voltei da patrulha, ontem à noite, e Garra de Tigre disse que não o via desde o sol alto de hoje.

– Garra de Tigre? – a voz de Listra Cinzenta demonstrava preocupação.

– Eu disse que provavelmente você estava procurando um lugar de silêncio e paz, ou talvez estivesse com Presa Amarela – miou o amigo, dando outra mordida no pintassilgo. – E aí, estava mesmo? – perguntou entre as penas, de súbito desesperado para que o outro gato dissesse que sim, acabando com a desconfiança de que lhe escondia alguma coisa.

– Bem, obrigado por me acobertar – Listra Cinzenta retrucou, ignorando a pergunta, e continuou a mastigar.

Coração de Fogo nada mais falou, embora estivesse morrendo de curiosidade. Continuava sem saber o que passava pela cabeça do amigo quando Listra Cinzenta se levantou, dizendo que ia para a toca.

– Está bem – miou. – Acho que vou ficar mais um pouco. – Listra Cinzenta acenou com a cabeça e se foi. Coração de Fogo rolou de lá para cá numa longa espreguiçada; com as garras, arranhou o chão e deitou de lado por um instante, pensando. Listra Cinzenta tomara um bom banho havia pouco; percebia-se pelo cheiro. Estaria tentando esconder algum odor? Coração de Fogo se deu conta de que o amigo admitira abertamente ter saído do acampamento. Mas aonde teria ido, sem poder ou querer lhe contar? De repente suas patas formigaram; e suas próprias visitas à Princesa, logo no território dos Duas-Pernas? Ele também tinha tomado um banho completo antes de voltar ao acampamento, sem nada dizer ao melhor amigo sobre os encontros.

Coração de Fogo deu um salto e se sentou. Havia alguma coisa sob uma de suas garras. Levantou a pata e usou os dentes para tirar um amentilho. Velho e murcho, mas sem dúvida um amentilho. O que estava fazendo ali? Salgueiros não crescem na parte da floresta do Clã do Trovão; na verdade, os únicos que já vira cresciam perto do rio, no território do

Clã do Rio. Ele prendeu a respiração ao sentir o coração acelerar. Aquilo teria caído do pelo de Listra Cinzenta?

Rastejando, entrou na toca dos guerreiros e deitou-se ao lado do amigo, que já dormia. Indagava-se se ele tinha mesmo sido tolo o bastante para voltar ao território do Clã do Rio. O olhar de Pelo de Leopardo depois da morte de Garra Branca mostrara que havia contas a acertar. Coração de Fogo levantou os ombros e resolveu descobrir exatamente aonde Listra Cinzenta estava indo e por quê.

Quando Coração de Fogo acordou, a toca estava úmida e fria. Uma farejada no ar lhe disse que a chuva estava a caminho. Arrastou-se para fora, ainda bocejando. Não tinha dormido bem, preocupado com Listra Cinzenta. Mesmo agora, pensar no amigo sozinho no território do Clã do Rio fazia seu corpo tremer.

– Que frio, não é? – a pergunta de Vento Veloz o assustou. Ele olhou sobre o ombro, movimentando a cauda. O guerreiro malhado estava saindo da toca.

– É mesmo.

– Tudo bem com você? Não pegou o resfriado do seu amigo, pegou? Pelo de Rato estava lutando com os sintomas hoje de manhã, e Rabo Longo e Pata Ligeira espirraram durante todo o treinamento, ontem.

Coração de Fogo fez que não. – Estou bem. Só cansado da avaliação de ontem.

– Ah, Estrela Azul imaginou que isso poderia acontecer. Por isso me pediu para ajudá-lo com o treinamento de Pata de Cinza e Pata de Samambaia hoje. Você se importa?

– Não, até agradeço.

– Então está certo. Encontro vocês no vale depois de comer. Se Pata Ligeira estiver gripado, o lugar ficará só para nós. Está com fome? – Coração de Fogo negou, e Vento Veloz saiu para pegar as sobras de presas frescas da véspera.

Coração de Fogo foi direto para o vale e esperou pelos outros. Sua cabeça não estava lá, mas no amigo que, tinha certeza, escaparia de novo naquele dia.

Um vento de chuva começava a balançar os galhos sem folhas acima do vale quando os aprendizes chegaram, seguidos de Vento Veloz.

– O que vamos fazer hoje? – perguntou Pata de Cinza, descendo em disparada para o vale. Coração de Fogo fitou-a com olhos sem expressão. Ele não pensara em nada.

– Caçar? – Pata de Samambaia perguntou, cheio de esperança, seguindo a irmã.

Vento Veloz atravessou o vale e juntou-se a eles. – Que tal praticar técnicas de tocaia? – sugeriu.

– Boa ideia – Coração de Fogo logo concordou.

– Nada de repetir aquela lição "o coelho sente seu cheiro antes de vê-lo, mas um camundongo sente seus passos no chão, antes de farejar você" – Pata de Cinza choramingou.

Vento Veloz a silenciou com um olhar e virou-se para Coração de Fogo.

Ao perceber que o guerreiro esperava que ele tomasse a iniciativa, Coração de Fogo deu um pulo: – Er... vou começar mostrando a melhor maneira de tocaiar um coelho – gaguejou. Agachou-se e começou a se mover para a frente, rápido e pisando de leve, até chegar à extremidade do vale. Parou e virou-se, descobrindo que os outros três gatos o fitavam, sem nada entender.

– Tem certeza de que isso engana um coelho? – perguntou a aprendiz, com os bigodes formigando.

O mentor ficou confuso por um instante, até perceber que acabara de demonstrar sua melhor técnica de tocaiar pássaros. Um coelho teria ouvido seu pelo roçar na vegetação a três raposas de distância.

Sem graça, olhou para Vento Veloz. O guerreiro malhado franziu o cenho. – Que tal eu lhes mostrar como caçar um morganho? – Pata de Cinza passou o olhar brilhante de Coração de Fogo para Vento Veloz. O mentor suspirou e foi observar.

O sol já estava alto, e Coração de Fogo ainda achava difícil se concentrar no treinamento. Não parava de pensar que Listra Cinzenta ia escapulir do acampamento, e estava louco para segui-lo. Finalmente sua inquietude o venceu. Foi até Vento Veloz e falou baixinho em seu ouvido: – Estou com dor de estômago. Você pode assumir o treinamento pelo resto do dia? Quero ver se Presa Amarela tem alguma coisa para me ajudar.

– Achei mesmo que você estava um pouco distraído. Volte para o acampamento. Levo essa dupla para caçar.

– Obrigado, Vento Veloz – miou, com certa vergonha pelo fato de o guerreiro ter acreditado nele com tanta facilidade.

Atravessou o vale mancando, tentando fingir dor. Assim que se viu a salvo entre as árvores, disparou rumo ao acampamento. Quando Listra Cinzenta voltara na véspera, tinha surgido atrás do berçário. Coração de Fogo sabia, por experiência, que aquele era o melhor lugar para escapulir pela fronteira sem ser notado; por ali Presa Amarela escapara quando o clã suspeitou que ela fosse a assassina de Folha Manchada.

O guerreiro rodeou a parte externa do acampamento e farejou o muro de samambaia. Seu coração se entristeceu quando sentiu o odor do amigo. Era por onde ele vinha escapulindo; e, pelo cheiro, com frequência. Pelo menos era rançoso, o que significava que ele não passara pelo muro naquele dia.

Agachou-se atrás de uma árvore e esperou. A floresta estava ficando mais escura, pois nuvens de chuva começavam a cruzar o céu. As sombras o escondiam perfeitamente, ele tomou o cuidado de ficar numa posição em que o vento não o denunciasse. Seu estômago estava realmente doendo, tenso de culpa e preocupação. Parte dele esperava que Listra Cinzenta não aparecesse; a outra, que ele apenas o conduzisse a algum lugar calmo na fronteira do Clã do Trovão.

Seu coração deu um pulo quando ele ouviu um farfalhar no muro de samambaia. Um focinho cinza forçava a folhagem. Quando Listra Cinzenta olhou à volta, cauteloso, Coração de Fogo abaixou a cabeça. Depois de alguns momentos, o gato amigo pulou, dirigindo-se ao vale de treinamento.

A esperança flamejou no peito de Coração de Fogo. Talvez Listra Cinzenta estivesse melhor do resfriado e tivesse decidido ir à sessão. Saiu atrás do amigo, mantendo uma distância segura, confiando mais no olfato que na visão para localizá-lo.

Mas quando a trilha se desviou do caminho que levava ao vale, soube que a esperança fora vã. Com um sentimento de medo, viu o conhecido maciço cinzento avultar mais à frente entre as árvores: as Rochas Ensolaradas. Empinou as orelhas e abriu a boca, testando a brisa, à procura de cheiros de inimigos. À beira das árvores, vislumbrou um gato de ombros largos escorregando pelas rochas, rumo à fronteira do Clã do Rio. Não havia mais dúvida sobre o lugar para onde Listra Cinzenta se dirigia.

Assim que perdeu o amigo de vista, Coração de Fogo se adiantou e olhou encosta abaixo, para o rio. Pelo movimento da vegetação, sabia onde Listra Cinzenta estava. Esperava apenas que não houvesse algum guerreiro do Clã do Rio observando também.

Coração de Fogo desceu pela vegetação. O rio não estava mais congelado; ele ouvia o movimento da água na margem, batendo nas pedras. Diminuiu o passo ao chegar à beira das samambaias e olhou para a margem aberta.

Listra Cinzenta estava sentado nas pedras do rio. Olhava à volta, com as orelhas retesadas, mas ao perceber-lhe os ombros relaxados, Coração de Fogo entendeu que o amigo não estava à espreita de caça.

Ouviu-se a distância o chamado de um gato estranho. Uma patrulha do Clã do Rio? O pelo de Coração de Fogo arrepiou; por instinto, seus músculos ficaram tensos, mas Listra Cinzenta não se mexeu. Então Coração de Fogo ouviu um farfalhar adiante no rio. Prendeu a respiração quando um rosto apareceu na margem extrema. Quase sem barulho, a gata prateada surgiu da vegetação e deslizou para a água. O coração do guerreiro quase perdeu um tique-taque. Era Arroio de Prata, a gata que salvara seu amigo!

Ela nadava sem dificuldade. Listra Cinzenta se levantou e miou, encantado, movimentando as pedrinhas com as patas, de ansiedade. Mantendo a cauda alta, foi recebê-la na margem.

Arroio de Prata sacudiu as gotas da pelagem, e os dois gatos cinza, com delicadeza, trocaram toques de nariz. Listra Cinzenta esfregou o focinho pelo queixo da amiga e ela, contente, levantou o rosto. A gata ficou na ponta dos pés e enroscou o corpo magro no do felino. Pela primeira vez, ele não parecia se importar nem um pouco de ficar molhado, pois ronronou alto suficiente para Coração de Fogo ouvir quando Arroio de Prata apertou contra ele a pelagem úmida.

CAPÍTULO 14

OS PELOS DA NUCA de Coração de Fogo arrepiaram de pavor. Como Listra Cinzenta podia ser tão idiota? Estava quebrando todos os artigos do Código dos Guerreiros ao encontrar um gato de outro clã.

– Listra Cinzenta! – Coração de Fogo sibilou ao pular dos arbustos.

O casal girou o corpo para encará-lo. Zangada, Arroio de Prata abaixou as orelhas. Listra Cinzenta limitou-se a fitá-lo, surpreso: – Você me seguiu!

Coração de Fogo ignorou o miado perplexo. – O que está fazendo? Não sabe como isso é perigoso?

Arroio de Prata falou: – Está tudo bem. A patrulha só passa por aqui depois do pôr do sol.

– Como pode ter certeza? Até parece que você sabe de todos os movimentos do clã! – Coração de Fogo grunhiu.

A gata levantou o queixo: – Na verdade, eu sei. Meu pai é Estrela Torta, o líder do Clã do Rio.

Coração de Fogo congelou: – Que brincadeira é essa? –

disparou para Listra Cinzenta. – Não podia ter feito escolha pior!

O gato cinza encarou Coração de Fogo por um instante; depois, virou-se para Arroio de Prata: – É melhor eu ir.

A jovem pestanejou e esticou a cabeça, tocando a bochecha do amigo. Eles fecharam os olhos e ficaram parados por um momento. Coração de Fogo observava, com as patas formigando de medo. Arroio de Prata cochichou alguma coisa para Listra Cinzenta e cada um foi para um lado. A gata ergueu a cabeça, encarando Coração de Fogo com ar de desafio, antes de escorregar de volta para a água.

Listra Cinzenta pulou para o lado do amigo. Nada disseram enquanto corriam para fora do território do Clã do Rio, passando pelas Rochas Ensolaradas. Já perto do acampamento, o gato cinza diminuiu o passo.

Coração de Fogo fez o mesmo. – Você precisa parar de vê-la – arfou, menos apavorado, pois já tinham se distanciado da fronteira do Clã do Rio; mas ainda estava zangado.

– Não consigo – respondeu Listra Cinzenta, com voz rouca. E tossiu, arfando.

– Não compreendo. No momento, o Clã do Rio é de todo hostil ao Clã do Trovão. Você ouviu Pelo de Leopardo depois da morte de Garra Branca. – Coração de Fogo retesou o corpo, sabendo que a lembrança seria dolorida para o amigo, mas agora não podia parar. – Como você sabe que pode acreditar nessa gata do Clã do Rio?

– Você não conhece Arroio de Prata – retrucou Listra Cinzenta, parando e se sentando. Tinha os olhos vidrados de dor. – E não precisa me lembrar de Garra Branca. Você acha que é fácil saber que sou responsável pela morte de um companheiro de clã de Arroio de Prata? – Coração de Fogo bufou, impaciente. Garra Branca era um guerreiro inimigo, não um *companheiro de clã*! Mas Listra Cinzenta continuou: – Arroio de Prata compreende que foi um acidente. A garganta do precipício não era lugar para uma luta. Qualquer gato podia ter caído ali!

Coração de Fogo circulou o amigo quando Listra Cinzenta começou a lamber o pelo, para eliminar o cheiro de Arroio de Prata. – Não importa o que ela pensa! E sua lealdade ao Clã do Trovão? – cobrou. – Ao vê-la, você está quebrando o Código dos Guerreiros!

Listra Cinzenta parou de se lamber e sibilou: – Você acha que não sei disso? Duvida da minha lealdade ao Clã do Trovão?

– O que mais posso pensar? Você não pode vê-la sem mentir ao clã. E se travarmos uma batalha com o Clã do Rio? Já pensou nisso?

– Você se preocupa demais. Isso não vai acontecer. Agora Estrela Partida se foi, e o Clã do Vento voltou; haverá paz entre os clãs.

– O Clã do Rio não parece estar agindo de maneira pacífica. Você sabe que estão caçando nas Rochas Ensolaradas, nosso território.

– Eles caçam ali desde antes de eu nascer – disparou Listra Cinzenta, virando-se para lamber a base da cauda.

Coração de Fogo não parava de andar de um lado para o outro. Listra Cinzenta parecia não entender o que estava fazendo. – Certo. E se uma patrulha do Clã do Rio apanha você?

– Arroio de Prata não vai deixar isso acontecer – o gato cinza respondeu, entre longas lambidas na cauda peluda.

– Pelo amor do Clã das Estrelas! Você não está nem um pouco preocupado? – Coração de Fogo explodiu, furioso.

Listra Cinzenta parou de se lavar e olhou para o amigo. – Você não compreende? O Clã das Estrelas deve ter planejado isso. Arroio de Prata deseja me ver, *mesmo depois do que aconteceu com Garra Branca*. Pensamos da mesma forma; é como se tivéssemos nascido no mesmo clã.

Coração de Fogo percebeu que era inútil continuar a discutir. – Vamos – miou, com a voz pesada. – É melhor voltarmos antes que sintam novamente a sua falta.

Listra Cinzenta se levantou. Lado a lado, os amigos chegaram ao alto da ravina e observaram o acampamento abaixo. Um pensamento ecoava sem parar na cabeça de Coração de Fogo: como Listra Cinzenta podia amar a filha de Estrela Torta e permanecer leal ao Clã de Trovão?

Olhou para Listra Cinzenta e começaram a descer a encosta íngreme, de volta para casa. Entraram furtivamente no acampamento, da mesma forma que Listra Cinzenta havia saído. Coração de Fogo prendeu a respiração ao se espremer pelo muro da fronteira, zangado com o amigo por fazê-lo se esconder assim. Seu coração se entristeceu quando rodearam o berçário e viram Nevasca se aproximando.

– Listra Cinzenta, você devia estar descansando, não andando por aí. Sua tosse já começou a se espalhar. Não queremos que chegue ao berçário! – advertiu o guerreiro. O gato cinza concordou, dirigindo-se à toca dos guerreiros. – E você – (as orelhas de Coração de Fogo se movimentaram, nervosas, quando o gatão branco falou com ele) – não devia estar treinando seus aprendizes?

– Voltei para pegar alguma coisa com Presa Amarela para dor de estômago – gaguejou.

– Bem, então vá e pegue. E, assim que terminar, seja útil e consiga algumas presas frescas. Estamos na estação sem folhas; não podemos ter jovens guerreiros andando pelo acampamento sem fazer nada!

– Certo, Nevasca. – Coração de Fogo se virou, aliviado de escapar de outras perguntas, e dirigiu-se para a toca de Presa Amarela.

A curandeira estava ocupada, misturando ervas. À sua frente, diversas pilhas de folhas. Coração de Fogo a observou por um instante, sem nada dizer. Estava triste, arrasado depois da discussão com o amigo. Desejou que fosse Folha Manchada que estivesse ali misturando ervas.

Presa Amarela levantou o olhar. – Meus estoques estão baixos. Posso precisar de ajuda para completá-los.

Coração de Fogo não respondeu. Estava se perguntando se devia confidenciar suas preocupações a respeito de Listra Cinzenta, quando a gata interrompeu-lhe os pensamentos.

– Parece que há tosse branca no acampamento – grunhiu a curandeira, cutucando, impaciente, uma folha seca. – Dois casos nesta manhã.

– Pata Ligeira?

A velha curandeira balançou a cabeça negativamente. – Ele teve apenas um resfriado. É o filhote de Cauda Sarapintada. E Retalho. No momento não é sério, mas precisamos nos concentrar em fortalecer o clã. A estação sem folhas sempre traz a ameaça da tosse verde. – O guerreiro compreendeu a preocupação da gata. A tosse verde matava. Presa Amarela voltou a olhar para ele: – O que você tem?

– Ah, nada, é só uma dor de estômago, mas não faz mal se você estiver ocupada.

– Dói muito?

– Não – ele admitiu, incapaz de enfrentar seu olhar.

– Então retorne quando doer muito. – A curandeira voltou à sua mistura de ervas. Coração de Fogo virou-se para sair, mas ela o chamou: – Por favor, assegure-se de que Listra Cinzenta permaneça na toca. Ele é um jovem forte. Se estivesse descansando, a tosse já estaria melhor.

A cauda do guerreiro agitou-se, nervosa. Teria ela adivinhado que Listra Cinzenta andava escapulindo do acampamento? Ele esperou, com o coração aos pulos, que a curandeira falasse mais alguma coisa, mas ela voltou a se concentrar nas ervas; então, ele se foi, sem fazer barulho.

Estava escurecendo, e Coração de Fogo sabia que restava pouco tempo para caçar. Logo pegou um morganho, um pintassilgo e um camundongo, mas hesitou antes de voltar ao acampamento. Seus temores em relação a Listra Cinzenta eram mais importantes que a repreensão de Nevasca se ele não levasse mais presas a tempo do jantar. Tomou uma decisão: se o amigo não ouvia a razão, talvez Arroio de Prata ouvisse.

Escondeu a caça sob a raiz de uma árvore, cobrindo-a com folhas. Pela segunda vez naquele dia, dirigiu-se às Rochas Ensolaradas. A chuva que ameaçara durante todo o dia, finalmente, começou a cair. As gotas retumbavam com força nas samambaias quando Coração de Fogo rastejou pela encosta sombria rumo ao rio.

Mesmo na chuva, era fácil perceber o odor de Arroio de Prata. Ele seguiu a trilha até onde encontrara o casal. Alerta, foi para a margem. A água escura se movimentando sem parar dava-lhe calafrios. Não queria entrar no rio. Seu pelo não tinha a proteção oleosa dos felinos do Clã do Rio, e a estação sem folhas não era uma boa hora para se encharcar.

De repente, ficou estático. Sentia o odor dos guerreiros do Clã do Rio!

Agachou-se e olhou para a outra margem; Arroio de Prata caminhava entre os galhos de um salgueiro. Atrás dela, dois felinos de seu clã, um deles um guerreiro de ombros enormes e orelhas com cicatrizes de batalhas que, desconfiado, farejava o ar, vasculhando ao redor.

Coração de Fogo ouviu o sangue latejar nas orelhas. Será que o guerreiro tinha percebido seu cheiro?

CAPÍTULO 15

Muito, muito silenciosamente, Coração de Fogo recuou e entrou pelas samambaias. O guerreiro do Clã do Rio tinha parado de farejar, mas ainda olhava ao redor.

Mantendo-se agachado, Coração de fogo se virou e começou a rastejar para longe dali. Ouviu uma pancada na água. Um gato tinha escorregado para o rio. Coração de Fogo olhou sobre o ombro, com o coração acelerado. Através da folhagem, viu uma cabeça prateada caminhando na sua direção. Arroio de Prata! Mas e os outros dois gatos? Com cuidado, caminhou em círculos, farejando o ar com a boca aberta. Nenhum cheiro deles por perto. Deviam ter continuado. Voltou a olhar para a gata prateada, que nadava, determinada, pelo rio. Por um instante, pensou que podia ser uma armadilha e que talvez fosse melhor correr, mas estava preocupado com Listra Cinzenta, por isso decidiu ficar.

A gata prateada subiu na margem e sibilou baixinho:

– Coração de Fogo, sei que está aí. Sinto seu cheiro! Está tudo bem. Pelo de Pedra e Pata de Sombra já foram.

O guerreiro não se mexeu.

– Coração de Fogo, eu não deixaria nada acontecer com o melhor amigo de Listra Cinzenta. – Ela estava impaciente. – Acredite, pelo amor do Clã das Estrelas!

Devagar, ele saiu do esconderijo.

Arroio de Prata o fitou, com a cauda agitada: – O que está fazendo aqui?

– Procurando você – ele murmurou, desconfortavelmente ciente de que estava em território inimigo.

Assustada, ela mexeu as orelhas. – Listra Cinzenta está bem? Piorou da tosse?

Coração de Fogo ficou irritado com a preocupação dela. Não queria saber quanto aquela gata se importava com seu melhor amigo. – Ele está bem! – grunhiu com raiva, esquecendo-se da prudência. – Mas vai deixar de estar se continuar se encontrando com você!

Arroio de Prata se arrepiou. – Não permitirei que nada de ruim aconteça com ele.

– É mesmo? – Coração de Fogo bufou. – E o que você pode fazer para protegê-lo?

– Sou filha de um líder de clã.

– Isso lhe dá o poder de controlar os guerreiros do seu pai? Você é pouco mais que uma aprendiz!

– Como você! – ela sibilou, indignada.

– É verdade. E por isso não tenho certeza de poder proteger Listra Cinzenta da raiva do nosso clã, ou do seu, se descobrirem que vocês estão se encontrando.

Arroio de Prata tentou encará-lo, mas tinha os olhos nublados de emoção. – Não posso parar de me encontrar com ele – miou. Sua voz se suavizou num murmúrio: – Estou apaixonada.

– Mas a situação entre nossos clãs já é tensa bastante! – Coração de Fogo estava zangado demais para sentir qualquer compaixão. – Sabemos que o Clã do Rio está caçando em nosso território...

O brilho desafiador voltou aos olhos de Arroio de Prata. – Se o Clã do Trovão compreendesse a razão, permitiria que caçássemos em seu território!

– Qual é o motivo? – o guerreiro perguntou, devolvendo o olhar.

– Meu clã está faminto. Nossos filhotes choram porque as mães não têm leite. Os anciãos estão morrendo por falta de presas.

Coração de Fogo fitou-a, surpreso. – Mas vocês têm o rio! – protestou. Todos os gatos sabiam que o Clã do Rio desfrutava da melhor das caças: os peixes do rio, além das presas das florestas nos campos mais adiante.

– Não é suficiente. Os Duas-Pernas tomaram nosso território rio abaixo. Construíram um acampamento durante o renovo e lá ficaram enquanto havia peixes. Quando foram embora, a pesca se tornou escassa. E, com o dano que causaram à floresta, é difícil conseguir até mesmo as presas silvestres.

Coração de Fogo sentiu pena, apesar da raiva. Podia imaginar as dificuldades que o Clã do Rio estava enfrentando. Estavam acostumados a uma dieta rica em peixes, sempre engordando durante o renovo, para poder resistir às luas difíceis da estação sem folhas. Fitou a gata com novos olhos. Ela não era elegante, percebeu; estava magra. Com a pelagem molhada grudada no corpo, suas costelas se tornavam bem salientes. De repente, entendeu a hostilidade de Estrela Torta para com o plano de Estrela Azul na Reunião. – Por isso vocês não queriam que o Clã do Rio voltasse para casa!

– Há coelhos aos montes na charneca o ano todo – explicou Arroio de Prata. – Eles eram nossa única esperança de sobreviver à estação sem folhas sem perder filhotes. – Ela balançou a cabeça devagar, antes de olhar novamente para o guerreiro.

– Listra Cinzenta sabe de tudo isso?

Arroio de Prata assentiu. Coração de Fogo olhou para ela, sem saber o que dizer por um instante. Mas nem ele nem o amigo podiam deixar aqueles sentimentos interferirem no Código dos Guerreiros. – Quaisquer que sejam os problemas do seu clã, você ainda precisa parar de ver Listra Cinzenta.

– Não – ela retrucou, levantando o queixo. Seus olhos brilharam. – Como pode o nosso amor causar algum mal?

Coração de Fogo devolveu-lhe o olhar. Outro tremor percorreu-lhe a espinha quando a chuva fria penetrou em sua pelagem espessa.

De repente, a gata silvou, fazendo o jovem guerreiro pular: – Você precisa ir embora, a patrulha vem aí.

Coração de Fogo ouviu um leve farfalhar do outro lado do rio. Seria inútil, e perigoso, ficar mais tempo. O barulho se aproximava. Sem se despedir, ele voltou a se enfiar pelas samambaias molhadas, rumo ao acampamento.

Antes, porém, precisava buscar as presas que escondera sob o carvalho. No meio do caminho, o cheiro de uma trilha fresca dos Duas-Pernas o fez parar, lembrando-se de Princesa. Será que haveria tempo para seguir a trilha até o Lugar dos Duas-Pernas? Queria saber se ela já tivera os bebês. Mas provavelmente, àquela altura, Princesa estaria segura em seu ninho dos Duas-Pernas, e o clã precisava das presas. Com um espasmo desconfortável, Coração de Fogo se deu conta de que Listra Cinzenta não era o único felino dividido em sua lealdade.

A chuva começou a pingar da ponta de seus bigodes. Ele sacudiu as gotas e rumou para pegar as presas escondidas.

O acampamento estava silencioso quando chegou, os gatos protegidos nas tocas. Coração de Fogo atravessou a clareira lamacenta e colocou a caça na pilha. Pegou uma peça e foi para a toca dos guerreiros. Não havia como comer do lado de fora naquela noite.

Enfiou a cabeça para dentro da toca. Para seu alívio, Listra Cinzenta dormia. O amigo poderia realmente melhorar se não estivesse rodando pela floresta atrás de Arroio de Prata.

– Presa Amarela ainda não pegou nenhuma presa – ouviu-se das sombras o miado de Nevasca. – Esteve ocupada demais. Acho que ela apreciaria o camundongo que você está levando.

Coração de Fogo concordou e voltou a sair. Se a curandeira estava ocupada demais para ir atrás de comida, isso só podia significar que a doença estava se espalhando no acampamento. Coração de Fogo atravessou a clareira correndo, parando apenas para apanhar da pilha outro camundongo, antes de se enfiar, apressado, pelo túnel de tojos.

Um filhote malhado repousava num ninho de musgo nas samambaias, na beirada da clareira. Presa Amarela, ajoelhada a seu lado, tentava persuadi-lo a comer algumas ervas. O gato cheirava as ervas, dolorido, piscando com olhos marejados e nariz escorrendo. Coração de Fogo percebeu que aquele devia ser o filhote com tosse branca.

Presa Amarela se virou ao ouvir o guerreiro chegar. – Para mim? – miou, olhando para os camundongos que ele trazia pendurados na boca. O guerreiro assentiu e soltou as presas no chão. – Obrigada. Já que você está aqui, por que não tenta convencer esse filhote a tomar o remédio? – Ela foi pegar os camundongos, movimentando-se com dificuldade por causa da antiga lesão no ombro; faminta, começou a morder um deles.

Coração de Fogo se aproximou do filhote. O pequeno ergueu os olhos para ele, abrindo a boca pequenina numa tosse rouca e dolorida. Com delicadeza, Coração de Fogo empurrou-lhe uma erva verde e miúda. – Se quiser ser um guerreiro, terá de se acostumar a engolir essas coisas horríveis. Quando fizer a viagem à Pedra da Lua, terá de comer ervas muito piores.

O filhote o encarou com ar interrogativo, os olhos semicerrados.

– Considere isso como aprendizado – Coração de Fogo incentivou. – Para quando se tornar um guerreiro.

O filhote se aproximou e, fazendo uma tentativa, abocanhou a erva.

O guerreiro ronronou, encorajando-o.

Presa Amarela surgiu. – Muito bem – ela miou. Com o nariz, a curandeira sinalizou para Coração de Fogo que queria falar com ele, que a seguiu até o abrigo na pedra alta onde ela dormia. A chuva continuava, e a pele malhada de cinza de Presa Amarela estava encharcada; a cauda pesada arrastava no chão.

– Estrela Azul está com a tosse branca – a curandeira miou, séria.

– Mas a tosse branca não é muito grave, é?

A gata balançou a cabeça: – Chegou muito depressa e a afetou seriamente. – O estômago de Coração de Fogo se contraiu quando ele lembrou que sobravam poucas vidas à líder. – Eu a aconselhei a ficar longe dos gatos doentes, mas ela queria vê-los – a curandeira continuou. – Ela está dormindo em sua toca. Pele de Geada está lá.

O medo nos olhos de Presa Amarela fez Coração de Fogo se perguntar se ela sabia a verdade sobre as vidas da líder. O guerreiro presumira ser o único felino no acampamento com quem a líder partilhara o segredo. O resto do clã pensava que lhe restavam três vidas, mas talvez uma curandeira soubesse essas coisas por instinto.

A verdade era que, se Estrela Azul perdesse essa vida, sobraria apenas uma.

CAPÍTULO 16

A CHUVA CONTINUOU PELA NOITE, até a manhã seguinte. No sol alto, as nuvens começaram a se espalhar. Havia na clareira um ar lúgubre enquanto o clã esperava notícias da líder.

Coração de Fogo rastejou pelo trecho de amoreiras da fronteira, onde estava abrigado desde o amanhecer, e dirigiu-se à toca de Estrela Azul, ao lado da Pedra Grande. Não ouviu nenhum ruído vindo lá de dentro. Quando se virou para ir embora, encontrou Pele de Salgueiro levando comida para o berçário. Ela inclinou a cabeça para o lado, com ar inquiridor.

O guerreiro sabia que ela esperava notícias de Estrela Azul. – Nada de novo, sinto muito – disse ele, encolhendo os ombros.

Coração de Fogo dera a Pata de Cinza e a Pata de Samambaia um dia de descanso do treinamento. Ele os via agora, deitados do lado de fora da toca, com expressão aborrecida. Sabia que estavam decepcionados, mas queria permanecer no acampamento enquanto Estrela Azul estivesse doente. Pelo menos Garra de Tigre não estava ali para criticar a decisão. O grande representante saíra com a patrulha do amanhecer.

De repente, o líquen na toca da líder se movimentou e Pele de Geada surgiu. Ela atravessou a clareira correndo até a toca de Presa Amarela e voltou em alguns momentos, seguida pela curandeira.

Coração de Fogo saltou para a toca de Estrela Azul no exato momento em que Pele de Geada e Presa Amarela ultrapassaram a cortina de líquen. Ficou sentado na porta, com o coração aos pulos. Pele de Geada colocou o rosto para fora.

– O que foi? – Coração de Fogo perguntou, com a voz tremendo.

Pele de Geada fechou os olhos, desolada. – Ela está com a tosse verde. Fique de guarda e não deixe ninguém entrar. – A gata voltou para dentro.

O guerreiro ficou imóvel, tomado pelo choque. Tosse verde! Estrela Azul corria mesmo o risco de perder outra vida.

Um grito agudo no exterior do acampamento atraiu seu olhar para o túnel de tojos. Pata de Poeira irrompeu na clareira e parou de repente ao seu lado. – Vim da parte de Garra de Tigre – arfou. – Tenho uma mensagem para Estrela Azul.

– Ela está doente. Você não pode entrar – Coração de Fogo miou.

Pata de Poeira balançou a cauda, impaciente: – Garra de Tigre precisa vê-la no Caminho do Trovão. É urgente.

– Qual é o problema?

O jovem o encarou: – Garra de Tigre chamou Estrela Azul – debochou. – Não um gatinho de gente fingindo ser guerreiro!

Numa reação de fúria, Coração de Fogo mostrou as garras. – Ela não pode sair do acampamento – grunhiu, abaixando as orelhas e bloqueando a entrada da toca da líder.

– Coração de Fogo está certo. – Ouviu-se o miado severo de Presa Amarela, que saíra da toca da líder.

Pata de Poeira olhou para a curandeira, encolhendo-se sob o olhar cor de laranja. – Garra de Tigre encontrou sinais de guerreiros do Clã das Sombras no nosso território – miou. – Invadiram nossas zonas de caça!

Apesar de temer por Estrela Azul, Coração de Fogo sentiu o lábio se crispar de raiva. Como ousavam? Depois de tudo o que o Clã do Trovão fizera por eles?

Mas Presa Amarela não estava interessada no relatório de Pata de Poeira. Voltou-se para o guerreiro, com os olhos assustados: – Coração de Fogo, me diga se há gatária no Lugar dos Duas-Pernas.

– Gatária?

– Preciso dela para Estrela Azul. É uma erva que não uso há muitas luas, mas acho que vai ajudá-la. – Coração de Fogo concentrou a atenção na gata, que continuou. – É uma erva com folhas macias e cheiro irresistível...

Ele a interrompeu: – Claro, sei onde encontrar! – Jamais vira a erva na floresta, mas, quando filhote, tinha brincado em uma plantação de gatária na casa dos Duas-Pernas onde vivia.

– Ótimo. Preciso do máximo que você puder trazer, e rápido.

– E Garra de Tigre? – perguntou Pata de Poeira.

– No momento, ele vai ter que cuidar do assunto sozinho! – disparou Presa Amarela.

Pata de Cinza, que os observava do toco de árvore, aproximou-se com um pulo. – Cuidar de que assunto sozinho? – miou, empolgada. Coração de Fogo agitou a cauda, sinalizando para que ela se calasse.

Pata de Poeira a ignorou: – O Clã das Sombras pode estar agora no nosso território – ciciou.

Pata de Cinza arregalou os olhos, mas segurou a língua.

A curandeira fez uma pausa para pensar. – Onde está Nevasca? – perguntou.

– Patrulhando as Rochas Ensolaradas com Pata de Areia e Pelo de Rato – respondeu Pata de Poeira.

Presa Amarela balançou a cabeça. – Com Estrela Azul doente e Coração de Fogo apanhando ervas, não podemos nos arriscar a mandar mais guerreiros para fora do acampamento. Se o Clã das Sombras *está* no nosso território, podem nos atacar aqui. Já fizeram isso antes – lembrou, com o semblante sério.

– Se eu conseguir a gatária rapidamente – Coração de Fogo opinou –, posso encontrar Garra de Tigre depois e trazer a mensagem dele para Estrela Azul.

Os olhos de Pata de Poeira chisparam: – Mas ele quer que Estrela Azul veja os sinais com seus próprios olhos. O Clã das Sombras deixou restos de presas frescas no nosso lado do Caminho do Trovão!

Presa Amarela silenciou o aprendiz com um grunhido. – Estrela Azul não precisa ver os sinais – ralhou. – A palavra de seu representante tem de bastar.

– Garra de Tigre só precisa saber que ela não pode ir – miou Coração de Fogo. – Levarei a mensagem a ele depois de colher a gatária. Onde ele está?

– Eu mesmo levo! – Pata de Poeira disparou, lançando-lhe um olhar de puro ódio. – Você acha que é melhor mensageiro do que eu por ser um guerreiro e eu um aprendiz?

Mas Presa Amarela não tinha tempo para discussões. – O clã vai precisar de proteção enquanto Coração de Fogo estiver fora! – ciciou para Pata de Poeira, abaixando as orelhas. – Essa tarefa não é importante suficiente para você? Onde está Garra de Tigre?

– Ao lado do freixo queimado que fica sobre o Caminho do Trovão – respondeu Pata de Poeira, mal-humorado.

– Certo – grunhiu Presa Amarela. – Agora vá, Coração de Fogo! Depressa!

Ao atravessar a clareira em disparada, o felino ouviu pequenas passadas apressadas. – Coração de Fogo, espere!

– Volte para sua toca, Pata de Cinza – miou sobre o ombro, sem diminuir o passo.

– Mas eu poderia levar a mensagem a Garra de Tigre enquanto você colhe a gatária!

O gato parou e virou-se para a jovem: – Pata de Cinza, se há guerreiros do Clã das Sombras por aí, você precisa ficar no acampamento. – Ela ficou arrasada, mas Coração de Fogo não tinha tempo para se preocupar com melindres. –

Volte para sua toca – grunhiu. Sem esperar pela reação da aprendiz, saiu do acampamento.

Correu pelos Pinheiros Altos e se embrenhou pela vegetação que ficava por trás do Lugar dos Duas-Pernas. Ao subir na cerca que demarcava sua antiga casa, o cheiro familiar do jardim entrou-lhe pelas narinas. As lembranças inundaram-lhe a mente, deixando-o tonto por um momento. Pensou nas tardes ensolaradas em que se divertia no jardim com os brinquedos que os Duas-Pernas ofereciam a ele. Quase esperou ouvi-los sacudir a caixa de ração e chamá-lo por seu nome de gatinho de gente. Pensou, então, em Estrela Azul, lutando contra a tosse verde.

Coração de Fogo pulou da cerca para o jardim, atravessando a grama até o lugar onde ficava a gatária. Inalou o ar com vontade, de boca aberta, e respirou aliviado. O cheiro atraente ainda estava por ali, em algum lugar.

Andou ao longo da fileira de plantas, farejando o ar. Não via a gatária, e se aproximava cada vez mais do seu antigo ninho dos Duas-Pernas. Diminuiu o passo. Odores da infância se misturaram com o cheiro da planta, deixando-o confuso.

Ele balançou a cabeça para colocar as ideias em ordem e se concentrou no cheiro da gatária. Foi até um grande arbusto, de onde ainda pingavam gotas da chuva da noite, e encontrou uma plantação da erva macia e cheirosa. A geada recente matara algumas folhas, mas graças à proteção do arbusto, ainda havia suficiente para Presa Amarela usar. Coração de Fogo pegou quanto pôde carregar. O sabor se espalhava, delicioso, em sua boca, mas ele teve o cuidado de não mastigar, por mais que o desejasse. Estrela Azul precisaria de cada gota do precioso suco.

Com a boca repleta de erva, saiu correndo do jardim. Pulou a cerca e se enfiou pela floresta, ignorando as amoreiras que lhe arranhavam o pelo. Parecia que seus pulmões iam explodir; com a boca fechada para levar as folhas, só podia respirar pelo nariz.

Presa Amarela o esperava no túnel de tojos. O gato deixou as ervas aos pés da gata e, arfando, precisou aspirar uma boa quantidade de ar. Agradecida, a curandeira disparou com as folhas para a toca de Estrela Azul.

Ao se sentar para tomar fôlego, Coração de Fogo sentiu o cheiro de empolgação de Pata de Cinza no túnel de tojos. Farejou o chão ao redor. Será que a pupila deixara o acampamento, mesmo depois de ele tê-la advertido sobre os guerreiros do Clã das Sombras?

Coração de Fogo saiu correndo para a toca dos aprendizes e meteu a cabeça lá dentro para olhar; Pata de Samambaia dormia, sozinho.

– Onde está Pata de Cinza? – ele perguntou.

O jovem, sonolento, levantou a cabeça. – Hã? O quê?

– Pata de Cinza! Onde ela está?

– Não sei – o aprendiz respondeu, confuso.

O guerreiro passou os olhos pela clareira. Pele de Geada andava de lá para cá do lado de fora da toca de Estrela Azul, o pelo encrespado de tanta agitação.

Coração de Fogo ficou pensando no que fazer. Não tinha tempo para procurar Pata de Cinza e não queria contar aos outros guerreiros que ela estava desaparecida. *Listra Cinzenta!*, pensou, de repente. O amigo poderia procurá-la enquanto ele ia encontrar Garra de Tigre. Correu para a toca dos guerreiros.

O ninho de Listra Cinzenta estava vazio. Uma onda de raiva invadiu Coração de Fogo. Onde estava o amigo quando precisava dele? Como se não soubesse! Bufou, zangado. Pata de Cinza teria de se defender sozinha até que ele encontrasse o representante para lhe contar que Estrela Azul estava doente.

Coração de Fogo atravessou de volta o túnel e começou a caminhada rumo ao Caminho do Trovão. Seguindo a trilha pela lateral da ravina, rumo à floresta, identificou no ar o cheiro de Pata de Cinza. Ela devia ter passado por ali. Claro! Fora sozinha se encontrar com Garra de Tigre. O pelo na espinha do gato se arrepiou de angústia e frustração. Como podia ser tão tola?

Quando contornou as Rochas das Cobras, começou a sentir o cheiro do Caminho do Trovão e a escutar o rugido de seus monstros.

De repente, um guincho alto, ensurdecedor, vindo do limite das árvores, fez seu sangue gelar nas veias. Era o mesmo grito que ele ouvira em sonhos.

Saiu correndo e parou de repente na grama que ladeava o Caminho do Trovão. Desesperado, olhou para um lado e para o outro e viu um freixo queimado por um raio. Devia ser o lugar onde Pata de Poeira dissera que Garra de Tigre estaria esperando por Estrela Azul. Mas o representante ainda vinha ao longe, caminhando sem pressa até o freixo.

Coração de Fogo começou a correr. A grama ali era muito estreita, mal cabia um coelho, mas ele continuou. Sem diminuir o passo, gritou para Garra de Tigre:

– Você ouviu aquilo? – Mas o rugido de um monstro que se aproximava abafou suas palavras.

Coração de Fogo se encolheu, esperando o barulho sumir para voltar a chamar Garra de Tigre. Então percebeu alguma coisa ao lado do freixo, uma forma escura na estreita faixa de grama. Sentiu um tremor nauseante ao reconhecer o pequeno corpo imóvel ao lado do Caminho do Trovão. Era Pata de Cinza.

CAPÍTULO 17

CORAÇÃO DE FOGO OLHOU, ESTARRECIDO. Garra de Tigre tinha chegado antes dele ao corpo imóvel e o fitava; seus ombros maciços se enrijeceram com o choque. Coração de Fogo se aproximou. Relutante, esticou a cabeça e farejou o pequeno corpo de Pata de Cinza. Cheirava a Caminho do Trovão. Uma das patas traseiras estava torcida e brilhava, sangrenta. O guerreiro tremia tanto que mal conseguia ficar em pé. Foi quando viu a gata se mexer. Ela ainda respirava! Aliviado e sem palavras, olhou para Garra de Tigre.

– Está viva – o representante grunhiu, fixando o olhar cor de âmbar em Coração de Fogo. – O que ela estava fazendo aqui?

– Veio procurar você – Coração de Fogo falou em voz baixa.

– Você está dizendo que a mandou aqui?

Coração de Fogo arregalou os olhos, surpreso. Será que Garra de Tigre pensava que ele seria tão idiota assim? – Disse a ela para ficar no acampamento! – protestou. – Veio porque quis. – *Porque não consegui fazer com que me ouvisse*, pensou, desanimado.

Garra de Tigre bufou: – Precisamos levá-la para casa. – Inclinou-se com a boca aberta, para pegar o corpo pequeno e machucado, mas Coração de Fogo abaixou a cabeça e apanhou a aprendiz pela nuca antes que o representante conseguisse tocá-la. Arrastou Pata de Cinza pela floresta, da forma mais delicada possível, com o corpo inerte da aprendiz pendurado entre suas patas dianteiras.

Listra Cinzenta se aproximou aos pulos. – Voltei às Pedras das Cobras mais uma vez, Garra de Tigre. Não há sinal do Clã... – Ele se calou ao ver Pata de Cinza pendendo da boca do amigo. – O que aconteceu?

O guerreiro não esperou pela resposta de Garra de Tigre. Foi entrando pelas árvores com o fardo precioso. Ele podia ter evitado esse acidente! Se tivesse conseguido fazer com que Pata de Cinza o obedecesse, se tivesse sido um mentor melhor. Agora a aprendiz estava machucada, sangrando; balançando entre seus dentes, ela não emitia som algum. Coração de Fogo carregou-a com cuidado para casa, deixando atrás si uma trilha rasa entre as folhas, marcadas pelo arrasto das patas traseiras da gata.

Presa Amarela não estava em sua clareira. Os dois filhotes com tosse branca, enroscados, dormiam profundamente no abrigo. Coração de Fogo colocou Pata de Cinza no chão frio; depois, rodando em círculos, preparou-lhe um ninho nas samambaias. Quando acabou, pegou a aprendiz pela nuca e empurrou-a para dentro com delicadeza.

– Coração de Fogo? – Presa Amarela miou da clareira. Garra de Tigre certamente lhe contara sobre Pata de Cinza. Coração de Fogo saiu do ninho de um pulo. – Ela está aqui dentro – falou em voz baixa, trêmulo de alívio ao ver a curandeira.

– Deixe-me ver – Presa Amarela ordenou, passando por ele e subindo nas samambaias para examinar a aprendiz. Coração de Fogo sentou-se e esperou.

Finalmente a gata saiu do ninho. – Está muito ferida – declarou, preocupada, com os olhos sombrios. – Mas acho que posso salvá-la.

Era um fio de esperança, como uma única e brilhante gota de orvalho pendurada na pelagem de Coração de Fogo. Ele sentiu a gota brilhar por um instante antes de Presa Amarela continuar: – Não posso prometer nada. – Ela fixou os olhos nos do guerreiro e murmurou: – Estrela Azul está muito doente e nada mais posso fazer por ela. Agora cabe ao Clã das Estrelas decidir seu destino.

Coração de Fogo sentiu os olhos nublarem de emoção; mal via o rosto de Presa Amarela, mas ouviu-a voltar a falar com ele, com voz gentil. – Vá ficar ao lado de Estrela Azul. Mais cedo ela perguntou por você. Tomarei conta de Pata de Cinza.

Cegado pela dor, ele fez que sim e se foi. Estrela Azul fora sua mentora e, mais do que isso, havia um elo entre eles desde que se conheceram. Mas ele estava arrasado. Devia ficar com Pata de Cinza também.

Uma sombra surgiu na extremidade do túnel de tojos. Garra de Tigre estava sentado na entrada da toca de Presa

Amarela, com a cabeça elevada, como sempre. Os ombros de Coração de Fogo se enrijeceram de raiva. Por que o grande guerreiro não podia mostrar um pouco de tristeza? Afinal, Pata de Cinza estava procurando por ele. E para quê? Coração de Fogo não percebera nenhum sinal de presas frescas do Clã das Sombras! Passou por Garra de Tigre sem nada dizer, dirigindo-se à toca de Estrela Azul depois de atravessar a clareira.

Rabo Longo estava de guarda, do lado de fora. Olhou de um lado para o outro, mas não tentou deter Coração de Fogo, que ultrapassou a cortina de líquen.

Flor Dourada, uma das rainhas, se encontrava na toca. Coração de Fogo via os olhos da gata brilharem na escuridão, e a pelagem pálida de Estrela Azul, enroscada no ninho. Flor Dourada se inclinou e, delicada, lambeu a cabeça da líder para refrescá-la, como uma mãe cuidando do filho. O peito de Coração de Fogo doeu quando ele pensou em Pata de Cinza. Será que Pele de Geada estava ao lado da filha agora?

– Presa Amarela deu a ela gatária e camomila – falou baixinho a rainha. – Agora só podemos observar e esperar. – Ela se levantou e tocou, com seu nariz, o do jovem guerreiro. – Você ficará bem aqui, ao lado dela? – perguntou, gentil. Ele fez que sim, e a gata saiu da toca sem fazer barulho.

O guerreiro abaixou-se, estendendo as patas à frente, de maneira que apenas tocassem o rosto da líder. E ali ficou, imóvel, com os olhos fixos no corpo parado. A líder não tinha sequer força para tossir. No escuro, ele ouvia a respiração da gata, curta e arfante, e prestava atenção no ritmo irregular, enquanto a noite passava lentamente.

Ela expirou pouco antes do amanhecer. Coração de Fogo estava quase dormindo quando se deu conta do silêncio da caverna. Tampouco havia barulho no acampamento, apenas um silêncio mortal, como se todo o clã prendesse a respiração.

O corpo de Estrela Azul estava inerte, mas Coração de Fogo sabia que, junto com o Clã das Estrelas, ela se preparava para sua última vida. Ele a vira perder uma vida antes. Sentiu o pelo arrepiar com a paz estranha que parecia envolver o corpo da gata, mas não havia nada que ele pudesse fazer; então esperou.

De súbito, Estrela Azul suspirou. – Coração de Fogo, é você? – miou numa voz rouca.

– Sim, Estrela Azul. Estou aqui.

– Perdi outra vida. – Sua voz estava fraca, mas o alívio fez Coração de Fogo querer se aproximar e lambê-la na cabeça, como fizera Flor Dourada. – Quando perder esta aqui, não terei como retornar.

Ele engoliu em seco. Pensar no clã perder a grande líder lhe doía, mas doía mais ainda pensar em perder sua amiga e mentora. – Como está se sentindo? Devo ir buscar Presa Amarela?

Devagar, Estrela Azul abanou a cabeça: – A febre passou. Estou bem. Só preciso descansar.

– Que bom – ele miou. A luz começava a atravessar o líquen; a cabeça do jovem guerreiro parecia girar pela noite passada em claro.

– Você deve estar cansado. Vá dormir um pouco.

– Vou, sim. – Ele se levantou com dificuldade. Tinha as pernas rijas por ter ficado tanto tempo deitado. – Precisa de alguma coisa?

– Não. Apenas conte a Presa Amarela o que aconteceu – respondeu Estrela Azul. – Obrigada por ficar comigo.

Coração de Fogo tentou ronronar, mas sua garganta travou. Mais tarde haveria tempo para mais palavras. Ele saiu pela cortina de líquen.

Do lado de fora, uma claridade intensa o fez piscar. Havia nevado durante a noite. Surpreso, ele não conseguia parar de olhar. Jamais vira neve antes; quando filhote, seus donos o mantinham em casa sempre que fazia frio. Mas ouvira os anciãos do clã falarem a respeito. Cumprimentou Listra Cinzenta, que substituíra Rabo Longo guardando a toca de Estrela Azul, e pisou na poeira estranha. Era molhada e fria, e estalava alto sob suas patas.

Garra de Tigre estava na clareira. Ainda nevava, e os flocos permaneciam no pelo espesso do guerreiro sem derreter. Coração de Fogo o ouviu dando ordens para que se isolasse com folhas a parede do berçário, para não deixar entrar o frio. – Façam um buraco para que possamos estocar presas – instruiu o representante. – Usem a neve para forrá-lo e, quando estiver cheio de presas, cubram com mais neve. Já que está aí, podemos fazer bom uso dela.

Os guerreiros corriam à volta de Garra de Tigre, seguindo-lhe as ordens. – Pelo de Rato! Rabo Longo! Organizem grupos de caça. Precisamos do máximo de presas frescas que conseguirmos antes que a caça entre nos abrigos para sempre. – Garra de Tigre viu Coração de Fogo atravessando a clareira.

– Coração de Fogo, espere – chamou. – Pelo que vejo, você precisa descansar. Não creio que possa ser útil no grupo de caça esta manhã.

Coração de Fogo encarou o representante, com um sentimento hostil amargando na garganta: – Antes vou ver como está Pata de Cinza – grunhiu.

Garra de Tigre sustentou o olhar por um instante. – Como está Estrela Azul?

A desconfiança encrespou a pelagem de Coração de Fogo como uma brisa fria. Ele ouvira a líder mentir a Garra de Tigre uma vez a respeito de quantas vidas lhe restavam. – Não sou curandeiro – respondeu. – Não sei dizer.

Garra de Tigre bufou, impaciente, depois se virou e continuou a dar ordens. Coração de Fogo foi para a toca de Presa Amarela, aliviado por escapar da movimentação frenética no acampamento. Seu coração acelerou ao imaginar em que estado encontraria Pata de Cinza. – Presa Amarela – chamou.

– Psiu! – ela pulou do ninho de samambaias de Pata de Cinza. – Finalmente ela dormiu. A noite foi difícil. Só pude lhe dar sementes de papoula para acalmar a dor quando se recuperou do choque.

– Mas ela vai sobreviver? – as pernas de Coração de Fogo tremiam de alívio.

– Só posso ter certeza depois de alguns dias. Ela tem ferimentos internos, e uma das patas traseiras está seriamente quebrada.

– Mas dá para consertar a pata, não dá? – o gato suplicou, desesperado. – Ela estará pronta para treinar na época do renovo?

Presa Amarela balançou a cabeça, com os olhos amarelos expressando compaixão: – Coração de Fogo, aconteça o que acontecer, Pata de Cinza nunca será uma guerreira.

A cabeça do felino girou. Ele estava tonto por não dormir, e essa notícia arrasadora minou-lhe o resto de energia. Pata de Cinza lhe fora confiada para que a treinasse para ser guerreira. As lembranças da cerimônia de nomeação o machucavam como espinhos cruéis; a empolgação de Pata de Cinza, o orgulho maternal de Pele de Geada... – Pele de Geada sabe? – ele miou, sentindo-se vazio.

– Sabe, sim. Ela ficou aqui até o amanhecer. Agora está de volta ao berçário; há outros filhotes para cuidar. Vou pedir a um dos anciãos que fique com Pata de Cinza. Ela precisa se manter aquecida.

– Posso fazer isso. – Coração de Fogo foi até o ninho onde a jovem dormia. A aprendiz estava inquieta, e o peito, manchado de sangue, subia e descia, como se ela estivesse numa batalha durante o sono.

Presa Amarela cutucou Coração de Fogo carinhosamente com o nariz. – Você precisa dormir um pouco – zangou. – Deixe que cuido de Pata de Cinza.

Ele não se mexeu. – Estrela Azul perdeu outra vida – disse de repente. Presa Amarela piscou por um momento, depois levantou a cabeça para o Clã das Estrelas. Não emitiu uma só palavra, mas Coração de Fogo via angústia nos olhos cor de laranja. – Você sabe, não sabe? – ele murmurou.

A gata abaixou o queixo, fitando Coração de Fogo nos olhos. – Que foi a última vida de Estrela Azul? Sei, sim. Uma curandeira é capaz de ver essas coisas.

– Os demais felinos do clã também terão como saber? – ele perguntou, pensando em Garra de Tigre.

Presa Amarela estreitou os olhos. – Não. Ela será tão forte nesta vida quanto foi nas outras.

Coração de Fogo, agradecido, piscou para ela.

– Agora, você quer umas sementes de papoula para ajudá-lo a dormir?

O gato fez que não. Parte dele ansiava pelo sono profundo e fácil que a papoula traria. Mas se Garra de Tigre estava certo, e o Clã das Sombras realmente fosse atacar as fronteiras do Clã do Trovão, Coração de Fogo não queria ter os sentidos alterados. Podiam precisar dele para defender o acampamento.

* * *

Listra Cinzenta voltara à toca dos guerreiros. Coração de Fogo não falou com ele; a raiva que sentira por não encontrá-lo na noite anterior permanecia como uma ferida aberta. Em silêncio, caminhou até o ninho, deu uma volta em torno dele e se instalou para se lavar.

O gato cinza levantou o rosto: – Ah, aí está você. – O tom era ríspido, como se ele quisesse falar mais.

Coração de Fogo parou de lamber a pata e fitou o amigo.

– Você tentou fazer Arroio de Prata se afastar – Listra Cinzenta sibilou, furioso. Pele de Salgueiro, que dormia do outro lado da toca, abriu um olho e, em seguida, voltou a fechá-lo.

Listra Cinzenta abaixou a voz: – Fique fora disso, certo? – disparou. – Vou continuar a vê-la, não importa o que você faça ou diga.

Coração de Fogo bufou, lançando um olhar ressentido ao amigo. A conversa com Arroio de Prata parecia ter sido muito tempo atrás; ele quase esquecera. Mas não tinha esquecido que Listra Cinzenta estava desaparecido quando ele precisara de ajuda para encontrar a aprendiz. Zangado, colocou a cabeça sobre as patas cheias de lama e fechou os olhos. Pata de Cinza lutava contra seus ferimentos e Estrela Azul estava em sua nona vida. No que dizia respeito a Coração de Fogo, Listra Cinzenta podia fazer o que quisesse.

CAPÍTULO 18

Listra Cinzenta já tinha saído do ninho quando Coração de Fogo acordou no dia seguinte. Sabia que era sol alto pela luz que brilhava entre os galhos. Levantou-se; com o corpo ainda exausto pela tristeza, colocou a cabeça fora da toca. A neve devia ter caído durante toda a manhã, pois estava alta e correra pela toca adentro. O jovem guerreiro se viu olhando por cima de uma parede branca da altura de seu ombro.

Não se percebia a movimentação normal do acampamento. Ele viu Pele de Salgueiro e Meio Rabo cochichando no extremo da clareira. Pelo de Rato, empenhada em sua tarefa, ia para a pilha de presa fresca, com um coelho pendurado na boca. No meio do caminho, ela parou e espirrou, depois foi adiante.

Coração de Fogo levantou uma pata e pisou de leve na neve. No início, sentiu-a dura, mas quando fez força, a fina camada de gelo rachou, e ele arfou quando a perna afundou. Bufou ao se ver enfiado na neve até o nariz. Balançando a cabeça e levantando o queixo, deu um pulo para a frente, só para afundar ainda mais. Debateu-se, já começando a ficar assustado. Era como se estivesse se afogando! Então, de súbito, achou chão duro sob as patas. Chegara à borda da clareira. A neve ali tinha apenas um camundongo de profundidade e ele se sentou aliviado, produzindo um leve estalido.

Ficou tenso quando viu Listra Cinzenta se aproximar, lutando contra a neve. Mas o guerreiro cinza parecia não se incomodar, protegido do frio pela pelagem espessa. Tinha o rosto sombrio de tristeza. – Você soube de Estrela Azul? – perguntou. – Ela perdeu uma vida por causa da tosse verde.

Coração de Fogo movimentou as orelhas, impaciente. Podia ter contado isso ao amigo na noite anterior. – Sei, sim – disparou. – Eu estava com ela.

– Por que não me contou? – miou, chocado, Listra Cinzenta.

– Você não estava muito amigável na noite passada, deve lembrar. De qualquer forma, se não estivesse sempre quebrando o Código dos Guerreiros, poderia saber o que acontece no seu próprio clã – ele grunhiu.

As orelhas de Listra Cinzenta se agitaram, desconfortáveis. – Acabei de ver Pata de Cinza – miou. – Lamento que esteja tão doente.

– Como ela está?

– Parecia mal, mas Presa Amarela disse que vai sobreviver.

Coração de Fogo, ansioso, olhou pela clareira e se levantou. Queria ver a aprendiz com seus próprios olhos.

Listra Cinzenta miou. – Ela está dormindo agora. Pele de Geada está lá, e Presa Amarela não quer ninguém mais por perto, incomodando-a.

Coração de Fogo se encolheu, de modo involuntário. Como dizer a Pele de Geada que a jovem fora ao Caminho do Trovão por culpa dele? Instintivamente, virou-se para Listra Cinzenta, procurando apoio. Mas o gato cinza atravessava com dificuldade a clareira cheia de neve, rumo ao berçário. *Foi ver Arroio de Prata*, imaginou, ressentido, mostrando e guardando as garras ao observá-lo desaparecer.

Coração de Fogo só viu Cauda Sarapintada, a rainha mais velha do berçário e mãe do filhote com tosse branca, quando ela parou bem na sua frente e perguntou, apontando, com o nariz, para a toca dos guerreiros: – Garra de Tigre está aí dentro?

Coração de Fogo balançou a cabeça.

A gata miou. – Há tosse verde no berçário. Dois filhotes de Cara Rajada estão doentes.

– Tosse verde! – Coração de Fogo engasgou, tremendo de medo. – Eles vão morrer?

– Talvez. Mas a estação sem folhas sempre traz tosse verde – ela observou, com delicadeza.

– Deve haver algo que possamos fazer! – protestou Coração de Fogo.

– Presa Amarela fará o que puder. Mas em última instância, a decisão é do Clã das Estrelas.

Um novo rasgo de fúria irrompeu no peito de Coração de Fogo quando Cauda Sarapintada caminhou até o berçário.

Como podia o clã suportar essas tragédias? Sentiu uma tremenda necessidade de deixar o acampamento, de escapar do ar sombrio que o restante do clã parecia satisfeito em respirar.

Pulou e atravessou correndo, às cegas, a clareira cheia de neve, passando pelo túnel de tojos até a floresta. Ficou surpreso ao perceber que seus instintos o levavam ao vale de treinamento. O pensamento de que deveria estar ali, ensinando Pata de Cinza, era insuportável. Ao mudar de direção para evitar o vale, ouviu as vozes de Nevasca e de Pata de Samambaia. O guerreiro branco deve ter se ocupado do treinamento do aprendiz enquanto Coração de Fogo estava dormindo. Nenhum gato havia parado para lamentar a perda da vida de Estrela Azul? A garganta de Coração de Fogo se apertou, lutando contra a raiva que sentia; saiu correndo, desesperado para ficar o mais distante possível do acampamento.

Finalmente parou sob os Pinheiros Altos, arfando com o esforço de correr na neve. Ali era sossegado, ia se acalmar. Até mesmo os pássaros tinham parado de cantar. Ele se sentia como se fosse a única criatura no mundo.

Não sabia aonde estava indo; apenas caminhava, deixando a floresta tranquilizá-lo. Andando, sua mente se acalmava. Nada podia fazer por Pata de Cinza e Listra Cinzenta estava fora de alcance, mas podia ajudar Presa Amarela a combater a tosse verde, colhendo um pouco mais de gatária.

Coração de Fogo dirigiu-se à sua antiga casa de gatinho de gente, ziguezagueando entre as amoreiras na floresta de carvalho que ficava atrás do Lugar dos Duas-Pernas. Pulou para o alto da cerca nos limites da casa, derrubando um montinho de neve no jardim. A neve caiu com um ruído suave. Olhou para o jardim e viu trilhas de patas menores que as de um gato. Um esquilo estivera ali atrás de nozes.

Não demorou muito para o gato apanhar uma boa quantidade de gatária. Queria colher quanto conseguisse. As folhas macias poderiam não sobreviver àquela temperatura; talvez fosse a última chance de apanhá-las.

Encheu a boca de erva e fitou a passagem recortada na porta, que usava quando filhote. Perguntou-se se os mesmos Duas-Pernas ainda morariam por ali. Tinham sido bondosos com ele, que passara sua primeira estação sem folhas protegido no ninho da casa, aquecido e a salvo das crueldades dos Caminhos do Trovão e da tosse verde.

O cheiro dessa gatária deve estar me subindo à cabeça, apressou-se em explicar. Rumou ao jardim, chegando à cerca com um simples pulo. Ficou nervoso ao ver como a lembrança da casa dos Duas-Pernas o afetava. Será que desejava mesmo a segurança e a previsibilidade de uma vida de gatinho de gente? *Claro que não!* Afastou o pensamento. Mas a ideia de voltar ao acampamento tampouco o atraía.

De repente, pensou em Princesa.

Correu pela beirada da floresta até onde ficava o jardim da irmã, no Lugar dos Duas-Pernas. Quando conseguiu ver a cerca, cavou na neve e enterrou a erva sob uma camada de folhas secas, para protegê-la do frio. Ainda estava arfando por causa da corrida quando pulou na cerca e chamou Princesa. Então, rastejou de volta à floresta para esperá-la.

Enquanto ele caminhava, inquieto, sob um carvalho, a neve fazia suas patas doer de frio. Talvez a irmã estivesse dando à luz, ou trancada em casa. Quando finalmente se convenceu de que não iria vê-la naquele dia, ouviu-lhe o miado familiar. Ela estava no alto da cerca. Coração de Fogo tremeu de ansiedade. A barriga de Princesa desinchara. Devia ter dado à luz.

Sentiu-lhe o odor quando ela se aproximou e isso o confortou. – Os filhotes nasceram!

Princesa tocou-lhe gentilmente o focinho com o nariz. – Nasceram, sim – miou, delicada.

– Foi tudo bem? Eles estão bem?

Princesa ronronou: – Correu tudo bem. Tive cinco bebês, todos saudáveis – disse, com os olhos brilhando de prazer. Coração de Fogo lambeu a cabeça da irmã e ela miou. – Não esperava ver você com esse tempo.

– Vim colher um pouco de gatária. Há tosse verde no acampamento.

Preocupada, Princesa fechou os olhos. – Há muitos gatos doentes no seu clã?

– Três até agora. – Ele hesitou por um instante; depois miou com tristeza: – Nossa líder perdeu outra vida na noite passada.

– Outra vida? O que você quer dizer? Pensei que essa história de gatos terem nove vidas era apenas uma velha lenda contada por nossas avós.

– Estrela Azul recebeu nove vidas do Clã das Estrelas por ser a líder do nosso clã – ele explicou.

– Então é verdade! – Princesa se espantou.

– Só vale para os líderes de clã. O resto dos felinos tem apenas uma vida, como você e eu, e como Pata de Cinza. – A voz de Coração de Fogo hesitou.

– Pata de Cinza? – Princesa deve ter percebido a tristeza na voz dele.

Coração de Fogo fitou-a nos olhos e, sem se conter, falou dos pensamentos que o mortificavam: – Minha aprendiz se feriu no Caminho do Trovão na noite passada – miou, abatido, ao se lembrar do momento em que encontrou o corpo, machucado e sangrando. – Está gravemente ferida. Pode até morrer. E, mesmo que sobreviva, jamais se tornará uma guerreira.

Princesa chegou mais perto e o tocou com o nariz. – Você falou dela com tanta admiração da última vez que esteve aqui. Parecia cheia de alegria e energia.

– O acidente não era para ter acontecido – ele grunhiu. – Eu tinha que ir encontrar Garra de Tigre. Ele queria ver Estrela Azul, mas ela estava doente e me ofereci para ir no lugar dela. Mas antes eu precisava conseguir um pouco de gatária, e Pata de Cinza foi no meu lugar. – Princesa ficou assustada, e Coração de Fogo logo acrescentou. – Eu lhe disse para não ir. Se eu fosse um mentor melhor, talvez ela tivesse me ouvido.

– Estou certa de que você é um bom mentor – Princesa tentou acalmá-lo, mas o guerreiro mal a escutava.

– Não sei por que Garra de Tigre queria que Estrela Azul o encontrasse num lugar tão perigoso! – disparou. – Ele disse que havia indícios de que o Clã das Sombras tinha invadido nosso território, mas quando cheguei lá, não havia nenhum odor do clã!

– Era uma armadilha? – Princesa sugeriu.

Coração de Fogo fitou os olhos indagadores da irmã e, de repente, começou a pensar. – Por que Garra de Tigre iria querer ferir Pata de Cinza?

– Ele queria ver Estrela Azul – Princesa observou.

O pelo do gato se arrepiou. Será que sua irmã estava certa? Garra de Tigre *convocara* Estrela Azul para ir à parte mais estreita da beirada do Caminho do Trovão. Será que o representante colocaria a líder do clã em perigo de propósito? Coração de Fogo afastou esse pensamento. – Nã... não sei – gaguejou. – Tudo está me deixando muito confuso. Até Listra Cinzenta, que mal está falando comigo.

– Por quê?

Coração de Fogo deu de ombros. – É complicado demais para explicar. – Princesa aconchegou ao irmão a pelagem macia. – Eu me sinto um estranho neste momento – ele continuou, tristonho. – Não é fácil ser diferente.

– Diferente? – Princesa estava surpresa.

– Ter nascido gatinho de gente, quando todos os outros gatos nasceram no clã.

– Para mim, você parece ter nascido no clã – miou Princesa. Coração de Fogo piscou, agradecido.

Ela continuou: – Mas se não está feliz no clã, pode sempre voltar para casa comigo. Meus donos vão cuidar de você, tenho certeza.

O guerreiro se imaginou levando sua antiga vida de gatinho de gente, confortável, aconchegante e segura. Mas então se lembrou de todas as vezes que, do seu jardim dos Duas-Pernas, observara a floresta, sonhando estar ali. Uma brisa arrepiou sua pelagem espessa, trazendo-lhe o odor de um camundongo até o nariz. O gato balançou a cabeça, resoluto: – Obrigado, Princesa – miou. – Mas pertenço ao meu clã, agora. Jamais seria feliz num ninho dos Duas-Pernas. Sentiria falta dos odores da floresta, de dormir sob o Tule de Prata, de caçar minha própria comida para dividi-la com meu clã.

Os olhos da gata brilharam: – Parece ser uma vida boa – ronronou. Tímida, baixou o olhar para as próprias patas. – Às vezes até eu espreito a floresta e me pergunto como seria viver ali.

Coração de Fogo ronronou, se levantando. – Então você compreende?

Princesa fez que sim. – Já está indo?

– Estou, sim. Preciso levar a gatária para Presa Amarela enquanto está fresca.

Princesa esticou a cabeça para a frente e roçou o nariz no irmão. – Quem sabe meus filhotes estarão fortes bastante para encontrar você da próxima vez?

Coração de Fogo ficou empolgado: – Espero que sim!

Quando ele se virou para partir, Princesa o chamou: – Cuide-se, irmão. Não quero voltar a perdê-lo.

– Isso não vai acontecer – ele prometeu.

– Boa ideia, Coração de Fogo – ronronou Nevasca, que vira o jovem guerreiro voltar ao acampamento com a boca cheia de erva.

Coração de Fogo salivara durante todo o percurso de volta, embora começasse a achar que ficaria feliz em nunca mais ver um arbusto de gatária. Mas estava mais contente do que quando saíra do acampamento. A irmã tivera um parto tranquilo e ele sentia a cabeça mais leve.

Dirigia-se para a toca de Presa Amarela quando Garra de Tigre apareceu.

– Mais gatária? – ele observou, desconfiado. – Fiquei imaginando aonde você teria ido. Pata de Samambaia pode levar isso para Presa Amarela.

O aprendiz estava ajudando a remover a neve ali perto.

– Venha, leve essas ervas para Presa Amarela – Garra de Tigre ordenou.

Pata de Samambaia fez que sim e, de um pulo, se aproximou.

Coração de Fogo soltou no chão o maço de folhas. – Eu queria visitar Pata de Cinza – miou para Garra de Tigre.

– Mais tarde – grunhiu o representante, esperando Pata de Samambaia pegar a erva e levar para a toca da curandeira. Voltou-se novamente para o jovem guerreiro. – Quero saber onde Listra Cinzenta tem ido.

Coração de Fogo sentiu o calor sob a pelagem. – Não sei – respondeu, sustentando o olhar do representante.

Garra de Tigre também o fitava, com os olhos frios e hostis. – Quando o vir – sibilou –, diga que deverá ficar confinado no carvalho caído.

– A antiga toca de Presa Amarela? – Coração de Fogo olhou para os galhos emaranhados onde a curandeira vivia quando chegou ao Clã do Trovão, na época em que ainda achavam que ela tinha sido expulsa do Clã das Sombras. Pata Ligeira estava lá, deitado ao lado do filhote malhado de Cauda Sarapintada.

– Os gatos com tosse branca ficam confinados ali até melhorar.

– Mas Listra Cinzenta tem apenas um resfriado – protestou Coração de Fogo.

– Um resfriado já é bastante ruim. Ele deve ficar no carvalho caído – repetiu Garra de Tigre. – Os felinos com tosse verde devem permanecer no ninho com Presa Amarela. Precisamos impedir que a doença se espalhe. – Os olhos do representante faiscaram, endurecidos. Coração de Fogo se perguntou se o guerreiro achava que doença era sinal de fraqueza. – É para o bem do clã – Garra de Tigre acrescentou.

– Está bem, direi a Listra Cinzenta.

– E fique longe de Estrela Azul – o representante advertiu.

– Mas ela já ficou boa da tosse verde – reclamou Coração de Fogo.

– Sei disso, mas a toca da líder ainda fede à doença. Não posso ter guerreiros doentes. Nevasca me disse que havia cheiro do Clã do Rio ainda mais perto do acampamento. Também falou que teve de treinar Pata de Samambaia hoje. Espero que você se ocupe do treinamento dele amanhã.

Coração de Fogo fez que sim. – Posso ir ver Pata de Cinza agora?

Garra de Tigre o olhou.

– Duvido que Presa Amarela a tenha colocado perto dos gatos com tosse verde – Coração de Fogo acrescentou, com certa irritação. – Não serei infectado.

– Muito bem – Garra de Tigre concordou, afastando-se.

Coração de Fogo encontrou Pata de Samambaia no meio da clareira. – Presa Amarela está muito agradecida pela gatária – o aprendiz comentou.

– Que bom. Por falar nisso, amanhã vou lhe ensinar a apanhar pássaros. Espero que esteja pronto para subir em algumas árvores.

Os bigodes do jovem se agitaram, empolgados. – Com toda certeza. Encontro você no vale de treinamento.

Coração de Fogo aquiesceu e rumou para a toca de Presa Amarela. Logo encontrou os pobres filhotes de Cara Rajada. Estavam quietinhos num ninho de samambaias, tossindo, com os olhos e os narizes escorrendo.

Presa Amarela o cumprimentou. – Obrigada pela gatária; vamos precisar dela. Agora é Retalho quem está com a tosse. – Com o nariz, indicou outro ninho nas samambaias. Dentro, Coração de Fogo viu a pelagem preta e branca do velho gato.

– Como está Pata de Cinza? – perguntou, voltando o olhar para a curandeira.

Ela suspirou: – Esteve acordada mais cedo, mas por pouco tempo. Tem uma infecção na perna. O Clã das Estrelas sabe que tentei de tudo, mas agora ela terá de lutar sozinha.

Coração de Fogo olhou para o ninho de Pata de Cinza. A pequena tinha o sono agitado; a perna machucada estava virada de lado, desajeitada. Ele estremeceu, com um súbito medo de que ela perdesse aquela luta. Virou-se para Presa Amarela, procurando palavras de encorajamento; mas a curandeira, com a cabeça baixa, parecia exausta.

– Você acha que Folha Manchada teria sido capaz de salvar esses gatos? – ela miou, de forma inesperada, levantando a cabeça à procura do olhar do jovem guerreiro.

Coração de Fogo agitou-se. Ainda sentia a presença de Folha Manchada ali na clareira. Lembrava-se de como ela cuidara bem do ombro de Pata Negra depois da batalha com o Clã do Rio, e com que zelo o aconselhara a cuidar de Presa Amarela quando a velha gata chegara ao Clã do Trovão. Olhou então para a curandeira, cujos ombros pesavam pela experiência, e disse: – Estou certo de que Folha Manchada não teria feito de outra maneira.

Um dos filhotes gritou, e Presa Amarela deu um salto. Quando ela passou por ele, Coração de Fogo inclinou-se para a frente e, com gentileza, tocou-lhe o corpo com o nariz. Ela agradeceu mexendo o ombro. Então, cheio de tristeza, ele rumou para o túnel de tojos.

A pelagem branca de Pele de Geada apareceu do outro lado. Provavelmente estava indo ver Pata de Cinza. Quando se aproximou da rainha, Coração de Fogo levantou a cabeça e olhou dentro de seus olhos azuis. A tristeza que viu fez doer-lhe o coração. – Pele de Geada! – chamou.

A rainha parou.

– Eu.... eu sinto muito – ele falou, tremendo.

Pele de Geada estava confusa: – Por quê?

– Por não ter conseguido evitar que Pata de Cinza fosse até o Caminho do Trovão.

Pele de Geada o fitou, mas sua expressão era só melancolia. – Não o culpo, Coração de Fogo – murmurou, abaixando a cabeça, e continuou seu caminho.

Listra Cinzenta estava de volta, mastigando um rato silvestre ao lado do monte de urtigas.

Coração de Fogo foi até ele. – Garra de Tigre diz que você precisa se mudar para o carvalho caído, ficar com os gatos com tosse branca – miou. Com certo ressentimento, lembrou-se de como o representante lhe fizera perguntas sobre o amigo. – Isso não será necessário – respondeu Listra Cinzenta, alegre. – Já estou melhor. Presa Amarela me deu alta essa manhã.

Coração de Fogo olhou o amigo de perto. Seus olhos estavam brilhantes de novo, e o nariz que escorria tinha virado uma crosta nada atraente. Em qualquer outra ocasião, Coração de Fogo teria mexido com ele, dizendo que estava parecido com Nariz Molhado, o curandeiro do Clã das Sombras. Mas agora disparou, áspero: – Garra de Tigre percebeu seus sumiços. Devia ter mais cuidado. Por que não pode ficar longe de Arroio de Prata ao menos por enquanto?

Listra Cinzenta parou de mastigar e, zangado, devolveu o olhar. – E por que você não se mete com a sua vida?

Coração de Fogo fechou os olhos e bufou, frustrado. Será que não ia se entender com o velho amigo? Então se perguntou se ainda se importava com isso. Afinal, Listra Cinzenta nem perguntara sobre Pata de Cinza.

O estômago de Coração de Fogo roncou, avisando que estava com fome. Ele também devia comer. Pegou um pardal da pilha de presas e o levou para um canto deserto no acampamento, para comer sozinho. Quando se instalou, pensou em Princesa, tão longe no Lugar dos Duas-Pernas, com os filhotes recém-nascidos. Solitário e ansioso, o guerreiro passou os olhos pelo acampamento e desejou vê-la novamente.

CAPÍTULO 19

NOS DIAS SEGUINTES, Coração de Fogo lutou contra a enorme vontade de visitar Princesa. Seu desejo de estar com os familiares gatinhos de gente estava começando a deixá-lo desconfortável. Ele se manteve ocupado, caçando na floresta nevada para suprir o acampamento.

Aquela tarde fora produtiva; voltou com dois camundongos e um pintassilgo quando o sol mergulhava atrás das árvores. Enterrou os camundongos na despensa de neve e levou o pintassilgo para seu jantar.

Estava terminando de comer quando percebeu que Nevasca se aproximava: – Quero que vá com Pata de Areia fazer a patrulha do amanhecer – miou o guerreiro branco. – Farejamos o cheiro do Clã das Sombras perto da Árvore da Coruja.

– Clã das Sombras? – ecoou Coração de Fogo, assustado. Talvez Garra de Tigre realmente tivesse encontrado sinais de uma invasão, afinal. – Estava planejando levar Pata de Samambaia para treinar amanhã.

– Listra Cinzenta não está melhor? – perguntou Nevasca. – Ele pode fazer isso.

Claro! Coração de Fogo pensou. E talvez treinar o aprendiz mantivesse Listra Cinzenta longe de Arroio de Prata de uma vez por todas. Mas isso significava que teria de sair em patrulha com Pata de Areia. E Coração de Fogo não esquecera o olhar furioso que a aprendiz lhe lançara quando ele interrompeu a luta entre ela e o guerreiro do Clã do Rio, ao lado do precipício. – Só Pata de Areia e eu? – perguntou.

Nevasca o olhou, surpreso. – Ela é quase uma guerreira, e você pode tomar conta de si mesmo – respondeu.

O guerreiro branco compreendera mal a preocupação de Coração de Fogo. Ele não estava com medo de ser atacado por gatos inimigos; estava com medo de Pata de Areia odiá-lo tanto quanto Pata de Poeira. Mas ele não o corrigiu. – Pata de Areia sabe?

– Você mesmo pode lhe dizer.

A orelha de Coração de Fogo se mexeu. Não achava que Pata de Areia fosse ficar muito animada com a ideia de ir com ele em patrulha, mas não discutiu.

Nevasca o cumprimentou e se dirigiu à toca dos guerreiros. Coração de Fogo suspirou e rumou para o lugar onde a aprendiz estava sentada com os outros pupilos.

– Pata de Areia – Coração de Fogo se mexia, desconfortável –, Nevasca quer que você saia em patrulha comigo amanhã, bem cedinho.

Ele esperava um sibilar zangado, mas ela simplesmente o olhou e miou: – Tudo bem. – Até Pata de Poeira ficou surpreso.

– Certo, então – disse Coração de Fogo, atônito. – Encontro você ao nascer do sol.

– Ao nascer do sol.

Coração de Fogo resolveu partilhar com Listra Cinzenta a boa notícia de que Pata de Areia já não estava mais hostil com ele. Talvez fosse uma chance para voltarem a se falar. O gato cinza estava trocando lambidas com Vento Veloz na moita de urtigas.

– Olá, Coração de Fogo – Vento Veloz miou ao vê-lo.

– Olá – ele respondeu, olhando esperançoso para o amigo. Mas Listra Cinzenta já tinha se virado e estava fitando o muro da fronteira. Coração de Fogo se entristeceu. Abaixou a cabeça e rumou para seu ninho. Mal podia esperar para sair em patrulha no dia seguinte e ficar longe do acampamento.

O céu brilhava com o mais pálido cor-de-rosa quando Coração de Fogo saiu da toca na manhã seguinte.

Pata de Areia o esperava do lado de fora do túnel de tojos.

– Ah... olá – Coração de Fogo miou, meio desajeitado.

– Olá – a aprendiz respondeu, calma.

O gato se sentou. – Vamos esperar que a patrulha noturna volte – sugeriu.

Ficaram em silêncio até ouvirem o farfalhar conhecido dos arbustos anunciando o retorno de Nevasca, Rabo Longo e Pelo de Rato.

– Algum sinal do Clã das Sombras? – Coração de Fogo perguntou.

– Nós realmente detectamos alguns odores – Nevasca respondeu, sério.

– É estranho – miou Pelo de Rato, franzindo o cenho. – É sempre o cheiro do mesmo grupo. O Clã das Sombras deve estar mandando os mesmos guerreiros.

– É melhor vocês dois verificarem a fronteira do Clã do Rio – sugeriu Nevasca. – Não tivemos oportunidade de fazer patrulhas ali. Tenham cuidado e lembrem-se de que não querem começar uma luta. Estão apenas procurando indícios de que eles voltaram a caçar em nossas terras.

– Certo, Nevasca – miou Coração de Fogo. Respeitosa, Pata de Areia aquiesceu.

Coração de Fogo foi na frente. – Vamos começar em Quatro Árvores e continuar pela fronteira até os Pinheiros Altos – ele miou enquanto subiam para sair da ravina do acampamento.

– Parece uma boa ideia – Pata de Areia comentou. – Nunca estive em Quatro Árvores com neve. – Coração de Fogo procurou algum sarcasmo na voz da aprendiz, mas ela parecia sincera.

Chegaram ao alto da ravina. – Para onde agora? – o guerreiro decidiu testá-la.

– Você acha que não conheço o caminho para Quatro Árvores? – Pata de Areia protestou. Coração de Fogo já começava a lamentar estar agindo como um mentor quando percebeu um brilho bem-humorado nos olhos da gata. Ela saiu correndo pelas árvores sem nada dizer, e Coração de Fogo disparou atrás.

Era bom correr novamente pela floresta com outro felino. Tinha de admitir que a jovem era veloz. Ela ainda estava duas raposas à frente quando saltou sobre um tronco de árvore caída e desapareceu.

Coração de Fogo continuou. Assim que ultrapassou o tronco num único movimento, algo o atingiu por trás. Ele escorregou na neve, rolou e ficou em pé num pulo.

Pata de Areia o olhava, com os bigodes se movimentando: – Surpresa!

Coração de Fogo sibilou, divertido, e saltou sobre ela. Estava impressionado com a força da aprendiz, mas era dele a vantagem do tamanho. Quando, enfim, a imobilizou, ela protestou: – Caia fora, seu gorducho.

– Certo, certo – ele miou, soltando-a. – Mas foi você que pediu!

Pata de Areia se levantou, com a pelagem alaranjada respingada de neve. – Parece que você ficou no meio de uma nevasca!

– Você também! – Os dois sacudiram do pelo os flocos de neve. – Vamos. É melhor continuar andando.

Correram lado a lado até Quatro Árvores. Quando chegaram ao alto da encosta que dominava o vale, o céu estava azul leitoso. O sol pálido iluminava tudo. Os quatro carvalhos sem folhas estavam abaixo, brilhando por causa do gelo.

Pata de Areia, com os olhos arregalados, olhou para o vale. Coração de Fogo esperou, emocionado com o entusiasmo da aprendiz, até que ela se virou para ir embora.

– Não sabia que a neve mudava tanto assim a aparência das coisas – ela miou quando começaram a seguir a fronteira do Clã do Rio até o riacho. O guerreiro concordou com um aceno de cabeça.

Caminhavam mais devagar, marchando em silêncio ao longo da linha de odores deixados pelos felinos, alertas a qualquer odor fresco do Clã do Rio daquele lado da fronteira. Coração de Fogo parava de vez em quando para deixar marcas do Clã do Trovão.

De repente Pata de Areia parou e perguntou baixinho: – Que tal uma presa fresca? – Ele fez que sim. A aprendiz agachou em posição de caça e fez um movimento para a frente, em meio à neve, um passo atrás do outro. Coração de Fogo seguiu-lhe o olhar e viu um filhote de coelho pulando sob algumas amoreiras. Com um rápido sibilar, a jovem pulou, mergulhando nos arbustos e imobilizando-o com uma forte patada. Com um movimento leve, ela o puxou para terminar o serviço.

Coração de Fogo se aproximou de um pulo. – Grande pegada, Pata de Areia!

A aprendiz, satisfeita, deixou cair a presa morna no chão. – Vamos dividir?

– Obrigado!

– Essa é uma das melhores coisas nas patrulhas – ela observou, entre uma bocada e outra.

– O quê?

– Poder comer o que se caça em vez de ter de levar para o clã. Perdi a conta das missões de caça em que quase morri de fome!

Coração de Fogo, divertido, ronronou.

Puseram-se em marcha novamente, rodeando as Rochas Ensolaradas para seguir a trilha de volta à floresta, perto da fronteira do Clã do Rio. Quando chegaram ao alto da encosta coberta de samambaias sobre o rio, Coração de Fogo fez uma prece silenciosa ao Clã das Estrelas para não encontrarem Listra Cinzenta.

– Veja! – miou Pata de Areia de repente. Seu corpo enrijeceu com a empolgação. – O rio está congelado.

O peito de Coração de Fogo doeu quando ele se lembrou de Pata de Cinza dizendo as mesmas palavras antes do acidente de Listra Cinzenta. – Não vamos descer para olhar! – miou, decidido.

– Não precisamos. Dá para ver daqui. Vamos voltar e contar ao clã.

– Por quê? – o gato não compreendia a empolgação da jovem.

– Uma patrulha dos nossos guerreiros poderia atravessar o rio agora! – ela miou. – Podemos invadir o território do Clã do Rio e pegar de volta um pouco das presas que tomaram de nós.

Coração de Fogo sentiu um calafrio. O que Listra Cinzenta pensaria? Será que ele próprio conseguiria lutar contra o faminto Clã do Rio?

Pata de Areia o rodeou, impaciente: – Você vem?

– Vou – ele respondeu, sério, pulando atrás da aprendiz, que correu pela floresta, de volta ao acampamento.

Pata de Areia atravessou correndo o túnel de tojos pouco à frente de Coração de Fogo. Garra de Tigre levantou o olhar quando chegaram à clareira.

Coração de Fogo ouviu um barulho. Era Listra Cinzenta chegando à entrada do acampamento com Pata de Samambaia.

Alguém chamou aos pés da Pedra Grande. – Coração de Fogo, Pata de Areia, como foi a patrulha?

Coração de Fogo sentiu-se aliviado ao ver Estrela Azul em seu estado normal, sentada com o queixo elevado e a cauda à frente das patas.

Pata de Areia foi até a Pedra Grande. – O rio está congelado – ela deixou escapar. – Poderíamos atravessá-lo com facilidade agora!

A líder, pensativa, olhou para a aprendiz. Coração de Fogo hesitou ao ver os olhos de Estrela Azul brilhar. – Obrigada, Pata de Areia! – ela miou.

O guerreiro se inclinou e murmurou no ouvido da jovem: – Venha, vamos contar aos outros. – Ele imaginou que Estrela Azul quisesse discutir sobre o rio gelado com os guerreiros mais velhos.

Pata de Areia entendeu o recado e o seguiu de volta ao centro da clareira. – Foi um dia tão bacana! – ela miou. Coração de Fogo apenas fez que sim e olhou, ansioso, para Listra Cinzenta.

– Parece que vocês se divertiram! – disse Pata de Poeira, saindo da toca dos aprendizes. – Afogaram outro gato do Clã do Rio? – perguntou, debochado, para Coração de Fogo, lançando um olhar de expectativa para Pata de Areia.

Coração de Fogo adivinhou que o aprendiz esperava que ela, como sempre, concordasse, mas a gata não estava prestando atenção. Coração de Fogo sentiu um quê de prazer ao ver a irritação no rosto de Pata de Poeira quando Pata de Areia miou, arfando: – Descobrimos que o rio está congelado. Acho que Estrela Azul está planejando um ataque ao Clã do Rio!

Naquele momento, ouviu-se a líder chamar da Pedra Grande, e o clã começou a se reunir na clareira. O sol alcançara o ponto mais alto, o que, na estação sem folhas, significava que mal chegara acima das copas das árvores.

– Pata de Areia e Coração de Fogo trouxeram boas notícias. O rio está todo congelado – Estrela Azul anunciou. – Vamos aproveitar a oportunidade para atacar as zonas de caça do Clã do Rio, mandando a mensagem de que devem parar de roubar nossas presas. Nossos guerreiros vão rastrear uma das patrulhas inimigas e dar-lhes um aviso do qual se lembrarão por muito tempo!

Coração de Fogo se encolheu ao recordar que Arroio de Prata lhe falara sobre a fome de seu clã. À volta dele, os outros felinos levantaram as vozes em gritos ansiosos. Havia muitas luas que não via o clã tão agitado.

– Garra de Tigre! – Estrela Azul chamou elevando a voz. – Nossos guerreiros estão preparados para um ataque ao Clã do Rio?

O representante fez que sim.

– Excelente – a líder levantou a cauda. – Então devemos partir no pôr do sol. – O clã, deliciado, uivou. Coração de

Fogo sentiu uma comichão nas patas. Estrela Azul iria também? Arriscaria sua última vida num ataque de fronteira?

Coração de Fogo olhou por sobre o ombro para Listra Cinzenta, que fitava a Pedra Grande, mexendo a ponta da cauda nervosamente. Findos os gritos, o amigo falou: – Hoje está mais quente. Se o gelo derreter, ficará perigoso demais atravessar.

Coração de Fogo prendeu a respiração e os outros felinos, curiosos, viraram-se para Listra Cinzenta.

Garra de Tigre o encarou com o olhar cor de âmbar, confuso. – Normalmente você não foge da luta – miou, devagar, o guerreiro de pelo marrom-escuro.

Risca de Carvão levantou a cabeça e disse: – É verdade, Listra Cinzenta... Você não está com medo daqueles guerreiros pulguentos do Clã do Rio, está?

O gato cinza se mexia desconfortável, enquanto o clã esperava uma resposta.

– Parece que está com medo – ciciou Pata de Poeira, ao lado de Pata de Areia.

A cauda de Coração de Fogo se movimentava com irritação, mas ele conseguiu manter a voz calma ao dizer: – Ele está com medo, sim, mas de molhar as patas! Listra Cinzenta caiu uma vez no gelo durante esta estação sem folhas; não está disposto a cair novamente.

A tensão se dissolveu, transformando-se em ronronares divertidos.

Listra Cinzenta olhou para o chão, com as orelhas abaixadas. Apenas Garra de Tigre manteve o cenho franzido, desconfiado.

Estrela Azul esperou o burburinho desaparecer. – Preciso discutir o ataque com meus guerreiros mais experientes. – Ela pulou da Pedra Grande, aterrissando de forma tão leve que era difícil acreditar que estivera lutando pela própria vida apenas alguns dias atrás. Garra de Tigre, Nevasca e Pele de Salgueiro a seguiram até a toca da líder e o restante do clã dividiu-se em grupos, para discutir o ataque proposto.

– Imagino que espere que eu agradeça por me deixar constrangido! – Coração de Fogo ouviu de perto o sibilar zangado de Listra Cinzenta.

– De jeito nenhum – disparou. – Mas você podia ao menos agradecer por eu ainda encobri-lo! – Furioso, afastou-se rumo à beirada da clareira, com o pelo arrepiado.

Pata de Areia correu até ele. – Está na hora de mostrar a esses gatos do Clã do Rio que não podem caçar no nosso território quando quiserem – ela miou, com os olhos brilhantes.

– É, acho que sim – Coração de Fogo respondeu, sem prestar muita atenção. Não conseguia tirar os olhos de Listra Cinzenta. Seria impressão ou o guerreiro cinza estava se afastando cada vez mais rumo ao berçário? Estaria planejando escapar para avisar Arroio de Prata?

Coração de Fogo se levantou devagar e foi na mesma direção. Listra Cinzenta olhou-o quando se aproximou, mas antes que um deles falasse ouviu-se, mais uma vez, o chamado de Estrela Azul da Pedra Alta. Coração de Fogo parou, ainda fitando o amigo.

– Pele de Salgueiro concorda com o jovem Listra Cinzenta – declarou a líder. – O degelo está a caminho. – Listra Cinzenta levantou o queixo, lançando um olhar desafiador para Coração de Fogo, que não se importou. Estrela Azul ia cancelar o ataque! Listra Cinzenta não precisaria escolher entre o clã e Arroio de Prata, e Coração de Fogo não teria de fazer parte de um grupo de ataque contra um clã que, ele sabia, já estava sofrendo.

Mas Estrela Azul não tinha terminado. – Assim, vamos atacar imediatamente!

Coração de Fogo olhou para o lado; o ar triunfante de Listra Cinzenta se transformara em total pavor.

A líder continuou: – Vamos deixar uma patrulha de guerreiros aqui para guardar o acampamento. Precisamos nos lembrar da possível ameaça do Clã das Sombras. Cinco guerreiros vão atacar. Eu ficarei aqui.

Ótimo, pensou Coração de Fogo. Afinal ela não estava planejando arriscar sua última vida. – Garra de Tigre vai liderar o grupo de ataque. Risca de Carvão, Pele de Salgueiro e Rabo Longo vão com ele. Com isso, sobra um lugar.

– Posso ir? – Coração de Fogo perguntou de repente. Embora sentisse o peito apertar-se diante da ideia de atacar os felinos famintos do Clã do Rio, pelo menos Listra Cinzenta não teria de fazer uma escolha.

– Obrigada, Coração de Fogo. Você pode se juntar à patrulha. – Estrela Azul estava claramente satisfeita com a ansiedade do jovem guerreiro. Garra de Tigre não ficou tão contente. Estreitou os olhos para Coração de Fogo, com ar de clara suspeita. – Não há tempo a perder – a líder gritou. – Eu mesma sinto os ventos quentes. Garra de Tigre os instruirá durante a viagem. Agora vão!

Risca de Carvão, Rabo Longo e Pele de Salgueiro correram atrás de Garra de Tigre. Coração de Fogo seguiu-os quando marcharam ruidosamente pelo túnel de tojos, ravina acima, rumo ao território do Clã do Rio.

Já tinham passado pelas Rochas Ensolaradas e chegado à fronteira inimiga quando o sol baixo da estação sem folhas começou a mergulhar na floresta. Coração de Fogo farejou o ar. Listra Cinzenta e Pele de Salgueiro estavam certos; ele sentiu cheiro de ventos mais quentes, e já se avistavam nuvens de chuva acima das copas das árvores.

Quando corriam encosta abaixo até o rio, Coração de Fogo sentiu-se inquieto. A história desesperada de Arroio de Prata não saía de seus ouvidos; lutou para afastar o sentimento de compaixão.

Os guerreiros do Clã do Trovão saíram das samambaias e pararam na beirada do rio. A visão que os saudou deixou Coração de Fogo aliviado. A camada fina de gelo que vira mais cedo com Pata de Areia tinha se quebrado, tornando-se uma corrente de água gelada e negra.

CAPÍTULO 20

GARRA DE TIGRE VIROU-SE para os guerreiros; seus olhos pálidos faiscavam de frustração. – Vamos ter que esperar – rosnou.

A patrulha deu meia-volta e começou a retornar para casa. Coração de Fogo agradeceu ao Clã das Estrelas numa oração silenciosa, mas sentia na boca um gosto amargo. Nunca saberia se teria ido até o fim naquela missão. Não era apenas em Listra Cinzenta que não confiava; já não confiava nem em si mesmo.

Fez todo o caminho de regresso sem nada dizer. De tempo em tempo, via Garra de Tigre lançar-lhe um rápido olhar por cima dos maciços ombros de pelo marrom. A jornada foi lenta. A luz do dia curto da estação sem folhas já se apagava quando, afinal, alcançaram o topo da ravina. Coração de Fogo deixou os outros guerreiros passarem à sua frente; quando atravessou o túnel de tojos, Garra de Tigre já estava explicando ao desapontado clã que o rio degelara.

Coração de Fogo contornou a beirada da clareira, à procura de Listra Cinzenta. Precisava saber se o amigo tinha escapulido do acampamento. Por instinto, dirigiu-se ao berçário; ao se aproximar da moita de amoreiras, ouviu um miado familiar. – Coração de Fogo!

Sentiu uma luz de esperança. Talvez o amigo estivesse agradecido por ele ter ficado com o último lugar na tropa de assalto. Seguiu a voz de Listra Cinzenta até as sombras por trás do berçário.

Coração de Fogo chamou baixinho na penumbra, mas não conseguiu vê-lo. De repente, um golpe violento o atingiu em cheio no lado do corpo. Ele rodopiou, com todos os sentidos em alerta. Viu, então, Listra Cinzenta com o cangote arrepiado, a silhueta recortada na escuridão.

O gato cinza arremessou-se de novo; Coração de Fogo abaixou-se a tempo de evitar uma patada na orelha.

– O que você está fazendo? – disparou Coração de Fogo.

Com as orelhas abaixadas, Listra Cinzenta sibilou: – Você não confiou em mim! Pensou que eu fosse trair o Clã do Trovão! – Desferiu-lhe outro golpe, que acertou a ponta da orelha de Coração de Fogo.

Tomado de dor e fúria, Coração de Fogo disparou: – Só queria poupar-lhe uma escolha. Embora eu de fato não saiba com certeza a quem você é leal neste momento.

Listra Cinzenta voou para cima do amigo, derrubando-o para trás. Os dois se atracaram, todas as garras de fora. – Faço minhas próprias escolhas – rugiu Listra Cinzenta.

Coração de Fogo conseguiu se libertar e pulou nas costas do gato cinza. – Só estava tentando protegê-lo!

– Não preciso de proteção.

Cego de raiva, Coração de Fogo enterrou as garras na pelagem de Listra Cinzenta, que se revirou com um movimento brusco e, embolados, rolaram para a clareira.

Os gatos que lá estavam abriram caminho quando viram os jovens guerreiros engalfinhando-se na sua direção. Coração de Fogo urrou de raiva quando Listra Cinzenta mordeu-lhe a pata dianteira. Com a garra, feriu o amigo acima do olho. Listra Cinzenta se vingou cravando os dentes na perna do guerreiro avermelhado.

– Parem com isso imediatamente! – O miado severo de Estrela Azul fez os dois congelarem. Coração de Fogo soltou Listra Cinzenta e arrastou-se para o lado, com dor. O gato cinza se afastou, o pelo eriçado. Pelo canto do olho, Coração de Fogo viu Garra de Tigre com os lábios crispados, mostrando os dentes, mal conseguindo disfarçar o prazer.

– Coração de Fogo, quero vê-lo imediatamente na minha toca; agora! – repreendeu Estrela Azul, os olhos faiscando. – E você, Listra Cinzenta, vá para o seu ninho e fique lá!

O resto do clã se dispersou na escuridão. Coração de Fogo, mancando, seguiu Estrela Azul. Mantinha os olhos baixos e sentia-se exausto e confuso.

A gata sentou-se no chão arenoso e, incrédula, encarou por um momento o jovem guerreiro. Então perguntou furiosa: – Mas o que foi aquilo?

Ele balançou a cabeça. Apesar da raiva, não podia revelar o segredo do amigo.

A líder fechou os olhos e respirou fundo. – Percebo que os ânimos andam bem exaltados no acampamento, mas nunca esperei ver você e Listra Cinzenta brigando. Você está ferido?

O guerreiro sentia a orelha e a perna queimando, mas deu de ombros e murmurou: – Não.

– Vai me dizer o que aconteceu?

Ele sustentou o olhar firme da gata. – Sinto muito, Estrela Azul, não posso. – *Ao menos isto é verdade*, ele pensou.

– Muito bem – ela miou, por fim. – Acertem essa história entre vocês. O clã está enfrentando tempos difíceis e não vou tolerar nenhuma disputa interna. Ficou claro?

– Sim, Estrela Azul. Posso ir agora?

A líder aquiesceu e Coração de Fogo saiu, consciente de ter decepcionado a antiga mentora. Mas não podia se abrir com ela. Da última vez que fizera isso, ao contar-lhe das acusações de Pata Negra a Garra de Tigre, ela não acreditara. E agora, se acreditasse, ele estaria traindo seu melhor amigo.

Doente de preocupação, esgueirou-se até a clareira e foi para a toca dos guerreiros. Instalou-se em seu ninho, ao lado de Listra Cinzenta, e enroscou-se numa bola bem apertada. Ali ficou, imóvel, apenas prestando atenção ao corpo tenso do amigo, até o sono finalmente chegar.

Coração de Fogo acordou cedo na manhã seguinte. O sol ainda não se levantara e a clareira estava vazia quando ele a atravessou para ir à toca de Presa Amarela. Queria ver Pata de Cinza.

A curandeira dormia enrodilhada perto dos filhotes doentes de Cara Rajada. Com os olhinhos ainda fechados, mexiam-se no ninho, sem fazer barulho. Presa Amarela roncava ruidosamente. Como não queria acordá-la, Coração de Fogo esgueirou-se silenciosamente até o ninho de Pata de Cinza e espiou.

A jovem também dormia. O sangue do pelo fora lavado, e o gato se perguntou se ela mesma se limpara ou se teria sido trabalho da curandeira. Agachou-se do lado dela e observou-a respirar. Havia algo de tranquilizador no movimento constante de seu peito. Ela também parecia muito mais calma do que na última visita.

Ali permaneceu até a luz da aurora infiltrar-se pelas samambaias e ele começar a ouvir os ruídos do clã se movimentando. Debruçou-se sobre o ninho da jovem e tocou-a suavemente com o nariz.

Quando estava saindo, Presa Amarela abriu os olhos, espreguiçou-se e o chamou: – Coração de Fogo?

– Vim ver Pata de Cinza – ele sussurrou.

– Ela está melhorando – disse a curandeira, levantando-se.

Os olhos do gato se encheram de alívio. – Obrigado, Presa Amarela.

Quando alcançou a clareira, viu que Garra de Tigre falava a um grupo de guerreiros e aprendizes. O representante logo o viu. – Que gentil de sua parte aparecer – rosnou. – Listra Cinzenta também acabou de chegar. Estava tendo uma conversa com Estrela Azul – Coração de Fogo olhou para o amigo, que, no entanto, mantinha o olhar baixo. Os outros guerreiros observaram em silêncio enquanto Coração de Fogo apressou-se a sentar ao lado de Pata de Areia.

– Durante o degelo, a floresta vai fervilhar de presas – começou Garra de Tigre – e a fome as empurrará para fora das tocas depois da hibernação. Vai ser nossa oportunidade de caçar o máximo que pudermos.

– Mas ainda temos presas frescas armazenadas na neve... – miou Pata de Poeira.

– Em breve serão carniça – disse o guerreiro. – Temos de aproveitar qualquer oportunidade de caçar. À medida que a estação sem folhas avançar, as presas vão começar a desaparecer, e as que sobrarem estarão magrinhas demais. – Os guerreiros concordaram.

– Rabo Longo – Garra de Tigre voltou-se para o guerreiro amarelo-pálido –, quero que organize as expedições de caça. – O gato aquiesceu. O representante se levantou e foi para a toca de Estrela Azul. Coração de Fogo observou-o desaparecer na cortina de líquen, imaginando se discutiriam a briga entre ele e Listra Cinzenta.

Rabo Longo arrancou-o dos pensamentos: – Coração de Fogo, você e Pata de Areia vão sair com Pelo de Rato. Listra Cinzenta pode caçar com Nevasca e Pata de Samambaia. É melhor não colocar vocês dois no mesmo grupo.

Os guerreiros ronronaram, divertidos, mas Coração de Fogo semicerrou os olhos, zangado. Consolou-se observando o corte que fizera na orelha de Rabo Longo, que zombara dele no dia de sua chegada ao acampamento.

– Grande luta, a de ontem – disse, travessa, Pelo de Rato, os olhos brilhando de malícia. – Quase valeu pela batalha que não houve.

Coração de Fogo fechou a cara quando Pata de Poeira acrescentou: – É mesmo, grande técnica... para um gatinho de gente. – O guerreiro rangeu os dentes e abaixou os olhos, mostrando as garras e, em seguida, escondendo-as.

Os dois grupos deixaram juntos o acampamento. Enquanto os caçadores subiam a trilha para fora da ravina, Coração de Fogo olhou o céu. As nuvens de chuva da noite anterior cobriam o sol agora, e a neve sob as patas começava a virar lama.

Pelo de Rato guiou Pata de Areia e Coração de Fogo através dos Pinheiros Altos. – Levarei Pata de Areia comigo – disse Pelo de Rato. – Você pode caçar sozinho. Encontre-nos no acampamento no sol alto.

Coração de Fogo sentiu-se aliviado por estar sozinho. Vagou entre as árvores, ainda sem acreditar que ele e Listra Cinzenta haviam brigado com tanta ferocidade. Sentia-se perdido e solitário sem o velho companheiro, mesmo que quase não o reconhecesse mais. Imaginava se voltariam a ser amigos.

Só quando sentiu a maciez das folhas sob as patas, percebeu que tinha feito todo o caminho até a floresta de carvalho, atrás do Lugar dos Duas-Pernas. No mesmo momento pensou em Princesa e se perguntou se suas patas não o carregaram até ali por algum motivo.

Foi direto à cerca e, baixinho, chamou a irmã. Depois, saltou para a floresta e esperou que ela aparecesse.

Não demorou até ouvir um arranhar na cerca e sentir o cheiro familiar de Princesa. Estava prestes a pular na sua direção quando percebeu, de repente, outro odor, desconhecido.

As samambaias farfalharam e, do meio delas, Princesa apareceu. Carregava na boca um minúsculo gatinho branco pelo cangote. Quando o guerreiro saiu ao encontro da irmã, ela o cumprimentou com um miado caloroso entre os dentes, que seguravam a bolinha de pelo.

O filhote era muito pequeno. Com certeza ainda se passaria outra lua até ser desmamado. Com a pata, Princesa afastou um pouco da neve derretida e delicadamente colocou o bebê sobre as folhas. Depois, sentou-se e o envolveu com a cauda de pelo muito espesso.

Coração de Fogo sentia-se sufocar de emoção. Aquele filhote era do seu sangue, nascido gatinho de gente como ele! Aproximou-se devagar e cumprimentou Princesa com um afago de nariz. Abaixou-se e farejou o filhote. Tinha um cheiro bom de calor e leite; estranho, mas de alguma forma também familiar. Deu-lhe uma lambida carinhosa na cabeça e o gatinho miou, abrindo a boquinha rosa, que revelou minúsculos dentes brancos.

Princesa fixou no irmão os olhos brilhantes. – Trouxe-o para você, Coração de Fogo – miou devagar. – Quero que o leve para o clã, para que ele se torne seu novo aprendiz.

CAPÍTULO 21

Coração de Fogo olhou para o minúsculo gatinho. – Nunca imaginei... – Depois, em silêncio, fitou a irmã.

– O pessoal da casa vai escolher onde vai viver o resto da ninhada – disse Princesa –, mas esse é meu primogênito e quero *eu* mesma decidir seu futuro. – Ergueu o queixo e continuou: – Faça dele um herói, por favor. Como você!

O sentimento sufocante de solidão que devastava Coração de Fogo havia tanto tempo começou a desaparecer. Imaginou o gatinho branco no clã, aprendendo com ele a viver na floresta, caçando a seu lado em meio às samambaias espessas. Enfim, outro gato no Clã do Trovão para dividir com ele as raízes de gatinho de gente.

Princesa inclinou a cabeça: – Sei que você está muito abalado por causa de Pata de Cinza. Quem sabe se você tomasse outro aprendiz, um do mesmo sangue, não se sentiria tão solitário. – Esticou o pescoço e encostou o focinho no irmão. – Sei que não conheço todos os costumes do clã, mas vendo você e ouvindo-o falar sobre sua vida, achei que seria uma honra meu filho ser educado como um gato de clã.

Assim que a alegria se acalmou dentro dele, Coração de Fogo pensou no clã e em quanto precisavam de guerreiros. Pata de Cinza nunca mais poderia lutar. E se a tosse verde levasse outras vidas, além da que tomara de Estrela Azul? Talvez o clã precisasse daquele filhote.

De repente, deu-se conta da chuva molhando-lhe o pelo. Precisava abrigar o sobrinho o mais rápido possível, pois, embora parecesse forte, era ainda pequeno demais para suportar o frio e a umidade por muito tempo.

– Vou levá-lo – miou. – É um presente inestimável que você está oferecendo ao clã. E vou treiná-lo para ser o melhor guerreiro que já se viu. – Inclinou a cabeça e pegou o gatinho pelo cangote.

Os olhos de Princesa brilharam de gratidão e orgulho.

– Obrigada, Coração de Fogo – ronronou. – Quem sabe ele se torna um líder e receba nove vidas!

O guerreiro observou com ternura a expressão confiante e cheia de esperança da irmã. Será que ela realmente acreditava que isso pudesse acontecer? Sentiu nascer uma ponta de dúvida. Estava levando o sobrinho para um lugar infectado pela tosse verde; e se ele não resistisse sequer até o renovo? Mas o cheiro gostoso do filhote em seu nariz o acalmou. Iria sobreviver, sim. Era forte, e tinham o mesmo sangue. Coração de Fogo respirou fundo e resolveu se apressar, pois o gatinho já começava a ter frio. Deu uma piscadela de adeus para Princesa e precipitou-se através dos arbustos.

O bebê era mais pesado do que parecia e reclamava com gritinhos quando seu corpo batia nas patas dianteiras do guerreiro. Quando Coração de Fogo chegou ao topo da ravina, sua nuca doía muito. Desceu até o acampamento, uma pata depois da outra, tomando todo o cuidado para não escorregar na neve, que derretia rapidamente.

Coração de Fogo hesitou. Pela primeira vez tentou imaginar que explicação daria ao clã para a presença do filhote. Teria de admitir que visitara a irmã. Mas era tarde demais. Sentia o pequeno tremer. Então, endireitou os ombros e atravessou o túnel de tojos. Um espinho espetou o bebê, que miou alto. Diversos pares de olhos, surpresos, voltaram-se para eles quando surgiram na clareira.

As duas patrulhas já tinham voltado. Pele de Geada, Nevasca, Pata de Areia e Pata de Samambaia estavam todos lá. Só faltava Listra Cinzenta. Um a um, os gatos saíram das tocas, atraídos pelo ruído e pelo cheiro desconhecido. Ninguém fazia barulho; olhavam para o guerreiro, cheios de surpresa e hostilidade, como se fosse um estranho.

Do centro da clareira, o filhote ainda balançando entre os dentes, Coração de Fogo olhava o círculo de olhares indagadores. Tinha a boca seca. Por que imaginara que o clã acolheria um felino que nem sequer tinha nascido na floresta?

Quando Estrela Azul deixou a toca de Presa Amarela, Coração de Fogo suspirou aliviado. Ela arregalou os olhos, surpresa, e perguntou: – O que é isso?

Um arrepio de apreensão correu pela espinha do jovem guerreiro. Colocou o sobrinho entre as patas da frente e envolveu-o com a cauda para mantê-lo aquecido. – É o primogênito de minha irmã.

– Sua *irmã*? – Garra de Tigre o olhou, acusador.

– Você tem uma irmã? – indagou Cauda Sarapintada. – Onde?

– No mesmo lugar onde ele nasceu, claro – disse Garra de Tigre com desagrado. – No Lugar dos Duas-Pernas!

– É verdade? – perguntou Estrela Azul, os olhos cada vez mais arregalados.

– É, sim – admitiu Coração de Fogo. – Minha irmã me pediu para criá-lo no clã.

– E por que ela faria isso? – perguntou a líder, com uma calma ameaçadora.

– Contei sobre a vida no clã, como é fantástica... – sua voz tremia sob o olhar incrédulo de Estrela Azul.

– Há quanto tempo você visita o Lugar dos Duas-Pernas?

– Não muito. Desde o começo da estação sem folhas, mas apenas para ver minha irmã. Minha lealdade ainda pertence ao Clã do Trovão.

– Lealdade? – o grito de Risca Negra ressoou na clareira. – E você ainda traz um gatinho de gente?

– Será que um já não é bastante? – grunhiu um dos anciãos.

– Nada como um gatinho de gente para encontrar outro! – resmungou Pata de Poeira com indignação, o pelo arrepiado, cutucando Pata de Areia com o nariz. A gata, desconfortável, olhou para Coração de Fogo e, em seguida, pôs-se a fitar as próprias patas.

– Por que você o trouxe aqui? – repreendeu Garra de Tigre.

– Precisamos de guerreiros... – O filhote se contorcia sob sua barriga enquanto Coração de Fogo falava, e ele se deu conta de como devia estar parecendo ridículo. Abaixou a cabeça diante dos miados de desprezo que vieram em resposta às suas explicações.

Assim que a onda de insultos cessou, Vento Veloz falou: – O clã já tem problemas demais com que se preocupar!

– Vai ser mais um fardo! – reforçou Pelo de Rato. – Serão pelo menos cinco luas até estar pronto para começar a treinar.

Nevasca concordou com Pelo de Rato e completou: – Você não deveria ter trazido esse gatinho de gente. Ele é delicado demais para a vida de clã.

O pelo de Coração de Fogo se eriçou: – Eu nasci gatinho de gente. Será que também sou muito delicado? – perguntou. Achava que sua presença no acampamento tinha começado a banir o preconceito contra os gatinhos de gente, mas estava errado. Não via nem um rosto amigável entre os felinos.

De repente, por trás de Nevasca, ergueu-se uma voz: – Se o filhote tem o mesmo sangue de Coração de Fogo, com certeza será um grande guerreiro.

Era Listra Cinzenta! Uma onda de alívio percorreu Coração de Fogo, que sentiu uma centelha de esperança brotar no seu peito quando Nevasca deu um passo para o lado e os gatos puderam ver o guerreiro cinzento. Listra Cinzenta passeou os olhos pelo círculo de felinos, encarando-os um a um com olhar firme e franco.

– Muda tudo ouvir você defender o amigo a quem ontem à noite queria fazer em pedaços – zombou Rabo Longo.

Listra Cinzenta fitou o gato de pelo desbotado. Depois virou-se para Risca Negra. Este o desafiava: – É verdade! Como é que você sabe que o sangue de Coração de Fogo é digno do Clã do Trovão? Sentiu o gosto ontem quando tentou arrancar um pedaço da perna dele?

Estrela Azul avançou, os olhos azuis embaçados de preocupação: – Coração de Fogo, creio que você não pensava em ser desleal quando visitou sua irmã, mas por que aceitou trazer o filhote? Não lhe cabe esse tipo de decisão, pois afeta o clã inteiro.

Coração de Fogo olhou para Listra Cinzenta esperando mais apoio, mas o amigo desviou o rosto. Procurou, então, amparo em volta, mas todos os demais felinos fizeram o mesmo. O pânico tomou conta dele. Será que ter trazido o filhote de Princesa comprometera sua posição no clã?

Estrela Azul voltou a falar: – O que acha, Garra de Tigre?

– O que eu acho? – miou o representante, com a voz carregada de uma satisfação arrogante que fez o coração do guerreiro gelar – Acho que deveria se livrar dele agora mesmo.

– Flor Dourada?

– Com certeza parece pequeno demais para sobreviver até o renovo – observou a rainha alaranjada.

– Já vai estar com a tosse verde amanhã de manhã – acrescentou Pelo de Rato.

– Ou comerá nossas presas frescas até a próxima nevasca e depois morrerá de frio – disparou Nariz Molhado.

A líder abaixou a cabeça: – Chega! Preciso refletir sobre o assunto. – Entrou em sua toca e desapareceu. O resto do clã dispersou, sussurrando de modo sombrio.

Coração de Fogo pegou o filhote ensopado e o carregou até a toca dos guerreiros. O pequeno tremia e miava de dar dó. Enroscou seu corpo em torno daquele pedacinho de gato e fechou os olhos, mas os rostos hostis do clã vagavam em sua mente, enchendo-o de pavor. Antes se achava solitário; agora, porém, parecia que o clã inteiro o renegara.

Listra Cinzenta entrou na toca e acomodou-se no ninho. Coração de Fogo olhou para ele, nervoso. O amigo tinha sido o único a tomar sua defesa; queria agradecer-lhe. Depois de uma pausa bastante desconfortável, em que o filhote chorou sem parar, murmurou: – Obrigado por ter me apoiado.

Listra Cinzenta deu de ombros: – Tudo bem – miou. – Ninguém mais faria isso por você. – Virou a cabeça e começou a lavar a cauda.

O filhote continuava miando cada vez mais forte. Alguns dos outros guerreiros entraram na toca para escapar da chuva. Pele de Salgueiro olhou rapidamente para Coração de Fogo e o bichano, mas nada disse.

– Veja se faz essa coisa calar a boca! – reclamou Risca Negra enquanto afofava o ninho.

Coração de Fogo lambia o bebê desesperadamente, imaginando-o faminto. Um ruído na parede da toca fez o jovem guerreiro levantar a cabeça. Era Pele de Geada. Ela se aproximou e olhou o pobre filhote. De repente, abaixou a cabeça e cheirou-lhe a pelagem macia. – É melhor levá-lo para o berçário – murmurou. – Cara Rajada tem leite de sobra. Vou pedir a ela que o alimente.

Surpreso, Coração de Fogo olhou para a rainha.

Ela devolveu o olhar, calorosa: – Não esqueci que você resgatou meus filhos do Clã das Sombras.

O guerreiro pegou o bebê e a seguiu. A chuva estava mais forte, e eles tiveram que correr. A gata desapareceu pela porta estreita do berçário, enquanto Coração de Fogo se espremia para entrar também. Parou na moita de amoreiras, piscando até que os olhos se acostumassem à pouca luz.

Dentro do casulo seco e escuro, Cara Rajada estava enroscada à volta dos dois filhotes saudáveis. Olhou com desconfiança, primeiro para o guerreiro, depois para o minúsculo animal entre seus dentes.

Pele de Geada sussurrou para Coração de Fogo: – Um dos filhotes de Cara Rajada morreu ontem à noite. – O guerreiro lembrou-se dos bebês se contorcendo perto de Presa Amarela e, penalizado, tentou imaginar qual teria sido. Colocou o filhote de Princesa no chão e voltou-se para Cara Rajada: – Sinto muito – murmurou.

A rainha piscou para ele, a dor estampada nos olhos.

– Cara Rajada – começou Pele de Geada –, posso apenas imaginar o tamanho da sua dor. Mas esse filhote está morrendo de fome, e você tem leite. Será que pode alimentá-lo?

A rainha balançou a cabeça e fechou bem os olhos, como se quisesse negar a presença de Coração de Fogo na toca.

Pele de Geada esticou o pescoço e afagou-lhe a bochecha com o nariz. – Sei que ele não substituirá o filho que você perdeu – sussurrou –, mas precisa de seu calor e cuidado.

Coração de Fogo aguardava ansiosamente. O filhote chorava cada vez mais alto. Sentindo o cheiro do leite da gata, começou a se contorcer às cegas, na direção da barriga macia, abrindo caminho entre os outros dois filhotes com o focinho. Cara Rajada ficou observando-o, enquanto ele avançava, seguindo o odor do leite. E, sem oferecer resistência, deixou que ele se aninhasse em sua barriga e começasse a mamar. O guerreiro ficou aliviado e agradecido ao ver a expressão da rainha se abrandar e o gatinho branco ronronar, apertando o ventre inchado com as minúsculas patinhas.

Pele de Geada balançou a cabeça: – Obrigada, Cara Rajada. Posso dizer a Estrela Azul que você vai cuidar dele?

– Pode – replicou a rainha calmamente, sem afastar os olhos do filhote branco. Com uma das patas traseiras, aproximou-o da barriga.

Coração de Fogo ronronou e tocou o ombro da gata. – Muito obrigado. Prometo que vou trazer todos os dias presas frescas em dobro para você.

– Vou contar a Estrela Azul – miou Pele de Geada.

Coração de Fogo olhou para a rainha branca, comovido com sua bondade. – Muito obrigado – miou.

– Nenhum filhote merece morrer de fome, nascido no clã ou não – disse Pele de Geada; em seguida, saiu das amoreiras.

– Você pode ir agora – disse Cara Rajada. – Seu filhote estará seguro comigo.

Coração de Fogo aquiesceu e saiu na chuva, seguindo Pele de Geada. Pensou em voltar para a toca, mas sabia que não conseguiria descansar até ouvir a decisão de Estrela Azul.

Enquanto andava na clareira, com o pelo todo encharcado, viu Pele de Geada sair da toca de Estrela Azul e correr para o berçário.

Pele de Salgueiro se preparava para tomar a frente da patrulha da noite quando a líder também saiu. Coração de Fogo parou; seu coração batia com tanta força que ele achou que as pernas não iam aguentar. A líder subiu na Pedra Grande e começou a conclamar os felinos. – Que todos os gatos com idade suficiente para caçar a própria comida se reúnam aos pés da Pedra Grande.

A patrulha, já na entrada do acampamento, deu meia-volta e seguiu Pele de Salgueiro até a rocha. Os outros gatos começaram a deixar os ninhos quentinhos, reclamando da chuva. Com ar sombrio, Garra de Tigre pulou para a pedra e colocou-se ao lado da líder.

Eles vão me fazer levá-lo de volta, pensou Coração de Fogo. Sua respiração tornou-se ofegante. Pensamentos sombrios o incomodavam. *E se Estrela Azul pedir que Garra de Tigre o abandone na floresta? Jamais sobreviverá. Ah, Clã das Estrelas, o que direi a Princesa?*

Quando todos estavam acomodados, a líder falou: – Gatos do Clã do Trovão, ninguém pode negar que precisamos de guerreiros. Já perdemos um companheiro para a tosse verde e muitas luas devem-se passar antes do renovo. Pata de Cinza foi gravemente ferida e não creio que venha a ser uma guerreira. Como Listra Cinzenta tão bem observou...

Coração de Fogo voltou-se e encarou Pata de Poeira quando o ouvir sussurrar: – Listra Cinzenta também está virando gatinho de gente! – Porém, o miado de um dos anciãos fez o jovem calar-se antes que Coração de Fogo pudesse revidar.

– Como Listra Cinzenta tão bem observou – repetiu a líder –, esse gatinho de gente carrega o sangue de Coração de Fogo. Tem boa possibilidade de vir a ser também um grande guerreiro. – Alguns membros do Clã se voltaram para Coração de Fogo, que mal ouvira o elogio da líder. Começava a sentir esperança no peito, e isso o deixou meio zonzo.

Estrela Azul fez uma pequena pausa para observar o grupo à sua frente. – Decidi que acolheremos esse filhote no clã – declarou.

Nenhum felino se manifestou. Coração de Fogo quis agradecer bem alto ao Clã das Estrelas, mas se conteve. Respirou fundo pela primeira vez desde o sol alto. Alguém de sua própria família ia fazer parte do Clã do Trovão!

– Cara Rajada se ofereceu para cuidar dele – continuou Estrela Azul – e Coração de Fogo terá a incumbência de fornecer-lhe presas. – Os olhos da líder encontraram os do antigo aprendiz, mas ele nada conseguiu ler na expressão da gata. – Finalmente, ele tem que ter um nome. Será chamado Filhote de Nuvem.

– Haverá uma cerimônia de nomeação? – perguntou Pelo de Rato.

Coração de Fogo olhou, ansioso, para a Pedra Grande. O sobrinho teria esse privilégio, assim como ele, ao ser aceito no clã?

Estrela Azul lançou um olhar gélido para Pelo de Rato:

– Não.

CAPÍTULO 22

Os dias até a lua cheia pareciam se arrastar. Para Coração de Fogo era como se séculos houvessem transcorrido desde a Reunião. As nuvens de chuva haviam coberto a lua, e os clãs tinham ficado longe de Quatro Árvores. Desde então, uma patrulha depois da outra relatava ter farejado odores dos guerreiros do Clã do Rio nas Rochas Ensolaradas, e o cheiro do Clã das Sombras, mais uma vez, fora sentido perto da Árvore da Coruja.

Quando não estava caçando ou em patrulha, Coração de Fogo se dividia entre Filhote de Nuvem, Pata de Cinza e Pata de Samambaia. Embora Listra Cinzenta tivesse reassumido o papel de mentor de Pata de Samambaia, Coração de Fogo percebeu que o jovem, muitas vezes, ficava à toa, já que o mentor desaparecia. – Está caçando – era tudo o que o aprendiz respondia quando Coração de Fogo queria saber de Listra Cinzenta.

– Por que você não foi junto?

– Ele me disse que posso ir amanhã.

A obstinação do amigo sempre despertava em Coração de Fogo certa raiva, mas ele acabava deixando para lá. Tinha desistido de tentar chamá-lo à razão. Desde que trouxera o sobrinho para o acampamento, mal haviam se falado, mas ele procurava levar Pata de Samambaia sempre que Listra Cinzenta sumia, de forma a manter o jovem fora de vista. Sabia que Garra de Tigre não aceitaria tão facilmente as respostas do aprendiz.

Finalmente a lua cheia apareceu num céu sem nuvens. Coração de Fogo voltou cedo da caça. Passou em frente ao carvalho caído, abandonado desde que Pata Ligeira e o filhote de Cauda Sarapintada tinham se recuperado. Deixou na pilha as presas que trouxera e foi visitar Pata de Cinza na toca de Presa Amarela. Até mesmo a ameaça da tosse verde tinha deixado o acampamento. Apenas sua antiga aprendiz permanecia com a curandeira.

No que passou pelo túnel, Coração de Fogo percebeu a gata cinzenta no meio da clareira ajudando Presa Amarela a preparar algumas ervas. Seu coração estremeceu ao vê-la mancando muito, indo para a rocha partida, a boca cheia de folhas secas.

– Coração de Fogo! – a jovem soltou as folhas e voltou-se para cumprimentá-lo. – Quase não farejei você por causa dessas coisas malcheirosas!

– Pois essas coisas malcheirosas ajudaram a curar sua perna – ralhou Presa Amarela.

– Então, você deveria ter usado mais – retorquiu Pata de Cinza. Um brilho travesso iluminava os olhos da jovem, causando alívio ao mentor. – Olhe só! – ela disse, balançando a perna torta. – Mal consigo alcançar minhas garras para lavá-las.

– Acho melhor passar alguns outros exercícios de alongamento... – miou Presa Amarela.

– Nem pensar, obrigada – a jovem se apressou em responder. – Doem muito!

– São feitos para doer mesmo! Isso mostra que estão funcionando. – A curandeira voltou-se para Coração de Fogo: – Talvez você tenha mais sorte do que eu para convencê-la a fazer os exercícios. Vou à floresta pegar algumas raízes de confrei.

– Vou tentar – respondeu o jovem guerreiro quando a gata passou.

– Você vai saber se ela está se exercitando direito; se estiver, vai reclamar! – disse a curandeira por cima do ombro.

Pata de Cinza foi mancando até Coração de Fogo e, com o nariz, tocou o focinho do mentor. – Obrigada pela visita. – Sentou-se e, escondendo a pata machucada debaixo do corpo, fez uma careta por causa da dor.

– Gosto de vir aqui para vê-la. Sinto falta das nossas sessões de treinamento. – Mal acabou de falar, se arrependeu.

Um ar nostálgico anuviou os olhos da aprendiz. – Eu também. Quando acha que poderemos recomeçar?

O guerreiro a fitou com o coração apertado. Com certeza Presa Amarela ainda não contara a Pata de Cinza que ela nunca seria uma guerreira. – Quem sabe, se tentarmos mais alguns exercícios, talvez ajude – ele miou, evasivo.

– Está bem. Mas só um pouquinho.

A aprendiz se deitou de lado e esticou a pata até o rosto se contorcer de dor. Depois, devagar, cerrou os dentes e começou a mover a pata para a frente e para trás.

– Você está indo muito bem – miou Coração de Fogo, escondendo a tristeza que pesava como pedra em seu peito.

Pata de Cinza deixou cair a perna, ficando deitada, imóvel, e depois se levantou. O mentor a observava em silêncio. Ela sacudiu a cabeça e miou: – Nunca serei uma guerreira, não é?

Ele não podia mentir. – Não – balbuciou. – Sinto muito, mesmo. – Aproximou-se e deu-lhe uma lambida na cabeça. Passados alguns minutos, a jovem soltou um longo suspiro e deitou-se de novo.

– Já sabia – miou –, mas, às vezes, sonho que estou na floresta, caçando com Pata de Samambaia; acordo e a dor na perna me faz lembrar que nunca mais caçarei. É demais para suportar. Então, finjo acreditar que, talvez, um dia, isso aconteça.

Ele não aguentou vê-la tão deprimida. – Vou levá-la para a floresta comigo – prometeu. – Encontraremos o rato mais velho e mais lento que houver. Ele não vai ter a menor chance com você.

A aprendiz olhou para ele e ronronou, agradecida.

Coração de Fogo retribuiu o cumprimento, mas havia uma pergunta que o incomodava desde o acidente: – Pata de Cinza, você lembra o que aconteceu quando o monstro bateu em você? Garra de Tigre estava lá?

Os olhos dela se anuviaram, confusos: – Não... não sei – titubeou. O guerreiro sentiu certa culpa ao vê-la se encolher por causa das lembranças. – Fui direto ao freixo queimado onde Pata de Poeira disse que Garra de Tigre estaria, e aí apareceu o monstro... realmente, não lembro.

– Você não tinha como saber que era tão estreito ali. – Coração de Fogo balançou a cabeça devagar. – Você deve ter corrido direto para o Caminho do Trovão. – *Por que Garra de Tigre não estava onde disse que estaria?* pensou, com uma ponta de raiva. *Poderia ao menos ter impedido que se machucasse!* As palavras fatais de Princesa voltaram à sua mente. *Será que foi uma armadilha?* Pensou em Garra de Tigre agachado de forma que o vento não o denunciasse, entre as árvores, observando a beira da floresta, esperando...

– Como vai Filhote de Nuvem? – o miado de Pata de Cinza cortou o fio dos pensamentos do guerreiro. Estava claro que ela queria mudar de assunto.

Coração de Fogo ficou feliz por falar no sobrinho: – Está cada vez maior – miou, orgulhoso.

– Estou louca para conhecê-lo. Quando ele virá aqui?

– Assim que Cara Rajada permitir. Acho que, por enquanto, ela não vai deixá-lo ir muito longe.

– Então ela gosta dele?

– Graças ao Clã das Estrelas, ela o trata como aos outros filhotes. Para ser honesto, não tinha certeza se ela ficaria com ele, já que é tão diferente. – Nem o próprio guerreiro poderia negar que o pelo fofo e cor de neve do sobrinho parecia destoar dos demais, de pelo curto e sarapintado. – Pelo menos ele se dá bem com os colegas de berçário... – A voz de Coração de Fogo hesitou e ele abaixou os olhos, ansioso.

– O que foi? – Pata de Cinza perguntou, gentil.

Coração de Fogo deu de ombros: – É que fico aborrecido com a maneira como os outros gatos o olham, como se ele fosse tolo ou inútil.

– Ele percebe os olhares?

Coração de Fogo fez que não.

– Então, não se preocupe.

– Mas Filhote de Nuvem nem sabe que nasceu gatinho de gente. Imagino que pense que é de outro clã. Só que se os outros continuarem a olhá-lo de modo enviesado, vai achar que há algo errado com ele. – Coração de Fogo olhou para as próprias patas, contrariado.

– Algo errado com ele? – a aprendiz repetiu, espantada. – *Você* nasceu gatinho de gente e não há nada errado com você! Quando Filhote de Nuvem souber de onde veio, com certeza já será capaz de provar que um gatinho de gente pode ser tão bom quanto qualquer guerreiro nascido no clã... como você fez.

– E se alguém contar para ele antes que esteja pronto?

– Se ele for como você, já *nasceu* pronto!

– Quando é que você ficou tão esperta? – perguntou Coração de Fogo, surpreso com tanta perspicácia.

Pata de Cinza rolou, deitando de barriga para cima, depois respondeu fazendo drama: – O sofrimento faz isso com os gatos! – Coração de Fogo cutucou com a pata a barriga da aprendiz, que soltou um gritinho, voltando a rolar e a deitar-se de lado. – Que nada, brincadeira – miou –, mas veja bem com quem tenho passado o tempo ultimamente!

Coração de Fogo inclinou a cabeça, sem resposta.

– Com Presa Amarela, seu bobo! – brincou a jovem. – Ela é bastante sábia e tenho aprendido muito. – A gata sentou-se. – Presa Amarela disse que haverá uma Reunião esta noite. Você vai?

– Não sei. Mais tarde vou perguntar a Estrela Azul. Você sabe que, neste momento, minha popularidade no clã anda meio baixa.

– Vai passar – ela prometeu, cutucando-lhe o ombro com o nariz. – Não é melhor você ir embora e descobrir se vai à Reunião? Eles devem sair daqui a pouco.

– Tem razão. Você vai ficar bem até a volta de Presa Amarela? Quer que eu pegue uma presa fresca para você?

– Vou ficar bem. E Presa Amarela me trará alguma coisa. Ela sempre traz. Quando me der alta, vou ser a gata mais gorda do clã.

Coração de Fogo se alegrou ao ver a antiga aprendiz recuperando o bom humor. Ainda ficou tentado a permanecer ali lhe fazendo companhia, mas a gata estava certa: tinha que verificar se poderia ir com os outros. – Então, vejo você amanhã – miou o guerreiro. – Com certeza a Reunião trará muitas novidades.

– É mesmo, e vou querer saber de tudo. Tomara que Estrela Azul deixe você ir. Vá logo!

– Já vou, já vou – retorquiu ele, levantando-se. – Até mais, Pata de Cinza!

– Até!

Ao chegar à beirada da clareira, Coração de Fogo parou e olhou em volta à procura de Estrela Azul. A líder conversava com Pele de Salgueiro fora da toca. Quando o guerreiro as alcançou, a elegante rainha já se levantava para partir. Ela o cumprimentou e se foi.

Estrela Azul olhou para Coração de Fogo como quem já sabia do que se tratava. – Você quer ir à Reunião, não é? – ela miou. O guerreiro ia responder, mas a líder o interrompeu. – Todos os guerreiros querem, mas não posso levar todo o mundo.

Coração de Fogo ficou desapontado. – Queria rever os felinos do Clã do Vento de novo – explicou. – Para saber como estão se saindo desde que os levamos de volta para casa. – Os olhos de Estrela Azul se estreitaram: – Não precisa me lembrar do que você fez pelo Clã do Vento – miou, ríspida, fazendo o jovem guerreiro se encolher. – Mas você está certo em querer saber – continuou a gata. – Você e Listra Cinzenta podem ir à Reunião.

– Obrigado, Estrela Azul.

– Vai ser uma Reunião bem interessante – avisou. – O Clã do Rio e o Clã das Sombras têm muito a explicar.

Coração de Fogo sentiu as orelhas se contraírem de nervoso, mas, ao mesmo tempo, não podia evitar certa empolgação. Estrela Azul parecia determinada a exigir explicações sobre as incursões de Estrela Torta e de Estrela da Noite ao território do Clã do Trovão. Ele inclinou a cabeça em sinal de respeito e se afastou.

O guerreiro pegava dois ratos silvestres para Cara Rajada na pilha de presas quando percebeu Presa Amarela chegar.

Tinha as patas enlameadas e, na boca, trazia raízes grossas e nodosas, o que indicava que a busca por confrei tinha sido bem-sucedida.

Coração de Fogo levou a caça para o berçário. Cara Rajada lá estava, enrolada como uma bola, alimentando Filhote de Nuvem. Os outros bebês já tinham deixado de mamar, e logo o sobrinho também provaria uma presa fresca pela primeira vez.

Quando o jovem guerreiro entrou, a rainha levantou os olhos cheios de preocupação: – Acabei de mandar chamar Presa Amarela.

Na mesma hora Coração de Fogo se apavorou: – Alguma coisa errada com Filhote de Nuvem?

– Ele está meio febril hoje. – Cara Rajada se inclinou e lambeu a cabeça do gatinho que acabara de mamar e estava agitado. – Provavelmente não é nada, mas achei melhor consultar Presa Amarela. Eu... n... não quero correr nenhum risco.

O guerreiro lembrou que a rainha tinha acabado de perder um filhote e esperava que aquilo fosse apenas um excesso de zelo. Mas tinha de admitir que Filhote de Nuvem parecia realmente inquieto. – Virei ver você depois da Reunião – prometeu.

Coração de Fogo voltou à pilha de presas para pegar comida. Aquela notícia tinha estragado seu apetite, mas sabia que precisava comer alguma coisa antes da jornada que teria pela frente até Quatro Árvores.

Encontrou Rabo Longo e Pata de Poeira ao lado da pilha. Achou melhor sentar-se e esperar que se fossem.

– Não vi Bebê Chorão de Nuvem hoje – miou Rabo Longo. Coração de Fogo sentiu uma onda de frustração diante do comentário malicioso.

– Provavelmente percebeu que parece bobo e decidiu se esconder no berçário – miou Pata de Poeira.

– Gostaria de estar lá para vê-lo caçar pela primeira vez. Com todo aquele pelo fofo e branquinho, as presas vão percebê-lo de longe, a uma árvore de distância – Rabo Longo debochou.

– A menos que o confundam com um cogumelo gigante! – os bigodes de Pata de Poeira se mexeram e ele olhou para Coração de Fogo com ar de troça.

Com as orelhas abaixadas, o guerreiro avermelhado desviou o olhar. Viu Presa Amarela correr para o berçário com a boca cheia de camomila. Infelizmente, os dois felinos também perceberam. – Parece que o gatinho de gente pegou um resfriado. Puxa, que surpresa – miou Rabo Longo. – Flor Dourada tinha razão. Ele não vai sobreviver à estação sem folhas! – Encarou Coração de Fogo, esperando, em vão, que o outro reagisse; mas o gato o ignorou e foi para a pilha de presas frescas. Escolheu um tordo e se afastou, cansado daquele rancor sem fim.

Listra Cinzenta estava perto das urtigas, dividindo a refeição com Vento Veloz que, ao ver o Coração de Fogo passar, perguntou: – Então, fez uma boa caçada?

– Fiz, sim.

Listra Cinzenta não levantou os olhos.

– Estrela Azul disse que você pode ir à Reunião – falou Coração de Fogo ao amigo.

– Já sei – ele respondeu, ainda mastigando.

– Você também vai? – perguntou Coração de Fogo a Vento Veloz.

– Claro que sim! Não perderia essa Reunião por nada no mundo!

Coração de Fogo continuou seu caminho e encontrou um lugar tranquilo na beirada da clareira. As palavras de Rabo Longo ecoavam em sua cabeça. Será que algum dia o filhote branco seria aceito pelo clã? Fechou os olhos e começou a se lavar.

Quando se virou para lamber o lado do corpo, seus bigodes tocaram alguma coisa. Abriu os olhos; era Pata de Areia. Sob a luz do luar, o pelo alaranjado da gata parecia feito de prata. – Achei que talvez você quisesse companhia – miou. Ela se sentou e começou a lavar as costas do guerreiro, com lambidas longas, que o acalmaram.

Com os olhos semicerrados, Coração de Fogo percebia Pata de Poeira olhando de fora da toca dos aprendizes, incapaz de disfarçar a surpresa e o despeito. O aprendiz não foi o único a ficar surpreso com o gesto. O próprio Coração de Fogo nunca esperara tamanha demonstração de amizade da jovem corajosa, mas o carinho era bem-vindo e ele não ia questioná-lo. – Você vai à Reunião? – o guerreiro perguntou.

Após uma pausa, ela respondeu: – Vou sim. E você?

– Eu também. Acho que Estrela Azul vai pedir explicações a Estrela Torta e Estrela da Noite a respeito das incursões de caça que fizeram. – Esperou que a gata respondesse, mas ela estava observando o céu que escurecia.

– Gostaria de ir como *guerreira* – murmurou. Coração de Fogo se contraiu, mas, pela primeira vez, não havia nem uma gota de inveja ou amargura no miado da aprendiz.

Ficou um pouco sem jeito. Ele começara o treinamento havia menos tempo que Pata de Areia, e já fazia mais de duas luas que era guerreiro. – Não vai demorar para Estrela Azul dar a você o nome de guerreira – ele miou, tentando encorajá-la.

– Por que será que está demorando tanto? – ela perguntou, voltando-lhe os olhos verdes.

– Não sei – admitiu. – Estrela Azul esteve doente e o Clã do Rio e o Clã das Sombras estão criando problemas. Acho que ela está com muita coisa na cabeça.

– Mais do que nunca, ela precisa de guerreiros!

Coração de Fogo sentiu uma onda de simpatia. – Suponho que só esteja esperando... pelo momento certo. – Suas palavras não ajudavam muito, mas foi tudo o que achou para dizer.

– Talvez no renovo – ela suspirou. – Quando é que você vai ter outro aprendiz?

– Estrela Azul ainda não me disse.

– Talvez designe Filhote de Nuvem quando ele ficar mais velho.

– Tomara. – Coração de Fogo olhou para o berçário do outro lado da clareira, tentando imaginar se Presa Amarela já tinha terminado de tratar do filhote. – Se ele sobreviver até lá.

– Com certeza ele vai sobreviver! – miou Pata de Areia, confiante.

– Mas está com febre – disse Coração de Fogo, preocupado, deixando cair os ombros.

– Todos os filhotes têm febre! – ela retorquiu. – Com aquele pelo espesso, certamente vai se recuperar rápido. E a pelagem vai ser muito útil na estação sem folhas, quando caçar na neve. As presas não vão perceber quando ele se aproximar; além do que, vai poder ficar muito mais tempo do lado de fora do que os gatos quase sem pelo, como Rabo Longo!

Coração de Fogo ronronou e relaxou. A jovem tinha conseguido levantar seu ânimo. Ele ficou de pé e deu-lhe uma lambidinha na cabeça. – Vamos embora. Estrela Azul está chamando para a Reunião.

Encontraram os demais felinos na entrada do acampamento. Formavam um grupo silencioso e determinado.

Estrela Azul fez um sinal com a cauda para que a seguissem através do túnel de tojos para fora da ravina. A floresta reluzia sob o luar frio enquanto se encaminhavam para Quatro Árvores. Do nariz de Coração de Fogo a respiração saía em nuvens, e o chão parecia congelado sob suas patas.

Pela primeira vez desde que o jovem guerreiro se juntara ao clã, a líder não hesitou ao chegar ao cume do recôncavo de Quatro Árvores, para se preparar para a reunião. Os gatos a seguiram em silêncio quando ela desceu a encosta rumo à clareira.

CAPÍTULO 23

O Clã do Rio e o Clã das Sombras não haviam chegado ainda, mas o Clã do Vento já estava lá. Estrela Alta cumprimentou Estrela Azul com um sinal respeitoso de cabeça.

Coração de Fogo avistou Bigode Ralo e apressou-se ao seu encontro. – Olá – miou. Havia mais de duas luas que não via o pequeno guerreiro marrom que lutara a seu lado no precipício. Pela primeira vez depois de muito tempo, Coração de Fogo recordou a morte de Garra Branca e sentiu um arrepio de horror ao lembrar o guerreiro do Clã do Rio desaparecendo nas águas agitadas.

– Onde está Listra Cinzenta? – perguntou Bigode Ralo. – Ele está bem?

Pela preocupação nos olhos do guerreiro do Clã do Vento, Coração de Fogo percebeu que ele também estava pensando na morte de Garra Branca. – Ele vai bem – respondeu. – Está ali, com os outros. – Coração de Fogo se lembrou da rainha do Clã do Vento cujo bebê ajudara a carregar. – Como vai Flor da Manhã?

– Feliz por estar em casa. O filhote está crescendo rápido. – Coração de Fogo ronronou, satisfeito. – Todo o clã está bem – Bigode Ralo acrescentou, olhando, divertido, para o guerreiro do Clã do Trovão. – É fantástico poder comer coelho de novo. Espero nunca mais ter de comer outro rato na vida!

Coração de Fogo percebeu um odor diferente no ar da noite. O Clã do Rio estava chegando. Também farejou o Clã das Sombras. Perscrutou a encosta em torno do vale. Com toda certeza, o Clã do Rio vinha por um dos lados. Do outro lado da encosta, avistou os felinos do Clã das Sombras equilibrando-se no topo, com a pelagem reluzindo ao luar. À frente do grupo, destacava-se a figura esguia de Estrela da Noite.

– Finalmente – grunhiu Bigode Ralo, que também os avistara. – Está frio demais para ficar ao relento.

Coração de Fogo concordou, distraído. Quando os gatos do Clã do Rio entraram, o guerreiro procurou Arroio de Prata. Reconheceu-a sem dificuldade. Ela parou na base da encosta, depois seguiu o pai, que cumprimentava formalmente os guerreiros dos outros clãs.

Nervoso, Coração de Fogo procurou Listra Cinzenta na multidão. Será que o amigo ousaria falar com Arroio de Prata? De costas para ela, o gato cinza conversava com um guerreiro do Clã do Vento.

Entretido observando Listra Cinzenta, Coração de Fogo não ouviu Pé Morto se aproximar.

– Boa-noite, Coração de Fogo – miou o representante do Clã do Vento. – Como vai?

– Olá. Estou bem, obrigado – respondeu, se virando.

Pé Morto fez um aceno de cabeça. – Ótimo – disse, e foi embora mancando.

Bigode Ralo cutucou o amigo. – Você é um sortudo! – Coração de Fogo sentiu uma ponta de orgulho.

Naquele momento, da Pedra do Conselho, soou o chamado de Estrela Azul. Coração de Fogo se virou, surpreso. Normalmente, os líderes não começavam a reunião tão cedo. Estrela Torta e Estrela da Noite estavam lado a lado na pedra. Perto de Estrela Alta, Estrela Azul esperava que os outros gatos se aproximassem. Com um sobressalto, o jovem guerreiro se deu conta de que era a primeira vez que via o líder do Clã do Vento numa Reunião.

Coração de Fogo e Bigode Ralo seguiram os outros gatos, que se instalavam aos pés da pedra. O gato avermelhado levantou os olhos, curioso, esperando ver Estrela Azul dar as boas-vindas a Estrela Alta e ao Clã do Vento, mas a líder não parecia estar com humor para perder tempo com palavras amáveis.

– O Clã do Rio tem caçado nas Rochas Ensolaradas – ela disse, zangada. – Nossas patrulhas sentiram muitas vezes o cheiro dos seus guerreiros, Estrela Torta. E as Rochas Ensolaradas são nossas!

Estrela Torta encarou-a com firmeza: – Você esqueceu que recentemente um dos nossos guerreiros foi morto defendendo nosso território contra o Clã do Trovão?

– Você não precisava *defender o seu território*. Meus guerreiros não estavam lá caçando, apenas voltavam para casa depois de terem encontrado o Clã do Vento. Nós todos tínhamos concordado quanto à missão e, segundo o Código dos Guerreiros, eles não deveriam ter sido atacados.

– Você está falando do Código dos Guerreiros? O que tem a dizer sobre o guerreiro do seu clã que vem nos espionando desde então?

Estrela Azul foi pega de surpresa. – Guerreiro? Você o viu?

– Ainda não. Mas frequentemente sentimos o cheiro dele, o que quer dizer que logo o encontraremos.

Coração de Fogo, apavorado, olhou para Listra Cinzenta. Conhecia muito bem a identidade do guerreiro detectado no território de Estrela Torta. E se algum gato reconhecesse seu cheiro aquela noite?

Imóvel, Listra Cinzenta encarava os líderes reunidos na Pedra do Conselho.

Do meio da multidão soou a voz possante de Garra de Tigre. – Há uma lua que sentimos o cheiro do Clã das Sombras em nosso território, assim como o do Clã do Rio. E não foi apenas um guerreiro, mas uma patrulha inteira, sempre os mesmos gatos.

Os olhos do líder do Clã das Sombras faiscaram de indignação. – Nosso clã não esteve em seu território. Provavelmente seus guerreiros não sabem diferenciar os odores dos felinos dos outros clãs. Trata-se, com certeza, de gatos vadios. Eles têm andado atrás de caça em nosso território, também.

Garra de Tigre rosnou, incrédulo, e Estrela da Noite o encarou. – Você duvida da palavra do Clã das Sombras, Garra de Tigre? – Um murmúrio desconfortável percorreu a multidão quando o veterano devolveu o olhar, com clara desconfiança.

Pela primeira vez, Estrela Alta falou. Sua cauda tremia: – Meus guerreiros também detectaram odores estranhos no território do Clã do Vento. Pareciam ser do Clã das Sombras.

– Eu sabia! – rosnou Garra de Tigre. – O Clã do Rio e o Clã das Sombras se uniram contra nós!

– *Nós*? O que quer dizer *nós*? – disparou Estrela Torta. – Acho que foi o seu clã e o Clã do Vento que formaram uma aliança! É por isso que estavam tão empenhados em trazê-los de volta? Para usá-los para invadir o resto da floresta?

O pelo de Estrela Alta se eriçou: – Você sabe que não foi por isso que voltamos. Sabe, também, que não saímos das nossas zonas de caça nas últimas luas.

– Então por que sentimos odores de guerreiros estranhos no nosso território? – retorquiu Estrela Torta.

– Não eram do Clã do Vento! – sibilou Estrela Alta. – Devem vir dos gatos vadios, como disse Estrela da Noite.

– Gatos vadios seriam uma desculpa bem conveniente para invadir nossos territórios, não é? – murmurou Estrela Azul, encarando, em desafio, os líderes do Clã do Rio e do Clã das Sombras.

Estrela Torta se arrepiou e Estrela da Noite arqueou as costas. Assustado, Coração de Fogo viu Garra de Tigre se levantar e se aproximar da Pedra do Conselho, com todos os músculos contraídos. Será que os líderes iriam lutar numa Reunião?

Nesse instante, uma sombra se abateu sobre o vale. Quando tudo mergulhou na escuridão, os gatos se calaram. Coração de Fogo, tremendo, olhou para o céu. Uma nuvem havia coberto completamente a lua cheia, escondendo-lhe a luz.

– O Clã das Estrelas nos enviou as trevas! – Coração de Fogo reconheceu o miado de Meio Rabo, um dos anciãos do Clã do Trovão.

O curandeiro do Clã das Sombras concordou. – Nossos ancestrais estão muito zangados. As reuniões deveriam acontecer em paz.

– Nariz Molhado está certo! – Era Presa Amarela que falava. – Não deveríamos estar brigando entre nós, especialmente durante a estação sem folhas. Antes de tudo, deveríamos nos preocupar em manter a segurança dos nossos clãs. – A voz da curandeira ecoou no silêncio aterrador. – Temos que escutar o que nos diz o Clã das Estrelas.

CAPÍTULO 24

Estrela Alta, uma silhueta sombria no topo da Pedra do Conselho, tomou a palavra: – Pela vontade do Clã das Estrelas, esta Reunião está encerrada. – A multidão aprovou. O ar estava pesado por causa dos odores de medo e de hostilidade.

– Venham comigo, gatos do Clã do Trovão! – disse a líder. Coração de Fogo mal percebeu quando ela saltou da Pedra do Conselho e se dirigiu para a beirada da clareira. O guerreiro abriu caminho entre a multidão e correu para alcançá-la. Viu, também, a silhueta maciça de Garra de Tigre, que desceu e se colocou ao lado da gata. Atrás dos dois guerreiros viam-se as sombras pálidas e acinzentadas dos demais felinos do Clã do Trovão. Enquanto caminhavam solenemente para casa, ninguém falou. O jovem guerreiro, por cima do ombro, viu que os outros clãs também se retiravam. Quando chegou ao alto da encosta, Quatro Árvores estava deserta.

Em silêncio, o clã atravessou a floresta, seguindo a trilha de odores conhecidos. Coração de Fogo viu Listra Cinzenta no fim da fila e diminuiu o passo. Talvez o amigo estivesse mais disposto a falar de Arroio de Prata, já que o clima de tensão entre os clãs era evidente. Seu odor fora detectado no território do Clã do Rio! Listra Cinzenta arriscava a si e ao clã com os encontros secretos.

Coração de Fogo procurou as palavras certas, mas Listra Cinzenta adiantou-se: – Sei o que você vai dizer, mas não vou deixar de vê-la!

– Você tem mesmo o cérebro de um camundongo bobo! – disparou o guerreiro avermelhado. – Vão logo descobrir que é você. Estrela Azul vai adivinhar, ou um gato do Clã do Rio vai reconhecer seu cheiro. Garra de Tigre, provavelmente, já descobriu!

Listra Cinzenta lançou-lhe um olhar ansioso. – Você acha, mesmo?

– Não sei – admitiu Coração de Fogo, aliviado por perceber, enfim, um tom de medo na voz do amigo, até ali se comportando como se não tivesse ideia do que poderia acontecer se o clã descobrisse o romance. – Mas já que ele começou a pensar no assunto...

– Está bem, está bem! – disparou Listra Cinzenta. Ele se calou por um instante. – E se eu prometer que só vamos nos encontrar perto de Quatro Árvores? Assim será difícil detectar nosso cheiro e não terei de ir ao território do Clã do Rio. Você, então, vai me deixar em paz?

Coração de Fogo sentiu o peito apertar. O amigo não desistiria facilmente de Arroio de Prata. Acabou concordando. Em todo caso, era melhor do que ter de se esgueirar em território inimigo para encontrá-la.

– Satisfeito? – os olhos do gato cinza brilhavam, mas a voz estava trêmula. Coração de Fogo sentiu uma pontada de tristeza ao pensar na amizade perdida, mas ao mesmo tempo tinha muita compaixão pelo amigo. Com o focinho, tentou tocar Listra Cinzenta, mas o gato se adiantou, deixando-o sozinho no fim da fila.

Apesar do cansaço de todos, Estrela Azul convocou uma reunião assim que chegaram. De qualquer modo, a maior parte do clã ainda estava acordada. A Reunião tinha sido muito mais breve do que de hábito, e a nuvem que de repente encobrira a luz da lua apavorara até os gatos que haviam ficado no acampamento.

Enquanto Estrela Azul e Garra de Tigre se acomodavam na Pedra Grande, Coração de Fogo correu até o berçário, para ter notícias de Filhote de Nuvem. Colocou a cabeça na porta. Estava muito escuro e quente lá dentro.

– Olá, Coração de Fogo – sussurrou Cara Rajada, uma simples sombra naquela escuridão. – Filhote de Nuvem está muito melhor. Presa Amarela lhe deu camomila. Era só um resfriado – a rainha parecia aliviada. – O que aconteceu na Reunião?

– O Clã das Estrelas enviou nuvens para cobrir a lua. Estrela Azul convocou uma reunião agora. Você pode vir?

O guerreiro ouviu Cara Rajada cheirando os bebês. – Acho que sim. Meus filhos ainda vão dormir por algum tempo.

Juntos, os dois felinos foram encontrar os outros na clareira. Coração de Fogo sentiu uma pelagem roçando a sua.

Era Pata de Cinza, que lhe voltou os olhos arregalados, cheios de preocupação.

Estrela Azul já havia começado: – A maior das ameaças parece vir do Clã do Rio e do Clã das Sombras. Devemos estar preparados para a possibilidade de esses dois clãs se unirem contra nós.

Miados perplexos ecoaram.

– Você acha mesmo que eles se uniram? – perguntou Presa Amarela. – O Clã do Rio dispõe das melhores fontes de presa fresca, mas não me passa pela cabeça que queira dividi-las com o Clã das Sombras. – Coração de Fogo se lembrou das palavras de Arroio de Prata sobre a fome no Clã do Rio depois da invasão dos Duas-Pernas, mas calou-se, com medo de Estrela Azul querer saber onde escutara aquela história.

– Eles não negaram as acusações – observou Garra de Tigre.

A líder concordou: – Qualquer que seja a verdade, temos de ficar alertas. De hoje em diante, cada patrulha contará com quatro gatos, sendo pelo menos três guerreiros. As patrulhas serão, também, mais frequentes, duas por noite e uma durante o dia, além da patrulha do amanhecer e a do anoitecer. Precisamos pôr um fim nas incursões dos inimigos no nosso território e, já que escolheram ignorar nossas palavras, temos de estar prontos para a luta.

O clã aprovou, aos gritos. Coração de Fogo também, embora preocupado com as consequências que aquela hostilidade aberta poderia acarretar para Listra Cinzenta. Olhou para os gatos à sua volta. Todos tinham os olhos brilhando, menos o amigo, que estava no escuro, na beirada da clareira, de cabeça baixa.

Quando o barulho arrefeceu, Estrela Azul acrescentou: – A primeira patrulha sairá antes do amanhecer. – Dizendo isso, desceu da Pedra Grande, seguida por Garra de Tigre. O resto do Clã se dividiu em pequenos grupos. Quando se dirigia à toca dos guerreiros, Coração de Fogo ouviu os gatos discutindo, nervosos.

O jovem guerreiro se ajeitou no ninho e, com as patas, afofou o musgo para deixá-lo mais confortável. Uma coruja piou no alto da ravina. Ele sabia que não conseguiria dormir logo, pois as acusações feitas na Reunião rodavam em sua mente. Mas compreendia a raiva do Clã do Rio, que havia detectado o odor do Clã do Trovão em seu território, logo agora que andavam famintos, pois a caça estava escassa desde a invasão dos Duas-Pernas.

Mas e o Clã das Sombras? Estava reduzido desde que o Clã do Trovão o ajudara a banir o líder tirânico e seus seguidores. Estrela Partida até mesmo admitira ter matado Estrela Afiada, seu próprio pai, para se tornar líder. Porém, o clã fora deixado em paz para se recuperar do domínio sanguinário de Estrela Partida. Coração de Fogo deduziu que, com menos bocas para alimentar, o Clã das Sombras não precisava das zonas de caça do Clã do Trovão, nem de mais nenhuma outra.

Quando Nevasca e Risca de Carvão entraram na toca, esses pensamentos ainda lhe reviravam a mente. Antes de se dirigir ao ninho, Nevasca se aproximou: – No sol alto, você sairá numa patrulha comigo, Pata de Areia e Pelo de Rato – disse.

– Tudo bem, Nevasca – respondeu Coração de Fogo, descansando o queixo sobre as patas. Tinha de dormir um pouco; o clã precisava que estivesse pronto para a luta.

Na manhã seguinte, as nuvens que cobriram a lua na véspera já tinham desaparecido. Na clareira, Coração de Fogo apreciava o calor suave do sol aquecendo-lhe as costas enquanto se lavava. Do outro lado, Filhote de Nuvem pulou para fora do berçário, parecendo disposto e feliz.

Coração de Fogo agradeceu ao Clã das Estrelas, pois o gatinho havia se restabelecido depressa. Pata de Areia estava certo quanto à sua capacidade de recuperação. O guerreiro olhou em volta para ver se Rabo Longo e Pata de Poeira também estavam por ali para ver o filhote, mas não havia ninguém na clareira.

Ele foi até o berçário. – Olá, Filhote de Nuvem. Está se sentindo melhor?

– Estou – respondeu, girando em círculos, tentando pegar a cauda com os dentinhos. Uma bola de musgo presa em seu pelo caiu e rolou pelo chão. Ele saltou sobre ela e a lançou no ar. A bola quicou no solo, do lado de Coração de Fogo.

O guerreiro devolveu a bola, e o bichano deu um salto, tentando agarrá-la com os dentes.

– Muito bem! – O tio estava impressionado. Com uma das patas lançou a bola de musgo bem alto, para o outro lado da clareira.

Filhote de Nuvem correu e a agarrou. Rolou de barriga para cima, atirou a bola para o alto com as patas da frente e chutou-a com as de trás. A bolinha foi parar perto do berçário. Ele saiu correndo e se agachou, a um pulo de coelho de distância, se concentrando, com o quadril levantado.

Coração de Fogo observava o filhote, que se preparava para o ataque. De repente, seu pelo se arrepiou. Detrás do berçário surgiu uma pata longa e escura, que se estendeu para pegar a bolinha de musgo.

– Filhote de Nuvem – chamou Coração de Fogo –, espere! – Imagens sombrias de gatos vadios ainda estavam em sua mente.

O pequeno sentou-se e olhou à volta, perplexo.

Garra de Tigre apareceu por trás do filhote, segurando a bola de musgo com os dentes. Levou-a para o gatinho, soltando-a na frente das patinhas peludas e brancas. – Tome cuidado. Você não quer perder um brinquedo precioso como esse – disse, encarando Coração de Fogo por cima da cabeça de Filhote de Nuvem.

Coração de Fogo tremeu. O que Garra de Tigre queria dizer com aquilo? Parecia estar falando da bola de musgo, mas na verdade o brinquedo não seria *Filhote de Nuvem*? A imagem de Pata de Cinza passou-lhe na mente: um montinho de pelo ensanguentado ao lado do Caminho do Trovão. Outro *brinquedo* que perdera? Um sentimento gélido de medo tomou conta do coração do jovem guerreiro, que se perguntou, mais uma vez, se o representante do Clã do Trovão tinha sido, de alguma forma, responsável pelo acidente da aprendiz.

CAPÍTULO 25

– FILHOTE DE NUVEM!

Coração de Fogo ouviu Cara Rajada chamando de dentro do berçário. Garra de Tigre virou-se e foi embora. O filhote deu ainda um último tapa na bola de musgo e correu para a entrada do berçário. – Até logo, Coração de Fogo – miou, entrando.

O guerreiro olhou para o céu e percebeu que era quase sol alto, tempo de se juntar à patrulha. Estava faminto, mas ainda não havia presa fresca. Talvez encontrasse alguma caça enquanto estivessem fora. Atravessou a clareira correndo e saiu pelo túnel, sentindo as folhas congeladas rangendo sob suas patas.

Pata de Areia e Pelo de Rato já esperavam ao pé da encosta. Coração de Fogo levantou a cauda num cumprimento, surpreso e feliz por ver a gata.

– Olá – miou a jovem. Pelo de Rato lhe fez um aceno de cabeça.

Nevasca surgiu do túnel de tojos. – A patrulha do amanhecer já voltou?

– Nenhum sinal ainda – respondeu Pelo de Rato. Nesse momento, Coração de Fogo ouviu a folhagem se mexer, e Pele de Salgueiro, Vento Veloz, Risca de Carvão e Pata de Poeira saíram dos arbustos.

– Esquadrinhamos toda a fronteira do Clã do Rio – relatou Pele de Salgueiro. – Nenhum sinal de grupos de caça. A patrulha de Estrela Azul vai verificar a área de novo esta tarde.

– Ótimo – respondeu Nevasca. – Vamos ficar com a fronteira do Clã das Sombras.

– Tomara que eles tenham o mesmo bom-senso que o Clã do Rio e fiquem longe – miou Risca de Carvão. – Depois de ontem à noite, com certeza sabem que estaremos de olho.

– Espero que sim – grunhiu Nevasca. Voltou-se para a patrulha: – Estão prontos? – Coração de Fogo fez que sim. Nevasca movimentou a ponta da cauda e pulou para as samambaias, seguido de Pelo de Rato e Coração de Fogo.

Os felinos subiram a ravina com passos rápidos. Pata de Areia vinha logo atrás de Coração de Fogo, que sentiu o hálito quente da gata quando ela galgou as pedras.

Nem sequer haviam chegado às Rochas das Cobras quando ele percebeu um odor sinistro, familiar. Chegou a abrir a boca para prevenir os outros, mas Pelo de Rato se adiantou: – O Clã das Sombras!

Os quatro pararam para farejar o terrível fedor.

– Não acredito que já tenham voltado – Pata de Areia murmurou, com o pelo da espinha eriçado.

– O odor é recente – disse Nevasca, os olhos faiscando de cólera. – Esperava que Estrela da Noite trouxesse alguma honra para seu clã, mas acho que os ventos frios que sopram do outro lado do Caminho do Trovão congelam o coração dos gatos do Clã das Sombras.

Coração de Fogo virou-se e começou a abrir caminho entre os tufos espessos de samambaia. Esfregou os dentes na folhagem para reconhecer o cheiro. Sem dúvida, era o Clã das Sombras, um odor familiar. *Muito* familiar. Ele fez uma pausa. Aquele odor pertencia a um guerreiro a quem já encontrara antes, mas quem?

Avançou, na expectativa de que mais marcas lhe avivassem a memória. Começou, então, a farejar outra coisa. Abaixou a cabeça e, no chão, entre as hastes das samambaias, encontrou um monte de ossos de coelho. Gatos de clã, normalmente, enterram os ossos da caça em sinal de respeito pela vida que tiraram. De repente entendeu o que aquilo podia significar. Pegou alguns ossos e voltou através das samambaias, colocando-os aos pés de Nevasca.

O guerreiro branco ficou furioso. – Ossos de coelho? Os gatos que deixaram isso aqui queriam que soubéssemos que estiveram caçando em nossas terras! Precisamos contar a Estrela Azul imediatamente.

– Será que ela vai mandar uma patrulha para lutar com o Clã das Sombras? – perguntou Coração de Fogo, que nunca vira Nevasca tão zangado.

– Deveria! E, se pudesse, eu guiaria a patrulha. Estrela da Noite traiu nossa confiança e o Clã das Estrelas sabe que deve ser punido.

– Estrela Azul! – Nevasca lançou os ossos de coelho no meio da clareira.

– Ela já saiu com a patrulha – disse Garra de Tigre, saindo das sombras.

Meio Rabo e Pele de Geada saíram da toca apressados para ver o que estava acontecendo.

Nevasca, ainda furioso, olhou para o representante – Veja isso! – disparou.

Garra de Tigre não precisava de maiores explicações. O cheiro nos ossos dizia tudo. Seus olhos se inflamaram de raiva.

Tendo ficado para trás na beirada da clareira, Coração de Fogo observava os dois grandes guerreiros. As provas eram bastante inquietantes, mas a descoberta o enchera muito mais de dúvidas do que de rancor. Fazia apenas três luas que o Clã das Sombras banira seu líder cruel, com a ajuda do Clã do Trovão. Como, então, aquele clã se arriscava a fazer eclodir uma guerra?

Garra de Tigre, naturalmente, não tinha dúvidas daquele tipo. Já chamara Risca de Carvão e Vento Veloz. – Pele de Salgueiro e Pelo de Rato se juntarão a nós também! – anunciou. – Encontraremos a patrulha do Clã das Sombras e vamos deixá-los com ferimentos que os farão lembrar-se de, no futuro, ficar longe de nossos territórios.

Nevasca concordou.

– Posso ir? – miou Pata de Areia, que, empolgada, não parava de andar atrás do guerreiro branco. Agora, o encarava com o olhar brilhante.

– Dessa vez, não – respondeu Nevasca.

Uma onda de frustração se abateu sobre ela. – E Coração de Fogo? – miou. – Ele achou os ossos.

Garra de Tigre estreitou os olhos, com o pelo eriçado. – *Ele* pode ficar e avisar Estrela Azul – sibilou, com tom de desprezo.

– Vocês vão sair antes que ela volte? – perguntou Coração de Fogo.

– Claro que sim – disparou Garra de Tigre. – Precisamos acertar isso agora! – Virou-se para Nevasca e balançou a cauda. Coração de Fogo os observou partir, seguidos por Risca de Carvão, Pele de Salgueiro, Vento Veloz e Pelo de Rato. Ouviu o som das patas no solo gelado quando saíram pela lateral da ravina.

De repente, o jovem guerreiro se deu conta de que o acampamento ficara vazio. Quando Pele de Geada e Meio Rabo se aproximaram para farejar os ossos de coelho, ele perguntou: – Quem foi com Estrela Azul?

– Listra Cinzenta, Rabo Longo e Pata Ligeira – Pele de Geada respondeu.

Um vento gelado encrespou a pelagem de Coração de Fogo; ele esperava que essa fosse a causa de seu tremor. Não havia nenhum guerreiro no acampamento. – Você pode verificar na toca dos aprendizes se Pata de Poeira está lá? – pediu a Pata de Areia.

Ela concordou. Atravessou a clareira e colocou a cabeça dentro da toca. – Ele está aqui – disse. – Dormindo. Pata de Samambaia também.

Presa Amarela saiu da toca e levantou a cabeça. Coração de Fogo relaxou um pouco ao ver a figura familiar da curandeira. Estreitou os olhos para cumprimentá-la, mas Presa Amarela farejou o ar e seus olhos se anuviaram de medo. Com passos lentos e firmes, aproximou-se dos ossos de coelho e, com todo o cuidado, farejou um a um.

Coração de Fogo a observava, perguntando-se por que ela se interessava tanto pelos ossos velhos.

Por fim, ela encarou Coração de Fogo. – Estrela Partida! – exclamou, sufocada de horror.

– Estrela Partida? – repetiu o jovem guerreiro. Então compreendeu do que se tratava. Por isso o cheiro nas samambaias parecia tão familiar. Era o cheiro de *Estrela Partida.* – Tem certeza? – miou apressado. – Garra de Tigre já foi para o território do Clã das Sombras.

– Dessa vez o Clã das Sombras não tem culpa – gritou Presa Amarela. – Foi Estrela Partida que fez isso; ele e seus amigos guerreiros. Eu era a curandeira do clã e estava lá quando nasceram; conheço o cheiro deles tão bem quanto conheço o meu. – Fez uma pausa – Você tem de encontrar Garra de Tigre e impedi-lo de cometer um erro lamentável, atacando o Clã das Sombras.

O sangue retumbava nas orelhas de Coração de Fogo, deixando-o tonto. O que deveria fazer? – Mas sou o único guerreiro aqui – miou para Presa Amarela quase sem fôlego. – E se Estrela Partida atacar o acampamento enquanto eu estiver fora? Ele já fez isso antes. Pode ter deixado os ossos como armadilha, para pegar o acampamento sem defesa.

– Você *precisa* dizer a Garra de Tigre antes que... – Presa Amarela implorou, mas o jovem guerreiro balançou a cabeça.

– Não posso deixá-los sozinhos.

– Então vou eu – sibilou a curandeira.

– Não! Quem vai sou eu – protestou Pata de Areia.

Coração de Fogo olhou para uma gata, depois para a outra. Não podia enviar nenhuma das duas nessa missão. Eram indispensáveis para proteger o acampamento, fortes e treinadas. Mas a curandeira estava certa; não podiam derramar sangue inocente. Era Estrela Partida o invasor, não o Clã das Sombras. Teria mesmo de mandar outro gato à floresta. Fechou os olhos, pensou muito, e a resposta veio em seguida. – Pata de Samambaia! – sibilou o guerreiro, arregalando os olhos. Ele gritou pelo aprendiz.

O jovem saiu da toca e atravessou a clareira até o guerreiro. – O que foi? – perguntou, piscando os olhos de sono.

– Tenho uma missão urgente para você.

O aprendiz se sacudiu e esticou-se para parecer maior. – Diga, Coração de Fogo.

– Você precisa encontrar Garra de Tigre, que está à frente da patrulha que vai atacar o Clã das Sombras. Detenha-o e diga que foi Estrela Partida que invadiu nosso território! – Os olhos do aprendiz se arregalaram assustados, mas o guerreiro continuou – Talvez você tenha de atravessar o Caminho do Trovão; sei que não recebeu treinamento... – Imagens do corpo ferido de Pata de Cinza lhe vieram à mente, mas ele se forçou a afastar a lembrança. Olhou firme para

Pata de Samambaia: – Você precisa encontrar Garra de Tigre – repetiu – ou haverá guerra entre os dois clãs sem nenhuma razão!

Pata de Samambaia fez que sim. – Eu o encontrarei – prometeu o aprendiz, com um olhar calmo e determinado.

– Que o Clã das Estrelas o acompanhe – murmurou Coração de Fogo, aproximando-se para tocá-lo com o nariz.

Pata de Samambaia deu meia-volta e disparou pelo túnel de tojos. Coração de Fogo o observou, tentando manter-se calmo. Pata de Cinza... o Caminho do Trovão... as imagens voltavam. Ele sacudiu a cabeça para colocar as ideias em ordem. Não havia tempo para preocupações. Se Estrela Partida estava no território do Clã do Trovão, o acampamento precisava preparar-se para um ataque.

– O que está acontecendo? – perguntou Pata de Poeira saindo da toca dos aprendizes. Coração de Fogo olhou para ele, correu para o outro lado da clareira e subiu na Pedra Grande. O chão, abaixo, parecia muito distante de suas pernas trêmulas. Engoliu em seco e começou a convocar os outros gatos, como de costume. – Que todos os gatos com idade suficiente para... – Mas estava perdendo tempo com palavras. – O acampamento está em perigo. Venham todos aqui, agora! – chamou com urgência.

Os anciãos e as rainhas saíram das tocas, seguidos pelos filhotes. Ficaram assustados ao ver o jovem guerreiro no topo da Pedra Grande. Pata de Cinza chegou mancando e lançou para o antigo mentor um olhar firme e luminoso.

Quando Coração de Fogo a viu, o acampamento parou de repente de se movimentar.

– O que está acontecendo? – perguntou Caolha, o membro mais antigo do Clã do Trovão. – O que você pensa que está fazendo aí em cima?

Coração de Fogo não hesitou: – Estrela Partida está de volta. Provavelmente está em nosso território agora. Os outros guerreiros estão fora do acampamento. Se ele atacar, temos de estar preparados. Filhotes e anciãos devem ficar no berçário. Os demais devem se preparar para a luta...

Um grito ameaçador vindo da entrada do acampamento cortou o discurso do guerreiro: um gato magro e marrom, de pelo sarapintado e orelhas rasgadas, marchava na direção da clareira. Sua cauda eriçada era partida ao meio como um galho quebrado.

– Estrela Partida! – arfou Coração de Fogo, instintivamente colocando as garras de fora e retesando cada pelo do corpo.

Quatro guerreiros esquálidos surgiram atrás do líder, os olhos faiscando de ódio.

– Então, você é o único guerreiro que ficou por aqui! – rosnou Estrela Partida, os lábios retraídos num esgar. – Vai ser muito mais fácil do que imaginei!

CAPÍTULO 26

Presa Amarela, Pata de Poeira e Pata de Areia formaram rapidamente uma linha de defesa, e as rainhas se colocaram na retaguarda. Coração de Fogo viu Pata de Cinza se aproximar, mancando, mas Pata de Poeira cuspiu, zangado, ao vê-la chegar. Sem jeito, a jovem voltou para a toca de Presa Amarela, com as orelhas abaixadas.

Os anciãos agarraram os filhotes e os empurraram pela porta do berçário, espremendo-se para dentro junto com eles. Cara Rajada segurou Filhote de Nuvem entre os dentes e o fez entrar por último. Puxou as amoreiras com as patas e, insensível aos espinhos, cobriu a entrada do berçário, antes de juntar-se aos demais felinos, na clareira.

Coração de Fogo pulou da Pedra Grande e correu para o lado de Presa Amarela. Com as costas arqueadas, silvou para Estrela Partida. – Você perdeu da última vez que lutamos, e vai perder hoje de novo!

– Nunca! – foi a resposta furiosa. – Talvez você tenha tirado o clã de mim, mas não conseguirá me matar... Tenho mais vidas do que você!

– Uma vida do Clã do Trovão vale dez das suas! – rosnou Coração de Fogo. Gritou, então, o brado dos guerreiros e, um segundo depois, o combate explodiu na clareira.

Coração de Fogo saltou direto sobre Estrela Partida e cravou as garras nele. A vida de fora da lei tinha sido dura com o antigo líder. O jovem guerreiro sentia as costelas do gato pulguento sob a pelagem marrom-escura. Mas apesar dos maus-tratos, ele continuava forte. Com um giro do corpo, conseguiu afundar os dentes na pata traseira de Coração de Fogo, que gritou e silvou raivosamente, mas sem afrouxar as garras. Com esforço, Estrela Partida arrastou-se para a frente, agarrando-se ao chão gelado. O guerreiro do Clã do Trovão sentiu as garras rasgando o corpo ossudo do inimigo quando ele conseguiu se soltar. Disparou atrás dele, mas outras garras já se afundavam em sua perna traseira. Olhou por cima do ombro e viu Cara Rasgada agachado, os olhos semicerrados, zombando dele.

Coração de Fogo o encarou, incrédulo. Não esperava ver aquele gato de novo. Imediatamente esqueceu Estrela Partida. Fora Cara Rasgada quem matara Folha Manchada, seis meses atrás. Ele a assassinara a sangue-frio para Estrela Partida roubar os filhotes de Pele de Geada. A raiva retumbava nos ouvidos de Coração de Fogo. Quando rodopiou para se atirar sobre o gato marrom, percebeu com o canto do olho um pedaço de pelo atartarugado e o cheiro doce de Folha Manchada tocou-lhe o céu da boca. Sentiu o espírito dela a seu lado, como para ajudá-lo a vingar sua morte.

Coração de Fogo mal se deu conta da dor lancinante na perna, dilacerada ao se soltar de Cara Rasgada; atirou-se sobre o gato, que se ergueu nas patas traseiras e desferiu-lhe um golpe com as imensas patas da frente. Garras afiadas como espinho o acertaram atrás da orelha. A dor se espalhou por seu corpo como fogo, fazendo-o cambalear. Um segundo depois, Cara Rasgada lançou-se sobre o jovem guerreiro e o imobilizou no chão, cravando-lhe os dentes na nuca.

Coração de Fogo gritou em agonia. – Ajude-me, Folha Manchada! Não vou conseguir sozinho!

De repente, o peso do adversário foi-lhe arrancado das costas. Coração de Fogo se ergueu com um salto e rodopiou. Listra Cinzenta! O felino acinzentado estava imóvel, os olhos cheios de terror. O corpo de Cara Rasgada pendia de sua boca. Listra Cinzenta soltou-o, e o inimigo caiu no chão, morto.

Coração de Fogo deu um passo à frente. – Ele matou Folha Manchada, Listra Cinzenta! – Não era um bom momento para sentir remorso. – Estrela Azul veio com você? – perguntou apressado.

Listra Cinzenta fez que não. – Ela me mandou de volta para procurar Garra de Tigre – disse. – Encontramos ossos e Estrela Azul reconheceu o fedor de Estrela Partida. Deduziu que ele estava liderando os gatos traidores.

Ouviu-se um silvo bem próximo e dois felinos se chocaram contra Coração de Fogo, que, de um salto, saiu do caminho. Era Pele de Geada lutando com um invasor. Ela parecia investida de todo o poder do Clã das Estrelas. Aqueles gatos tinham roubado seus filhotes. O ódio iluminava-lhe os olhos. Coração de Fogo ficou de fora; ela não precisava de ajuda. Um instante depois, o vilão, aos gritos, foi lançado pelo muro de samambaias.

Pele de Geada ainda correu atrás dele, mas Coração de Fogo a chamou. – Ele já tem ferimentos suficientes para se lembrar de você! – A rainha parou perto do muro e virou-se, com a respiração descompassada. O pelo branco exibia manchas de sangue do inimigo.

Outro vilão passou por Coração de Fogo aos gritos, rumo ao muro. Pata de Poeira o perseguia e conseguiu lhe dar uma dentada feroz antes que ele se arrastasse para fora do acampamento. *Sobraram apenas Estrela Partida e um guerreiro*, pensou Coração de Fogo.

Sob Pata de Areia jazia, inerte, um inimigo que ela imobilizara. *Cuidado!* – pensou Coração de Fogo, lembrando-se do seu truque favorito de fazer o inimigo acreditar-se vencedor. Mas a aprendiz não se deixou enganar. Quando o gato se levantou num pulo, estava pronta. Afastou-se, depois saltou, segurou-o com as garras, virou-o e arranhou-lhe o ventre com as patas traseiras. Só o liberou quando ele começou a gritar como um filhote. O vilão se precipitou para a entrada do acampamento, ainda uivando de dor.

Houve um momento de horripilante imobilidade. Os gatos do Clã do Trovão permaneceram em silêncio olhando para o sangue e para os tufos de pelo espalhados pelo chão, em volta da clareira. No centro jazia o corpo de Cara Rasgada.

Onde estava Estrela Partida? Coração de Fogo rodopiou inquieto, perscrutando o acampamento. Será que invadira o berçário? Estava prestes a correr para a toca de amoreiras quando um grito desesperado veio da toca de Presa Amarela e cortou o ar. Disparou para o túnel de samambaias. Pata de Cinza! Arremeteu-se para dentro da toca, esperando o pior, mas o que viu foi Estrela Partida deitado no chão, com a velha curandeira debruçada sobre ele.

Os olhos de Estrela Partida estavam fechados e cheios de sangue. Coração de Fogo viu o gato se mexer uma vez, depois parar. Pela imobilidade total do corpo, percebeu que o fora da lei estava perdendo uma de suas vidas.

As garras da curandeira estavam à mostra, brilhantes e vermelhas. Tinha a fisionomia crispada de dor, os olhos vidrados.

De repente Estrela Partida arfou e recomeçou a respirar. Coração de Fogo pensou que Presa Amarela daria no traidor uma nova mordida mortal, mas ela hesitou. Estrela Partida não se ergueu.

Coração de Fogo colocou-se ao lado da curandeira. – É sua última vida? Por que não acaba com ele de uma vez? Ele assassinou o pai, baniu você do clã e tentou matá-la.

– Essa não foi sua última vida; e, mesmo que fosse, eu não poderia fazer isso.

– Por que não? O Clã das Estrelas honraria você por isso. – Coração de Fogo não conseguia acreditar no que ouvia. O nome de Estrela Partida sempre fizera a velha gata se arrepiar de raiva.

Presa Amarela desviou o rosto de Estrela Partida e encarou Coração de Fogo. Os olhos estavam anuviados de dor e sofrimento quando murmurou: – Ele é meu filho.

Coração de Fogo sentiu o chão se abrir. – Mas curandeiras são proibidas de ter filhos – deixou escapar.

– Eu sei. Nunca tive a intenção de ter filhos, mas me apaixonei por Estrela Afiada. – A voz era cheia de tristeza. O jovem guerreiro se lembrou da batalha em que Estrela Partida fora expulso do acampamento do Clã das Sombras. Um pouco antes de fugir, o perverso líder revelou a Presa Amarela ter assassinado o pai. Ela ficara inconsolável e, agora, Coração de Fogo entendia por quê.

– Havia três filhotes em minha ninhada – a curandeira prosseguiu –, mas apenas Estrela Partida sobreviveu. Entreguei-o a uma das rainhas do Clã das Sombras para ser criado como um de seus filhotes. Pensei que perder dois dos meus filhos fosse um castigo por ter quebrado o Código dos Guerreiros, mas estava errada. Meu castigo, na verdade, foi *este* sobreviver! – Cheia de desgosto, olhou o corpo ensanguentado. – E, agora, não posso matá-lo. Tenho que aceitar meu destino, conforme a vontade do Clã das Estrelas.

A curandeira vacilou, e Coração de Fogo achou que ela fosse desmaiar. Aproximou-se e, com o corpo, amparou a gata. – Ele sabe que você é a mãe dele? – murmurou.

Ela fez que não.

Estrela Partida começou a soltar gemidos lancinantes. – Não consigo enxergar! – Horrorizado, Coração de Fogo percebeu que os olhos do vilão tinham sofrido arranhões impossíveis de curar.

Com muita cautela, aproximou-se de Estrela Partida, que permanecia imóvel. Tocou-o com uma das patas e o filho da curandeira voltou a gemer. – Não me mate – choramingou. Coração de Fogo recuou. Tamanha covardia o repugnava.

Presa Amarela respirou fundo. – Vou tomar conta dele. – Caminhou até o filho ferido, segurou-o pelo cangote e arrastou-o para o ninho antes ocupado por Retalho.

O jovem guerreiro deixou-a a sós. Queria saber se Pata de Cinza estava bem. Viu uma silhueta escura se mexer dentro da pedra partida onde dormia Presa Amarela. – Pata de Cinza? – chamou.

Ela pôs a cabeça para fora.

– Você está bem?

– Os traidores já foram? – ela sussurrou.

– Sim, exceto Estrela Partida, que está muito ferido. Presa Amarela está tratando dele. – Esperava que a aprendiz ficasse chocada, mas ela apenas balançou a cabeça devagar e olhou para o chão.

– Você está bem? – repetiu o guerreiro.

– Deveria ter lutado ao seu lado – a voz dela estava cheia de vergonha.

– Teriam matado você!

– Foi o que Pata de Poeira disse. Mandou eu me esconder com os filhotes. – Os olhos da gata estampavam desespero. – Não me importaria de morrer. Para que sirvo assim? Sou apenas um fardo para o clã.

Coração de Fogo encheu-se de pena. Procurava palavras para confortá-la, mas antes que conseguisse falar o miado áspero de Presa Amarela soou em meio às samambaias.

– Pata de Cinza, vá buscar algumas teias de aranha, rápido!

A jovem imediatamente desapareceu dentro da pedra, voltando um instante depois, com uma das patas embrulhada em teias. Tão rápido quanto pôde, correu ao encontro de Presa Amarela e deixou as teias no ninho.

– Agora, traga-me algumas raízes de confrei – ordenou a curandeira.

Assim que ela se dirigiu, mancando, para a rocha partida, Coração de Fogo se virou para ir embora. Não havia nada mais que pudesse fazer ali. Precisava descobrir onde estava o resto do clã.

Na clareira, quase nenhum gato se mexia. Coração de Fogo foi diretamente até Pata de Poeira e miou: – Presa Amarela está tratando das feridas de Estrela Partida e Pata de Cinza está ajudando. – Ignorou o engasgo de surpresa do aprendiz. – Vá e fique de guarda ao lado dele. – O jovem correu para o túnel e desapareceu.

Coração de Fogo saiu ao encontro de Listra Cinzenta, que ainda olhava para o corpo de Cara Rasgada. – Você salvou a minha vida – murmurou. – Muito obrigado.

Listra Cinzenta levantou os olhos e apenas disse: – Eu daria a minha vida por você.

Com a garganta apertada, Coração de Fogo viu o amigo se virar e ir embora. Talvez a amizade deles não tivesse acabado, apesar de tudo.

Um som forte de patas atravessando o túnel de tojos interrompeu-lhe os pensamentos. Estrela Azul entrou correndo no acampamento, seguida de Rabo Longo e de Pata Ligeira. Coração de Fogo sentiu grande alívio ao ver a líder. Com os olhos arregalados, ela fitou a clareira ensanguentada, até encontrar o corpo de Cara Rasgada. – Estrela Partida atacou? – perguntou.

Coração de Fogo fez que sim.

– Está morto?

– Está com Presa Amarela – disse o jovem guerreiro, esforçando-se por responder, apesar da exaustão. – Foi ferido... nos olhos.

– E os outros vilões?

– Pusemos todos para fora.

– Alguém do nosso clã ficou muito ferido? – perguntou Estrela Azul, olhando mais uma vez para a clareira. Os gatos fizeram que não. – Ótimo – miou. – Pata de Areia, Pata Ligeira, tirem esse corpo do acampamento e o enterrem. Os anciãos não precisam estar presentes, pois vilões não merecem enterro com as honras do ritual do Clã das Estrelas.

Os dois felinos começaram a arrastar o corpo para o túnel.

– Os anciãos estão em segurança? – perguntou a líder.

– Estão no berçário – respondeu Coração de Fogo. Mal acabou de falar, um tremor sacudiu a toca de amoreira e Meio Rabo apareceu, seguido dos anciãos e dos filhotes. Coração de Fogo viu o sobrinho tropeçar e atravessar a clareira correndo até Cara Rajada. Ela deu-lhe uma lambida rápida e o filhote se virou para observar o corpo de Cara Rasgada, que desaparecia através do túnel.

– Está morto? – ele perguntou, curioso. – Posso ir ver?

– Shhh... – sussurrou Cara Rajada, envolvendo-o com a cauda.

– Onde está Garra de Tigre? – perguntou Estrela Azul.

– Levou um grupo para atacar os guerreiros do Clã das Sombras – explicou Coração de Fogo. – Durante a nossa patrulha encontramos ossos que cheiravam ao Clã das Sombras, e Garra de Tigre decidiu atacar. Mandei Pata de Samambaia impedi-lo quando Presa Amarela se deu conta de que o odor era de Estrela Partida.

– Pata de Samambaia? – miou Estrela Azul, estreitando os olhos. – Mesmo sabendo que ele teria de atravessar o Caminho do Trovão?

– Eu era o único guerreiro no acampamento. Não havia outro que pudesse mandar.

A líder balançou a cabeça. A preocupação cedeu lugar ao entendimento. – Você não quis deixar o acampamento desprotegido? Fez bem, Coração de Fogo. Acho que Estrela Partida queria atrair todos os nossos guerreiros para fora do acampamento. Também encontramos ossos.

– Listra Cinzenta me contou. – O guerreiro procurou pelo amigo, mas ele tinha desaparecido.

– Mande Presa Amarela vir aqui quando tiver terminado com Estrela Partida – ordenou a líder. Ela empinou a orelha ao perceber mais patas no túnel de tojos. Garra de Tigre entrou no acampamento correndo, seguido de Nevasca e do resto da patrulha. Coração de Fogo esticou o pescoço e procurou entre os guerreiros até avistar Pata de Samambaia, que vinha logo atrás. O aprendiz parecia exausto, mas não estava ferido. O guerreiro avermelhado deu um suspiro de alívio.

– Pata de Samambaia alcançou você antes que encontrasse a patrulha do Clã das Sombras? – perguntou Estrela Azul, caminhando até o representante.

– Não tínhamos sequer entrado no território deles. Começávamos a atravessar o Caminho do Trovão. – Os olhos de Garra de Tigre se estreitaram. – Era Cara Rasgada que estavam enterrando?

A líder fez que sim.

– Então Pata de Samambaia estava certo. Ele estava planejando atacar o acampamento. Está morto, também?

– Não, Presa Amarela está tratando dos ferimentos dele.

– Não é possível! – exclamou Pelo de Rato, trocando um olhar com Vento Veloz, a seu lado.

A fisionomia de Garra de Tigre se fechou. – Tratando dos ferimentos dele? – rosnou. – Deveríamos matá-lo, e não desperdiçar tempo curando suas feridas.

– Discutiremos esse assunto depois que eu falar com Presa Amarela – miou a líder, calma.

– Você pode falar comigo agora, Estrela Azul. – A curandeira chegou com a cabeça baixa, exausta.

– Você deixou Estrela Partida sozinho? – rosnou Garra de Tigre, os olhos cor de âmbar faiscando.

Presa Amarela levantou a cabeça e olhou para o guerreiro de cor escura: – Pata de Poeira está tomando conta dele. Eu lhe dei semente de papoula e ele vai dormir por algum tempo. Ele está cego, Garra de Tigre. Não tem como tentar escapar. Morreria de fome em uma semana; isso, se uma raposa ou um bando de corvos não o matasse antes.

– Isso facilita as coisas – rosnou Garra de Tigre. – Não vamos precisar matá-lo. Podemos deixar que a floresta se encarregue dele.

A curandeira se virou para Estrela Azul: – Não podemos deixá-lo morrer – miou.

– Por que não?

Coração de Fogo prendeu a respiração, observando o olhar de Estrela Azul ir da curandeira para o representante e voltar. Tentava adivinhar se Presa Amarela diria à líder que Estrela Partida era seu filho.

– Se o fizermos, não seremos em nada melhores do que ele – replicou a curandeira, serena.

Garra de Tigre balançou a cauda com raiva.

– O que você acha, Nevasca? – a líder perguntou antes que o representante pudesse falar.

– Tomar conta dele será um fardo para nosso clã – respondeu Nevasca, pensativo. – Mas Presa Amarela tem razão. Se o mandarmos para a floresta ou tirarmos sua vida a sangue-frio, o Clã das Estrelas saberá que descemos tão baixo quanto ele.

Caolha deu um passo à frente. – Estrela Azul – ela miou com sua voz um pouco rouca. – No passado mantivemos prisioneiros durante muitas luas. Podemos fazer isso de novo. – Coração de Fogo lembrou-se então de que a própria Presa Amarela tinha sido prisioneira ao chegar ao acampamento. Achou que a curandeira fosse mencionar o fato a Estrela Azul, mas ficou calada.

– Quer dizer, então, que você considera a possibilidade de mantermos esse patife no acampamento? – Os olhos de Garra de Tigre brilhavam de raiva ao interpelar a líder. Com um aperto no coração, Coração de Fogo teve de admitir que concordava com o representante. A ideia de matar Estrela Partida o fazia estremecer; sabia melhor do que ninguém o que isso significaria para Presa Amarela. Mas mesmo cego, ele era um inimigo a ser temido. Mantê-lo no acampamento seria difícil e perigoso para todo o clã.

– Ele está realmente cego? – perguntou a líder.

– Está, sim.

– Tem outros ferimentos?

Foi Coração de Fogo quem respondeu. – Cravei profundamente minhas garras nele – admitiu. Olhou para Presa Amarela e se sentiu aliviado ao ver a curandeira inclinar ligeiramente a cabeça, dando-lhe a entender que o perdoava por ter ferido seu filho.

– Quanto tempo será necessário para ele ficar bom? – perguntou Estrela Azul.

– Mais ou menos uma lua – respondeu a curandeira.

– Então você pode tratar dele até lá. Depois disso voltaremos a discutir seu futuro. E, de agora em diante, vamos chamá-lo Cauda Partida, não Estrela Partida. Não podemos tirar as vidas que o Clã das Estrelas lhe deu, mas esse gato não é mais um líder de clã. Estrela Azul olhou interrogativamente para Garra de Tigre, que agitou a cauda, mas nada disse.

– Está decidido – miou Estrela Azul –, ele fica.

CAPÍTULO 27

CORAÇÃO DE FOGO, MANCANDO, foi até a moita de urtigas e começou a lamber suas feridas. Mais tarde iria ver Presa Amarela, quando ela tivesse terminado de tratar dos outros gatos.

Os pálidos raios do sol poente lançavam sombras pela clareira. Rabo Longo havia liberado Pata de Poeira de montar guarda. Garra de Tigre levara os gatos incólumes da tropa à caça de presas frescas. O estômago do jovem guerreiro roncava. Olhou para cima, ao ouvir passos, mas eram apenas Pata de Areia e Pata Ligeira que tinham acabado de enterrar Cara Rasgada.

Os dois aprendizes se aproximaram de Estrela Azul, que estava aos pés da Pedra Grande com Nevasca. Coração de Fogo se levantou e foi até eles. Com um movimento da cauda, fez sinal para Pata de Poeira, que lambia as próprias feridas, ao lado do toco de árvore. O jovem lançou-lhe um olhar desconfiado, mas levantou-se, exausto, e seguiu o guerreiro.

– Enterramos Cara Rasgada – miou Pata de Areia.

– Obrigada – disse Estrela Azul. A líder olhou diretamente para Pata Ligeira. – Você pode ir. – O aprendiz preto e branco se inclinou e foi para a toca.

Coração de Fogo fez sinal de novo para Pata de Poeira se aproximar. O jovem estreitou os olhos e se colocou ao lado de Pata de Areia.

– Estrela Azul – começou Coração de Fogo, hesitante –, Pata de Areia e Pata de Poeira lutaram como guerreiros quando Cauda Partida nos atacou. Sem a força e a coragem deles, teríamos tido muito mais problemas. – Os olhos de Pata de Poeira se arregalaram, e Pata de Areia fitou o chão enquanto o guerreiro falava.

Nevasca deixou escapar um ronronado. – Timidez não combina com você – miou para a aprendiz.

As orelhas de Pata de Areia se movimentaram com desconforto. – Foi Coração de Fogo que salvou o clã – disparou a gata. – Foi ele que alertou o acampamento para que nos preparássemos para o ataque de Cauda Partida.

Foi a vez de o guerreiro se sentir sem graça. Ficou aliviado quando Garra de Tigre e a patrulha de caça, carregados de presas frescas, chegaram.

Estrela Azul acenou para o representante e depois se virou para Pata de Poeira e Pata de Areia. – Fico orgulhosa de saber que o Clã do Trovão conta com guerreiros tão bons. É tempo de conceder a você dois seus nomes de guerreiros. A cerimônia de nomeação acontecerá agora, enquanto o sol está se pondo. Podemos jantar depois.

Os dois aprendizes se entreolharam, empolgados. Coração de Fogo ergueu o queixo e ronronou. Estrela Azul convocou os membros do clã, e Coração de Fogo ficou ainda mais feliz quando viu Listra Cinzenta sair da toca dos guerreiros. Ele não havia deixado o acampamento, afinal.

O clã se reuniu à volta da clareira. Anciãos e rainhas se sentaram com os aprendizes e filhotes de um lado; Coração de Fogo, com os guerreiros, do outro. Ele olhou para Filhote de Nuvem, aninhado perto de Cara Rajada. Os olhos do filhote brilhavam de entusiasmo, e Coração de Fogo sentiu uma onda de orgulho ao pensar que o sobrinho o via junto aos guerreiros do clã. Estrela Azul ficou no centro, com Pata de Areia e Pata de Poeira.

Os últimos raios de sol tingiam o horizonte de cor-de-rosa, e o clã esperava em silêncio que ele desaparecesse, deixando em seu lugar um céu salpicado de estrelas.

Estrela Azul fixou o olhar na estrela mais brilhante do Tule de Prata. – Eu, Estrela Azul, líder do Clã do Trovão, invoco meus ancestrais para que desçam o olhar até esses dois aprendizes. Eles treinaram com afinco para entender os ditames do Código e, assim, recomendo-os como guerreiros. – Olhou os dois jovens à sua frente. – Pata de Areia, Pata de Poeira, vocês prometem respeitar o Código dos Guerreiros e proteger e defender este clã, mesmo a custo de suas vidas?

Pata de Areia, radiante, respondeu: – Sim, prometo.

A voz forte e baixa de Pata de Poeira fez eco às palavras da gata: – Sim, prometo.

– Então, pelos poderes do Clã das Estrelas concedo-lhes os nomes de guerreiros. Pata de Areia, de agora em diante, será chamada Tempestade de Areia. O Clã das Estrelas homenageia sua coragem e sua força, e lhe damos as boas-vindas como guerreira do Clã do Trovão. – A líder deu um passo à frente e apoiou o focinho sobre a cabeça inclinada da gata.

Tempestade de Areia lambeu respeitosamente o ombro da líder antes de se virar para Nevasca. Coração de Fogo notou o olhar de orgulho que ela lançou para o mentor ao colocar-se ao lado dele, agora entre os guerreiros.

Estrela Azul voltou-se para o gato malhado em marrom-escuro. – Pata de Poeira, a partir deste momento você será chamado Pelagem de Poeira. O Clã das Estrelas homenageia sua bravura e sua lealdade, e lhe damos as boas-vindas como guerreiro do Clã do Trovão. – A líder tocou-lhe a cabeça com o focinho, e ele também lhe lambeu o ombro, respeitoso, antes de se juntar aos outros guerreiros.

As vozes do clã se ergueram num tributo, desenhando no ar frio nuvens de vapor. Cantaram em uníssono os nomes dos novos guerreiros. – Tempestade de Areia! Pelagem de Poeira! Tempestade de Areia! Pelagem de Poeira!

– Seguindo a tradição de nossos ancestrais – miou Estrela Azul, elevando a voz –, os novos guerreiros devem fazer uma vigília silenciosa até o amanhecer e guardar o acampamento sozinhos enquanto dormimos. Mas antes que comecem a vigília o clã vai compartilhar a refeição. Foi um longo dia e temos razão de sentir orgulho desses gatos que defenderam nosso acampamento contra os vilões. Coração de Fogo, o Clã das Estrelas agradece por sua coragem. É um grande guerreiro, e estou orgulhosa de poder contar com você como membro do meu clã.

Os gatos miaram de novo. Coração de Fogo ronronou ao olhar em volta. Apenas Garra de Tigre e Pelagem de Poeira o fitavam com hostilidade, mas pela primeira vez o jovem guerreiro não se sentiu afetado por aquela inveja. Ele tinha sido elogiado por Estrela Azul; isso bastava.

Um a um os gatos se adiantaram para pegar algumas das presas frescas que a patrulha de Garra de Tigre trouxera.

Coração de Fogo foi até Tempestade de Areia. – Podemos jantar juntos como guerreiros esta noite – miou, contente. – Se você concordar – acrescentou. Ela ronronou para ele, o que lhe deu imenso prazer.

– Escolha alguma coisa para mim – ela disse quando o gato se dirigia para a pilha de presas. – Estou morrendo de fome!

Coração de Fogo escolheu para ela um camundongo apetitosamente gorducho, apesar da estação sem folhas. Pegou para si um canário-da-terra e se voltou para levar a presa para a gata. De repente seu coração se entristeceu. Pelagem de Poeira, Nevasca e Risca de Carvão estavam com ela. Que tolice pensar que poderiam comer sozinhos. Era uma ocasião para o clã todo se confraternizar.

Esse pensamento fez o guerreiro se lembrar de Pata de Cinza. Olhou em volta e se deu conta de que não a vira na cerimônia de nomeação. Devia estar ainda na clareira de

Presa Amarela. Pulou por cima de Tempestade de Areia e deixou a presa ao seu lado. – Volto em cinco pulos de coelho – miou. – Quero levar alguma coisa para Pata de Cinza.

– Claro – respondeu a gata, dando de ombros.

Coração de Fogo rapidamente pegou na pilha um rato silvestre e o levou para o outro lado da clareira. Ficou surpreso ao ver Presa Amarela já em sua toca. Ela provavelmente voltara direto para lá depois da cerimônia.

– Espero que não seja para mim – ela grunhiu quando ele se aproximou. – Já comi a minha parte.

Coração de Fogo largou o rato no chão. – Trouxe para Pata de Cinza. Achei que talvez ela quisesse alguma coisa. Não a vi na cerimônia.

– Dei a ela um pouco de carne de camundongo, mas você faz bem em levar-lhe essa presa.

O guerreiro percorreu os olhos pela clareira sombreada pelas samambaias. Mal se via a pelagem marrom de Cauda Partida através dos ramos do antigo ninho de Retalho. Ele não se movia.

– Ainda está dormindo – o tom era enérgico, mais de curandeira do que de mãe. Coração de Fogo sentiu-se aliviado. Queria crer que Presa Amarela permaneceria leal ao Clã do Trovão. Pegou a presa e foi para o ninho da antiga aprendiz. – Ei, Pata de Cinza – miou suavemente entre a folhagem.

A gata se virou, sentando-se. – Coração de Fogo...

O guerreiro entrou pela vegetação e pôs-se a seu lado, ali depositando a presa que trouxera. – Tome. Presa Amarela não é a única que está tentando engordar você!

– Obrigada – miou a gata, sem tocar no rato silvestre, nem sequer se inclinando para farejá-lo.

– Você ainda está pensando na batalha?

Ela levantou os ombros. – *Sou* apenas um fardo, não sou? – perguntou, encarando o guerreiro com olhos redondos e tristes.

– Quem é um fardo? – O rugido de Presa Amarela os interrompeu, e a curandeira colocou a cabeça para dentro do ninho. – Você está aborrecendo a minha ajudante? Não sei como teria aguentado o dia de hoje se não fosse por ela – disse a gata, olhando para Pata de Cinza com carinho. – Até misturou ervas esta noite!

A jovem abaixou os olhos, tímida, e inclinou a cabeça para dar uma mordida na presa.

– Acho que vou mantê-la por mais algum tempo – continuou Presa Amarela –, pois, a cada dia, se torna mais útil. Ainda mais, estou me acostumando à sua companhia.

Pata de Cinza ergueu os olhos para a curandeira e seu ar agora era travesso. – Só porque você é surda demais para se incomodar com a minha tagarelice! – Presa Amarela fingiu cuspir com raiva e a jovem disse para o antigo mentor: – Bom, pelo menos é isso o que ela vive me dizendo.

Coração de Fogo ficou surpreso ao perceber que sentia um pouco de inveja dos laços estreitos que as duas haviam criado entre si. Costumava pensar em si mesmo como o único amigo verdadeiro que a curandeira tinha no clã. Mas agora parecia que ela encontrara uma nova amizade. Pelo menos Pata de Cinza tinha um lugar para dormir; como não podia mais treinar para ser guerreira, ficava deslocada na toca dos aprendizes.

O gato se levantou. Era hora de voltar e encontrar Tempestade de Areia. – Você vai ficar bem, aqui, com Cauda Partida? – perguntou.

Presa Amarela olhou-o com desdém. – Acho que podemos nos arranjar, não é, Pata de Cinza?

– Ele não se atreveria a criar problema – a gata concordou, confiante. – E Rabo Longo está aqui para ajudar.

Presa Amarela abaixou a cabeça para sair do ninho e Coração de Fogo a seguiu. – Até mais, Pata de Cinza! – disse ele.

– Até, e obrigada pela comida.

– De nada – miou. Depois virou-se para Presa Amarela: – Você tem algum remédio para essa mordida no meu pescoço?

A curandeira examinou o ferimento. – Está bem feia.

– Foi Cauda Partida – confessou o gato.

Ela balançou a cabeça. – Espere aqui. – Foi rápido até a toca e voltou trazendo um molho de ervas embrulhado em folhas. – Você consegue fazer isso sozinho? Basta mastigar algumas ervas e colocar o suco nos machucados. Vai arder, mas nada que um bravo guerreiro não consiga suportar!

– Obrigado, Presa Amarela – disse ele, pegando o molho com a boca.

A curandeira o acompanhou até a entrada do túnel. – Gostei de você ter vindo – ela disse, olhando para o ninho de Pata de Cinza. – Ela estava muito deprimida. Ficou mal depois da batalha e da cerimônia de nomeação.

Coração de Fogo acenou com a cabeça; entendia perfeitamente. Olhou mais uma vez para o lugar onde estava deitado Cauda Partida. – Tem certeza de que você está segura aqui? – perguntou, com as ervas na boca.

– Ele está cego – miou Presa Amarela. Deu um suspiro e, em seguida, acrescentou mais alegre: – E eu não sou *tão* velha assim!

Ao acordar na manhã seguinte, Coração de Fogo viu uma luz branca ofuscante atravessando a parede da toca. Adivinhou que tinha nevado de novo. Pelo menos seus ferimentos tinham parado de doer. A curandeira estava certa: o suco das ervas *tinha* ardido mesmo, mas ele se sentia muito melhor depois de uma noite bem dormida.

O jovem guerreiro ficou imaginando como Tempestade de Areia e Pelagem de Poeira teriam passado a vigília. Sem dúvida devia estar muito frio, lá fora, na neve. Levantou-se e alongou as patas da frente, arqueando as costas e erguendo a cauda acima da cabeça. Os dois novos guerreiros do Clã do Trovão, enroscados, dormiam do outro lado da toca. Provavelmente Nevasca os mandara entrar quando partiu na patrulha do amanhecer.

Coração de Fogo saiu na clareira coberta de neve. Mal distinguia o pelo branco de Pele de Geada que, naquele momento, saía do berçário para esticar as pernas. Havia dois pontos sem neve, no centro da clareira, onde Tempestade de Areia e Pelagem de Poeira tinham passado a noite. Arrepiou-se só de pensar nisso, mas também os invejou ao se lembrar da empolgação de sua primeira noite como guerreiro. Nem o frio mais intenso poderia esfriar o calor que o inundara.

O céu estava coberto de nuvens de neve espessas. Ainda caíam flocos, leves e silenciosos. *A caça ia ser intensa naquele dia*, pensou o guerreiro. O clã precisaria de uma reserva de presas frescas, caso o tempo piorasse.

Ouviu Estrela Azul chamando da Pedra Grande. Os gatos começaram a sair das tocas em direção à líder. Coração de Fogo se instalou num dos pontos que guardava ainda o cheiro de Tempestade de Areia. Viu que Listra Cinzenta estava do outro lado, com ar cansado. Imaginava se o amigo teria escapulido na véspera para ir contar a Arroio de Prata sobre os vilões.

Estrela Azul começou a falar: – Queria ter certeza de que todos sabem que Cauda Partida está no acampamento. – Nenhum dos gatos fez nenhum barulho. Todos já estavam a par; a notícia se espalhara pelo acampamento como fogo na floresta.

– Ficou cego, inofensivo. – Alguns felinos bufaram, descontentes, e Estrela Azul meneou a cabeça, indicando que entendia o medo que sentiam. – Estou tão preocupada quanto vocês com a segurança do clã. Mas o Clã das Estrelas sabe que não podemos deixá-lo morrer na floresta. Presa Amarela vai tratar dele até que seus ferimentos estejam curados. Depois, conversaremos sobre o assunto de novo.

A líder olhou em volta, esperando protestos, mas ninguém falou nada. Então, ela desceu da Pedra Grande. Enquanto os felinos se dispersavam, Coração de Fogo percebeu Estrela Azul se aproximando.

– Coração de Fogo – miou –, há uma coisa que me preocupa. Você ainda não se acertou com Listra Cinzenta. Não os vejo comendo juntos há muito tempo. Como lhe disse antes, aqui não há espaço para brigas. Quero que saiam juntos para caçar hoje.

– Está bem, Estrela Azul. – Para ele, não havia problema. E, depois da batalha da véspera, tinha esperança de que o amigo apreciasse a ideia também. A líder se afastou e ele olhou a clareira, à procura do gato cinza, que, um pouco mais longe, ajudava a limpar a neve da entrada do berçário.

– Olá, Listra Cinzenta – disse Coração de Fogo. O outro continuou seu trabalho. O guerreiro avermelhado saltou sobre ele. – Quer ir caçar hoje?

Listra Cinzenta fitou-o com olhos frios: – Você quer ter certeza de que não vou desaparecer de novo? – rosnou.

Coração de Fogo ficou surpreso: – N... não, pensei que... depois de ontem... Cara Rasgada...

– Teria feito a mesma coisa por qualquer gato do Clã do Trovão. É o que se chama lealdade – miou Listra Cinzenta com raiva, voltando a empurrar a neve.

As esperanças de Coração de Fogo caíram por terra. Será que tinha perdido a confiança do amigo para sempre? Deu as costas, a cauda abaixada, e começou a abrir caminho na neve até a entrada do acampamento. Disse por cima do ombro. – Na verdade, Estrela Azul me mandou ir caçar com você esta manhã, então você é que vai explicar a ela por que não quer vir.

– Ah, entendi, você quer apenas agradar Estrela Azul, como sempre! – silvou Listra Cinzenta. Coração de Fogo deu meia-volta, pronto para replicar, mas parou quando viu Listra Cinzenta atravessar a clareira na sua direção, sacudindo os flocos de neve dos ombros largos.

– Então, vamos – rosnou Listra Cinzenta, passando pelo túnel de tojos.

Sair da ravina era uma escalada difícil, com as pedras cobertas de neve. Quando chegaram ao topo, avistaram diante deles a floresta gelada. Com ar determinado, Listra Cinzenta disparou na frente, e o amigo o seguiu. Coração de Fogo perseguia um camundongo em volta das raízes de um carvalho quando viu o gato cinzento correr atrás de um coelho que cometera a tolice de se afastar da toca. Listra Cinzenta perseguiu a criatura até capturá-la com um golpe certeiro. Depois foi até Coração de Fogo, que o observava, e largou o coelho aos pés do amigo.

– Deve dar para alimentar um ou dois filhotes – rosnou.

– Você não tem que me provar nada.

– Não? – perguntou, amargo, o gato cinza. Seu olhar frio e zangado encontrou o de Coração de Fogo. – Talvez você devesse começar a agir como se confiasse em mim – disse, afastando-se antes que Coração de Fogo pudesse responder.

No sol alto, Listra Cinzenta tinha mais presas que Coração de Fogo, mas ambos haviam trabalhado bem. Voltaram para o acampamento com as mandíbulas pesadas de tanta caça. Entraram na clareira e deixaram as presas frescas no lugar de costume, vazio naquele momento.

Coração de Fogo se perguntava se teria de sair de novo. A neve estava mais pesada agora, e um vento frio começara a soprar na ravina. Ele estudava o céu, cada vez mais escuro, quando ouviu o miado preocupado de Cara Rajada perto do berçário. Aproximou-se com um salto para ver o que tinha acontecido. – O que foi?

– Você viu Filhote de Nuvem?

Coração de Fogo fez que não. – Ele desapareceu? – Sentiu as patas começarem a pinicar; o pânico crescente da gata era contagioso.

– Sim, e meus outros filhotes também. Só fechei os olhos por um segundo. Acabei de acordar e não consigo encontrá-los em nenhum lugar! Está muito frio para que fiquem aí fora. Vão morrer congelados! – A rainha balançava de lá para cá sobre as patas.

O pânico tomou conta dele ao se lembrar da última vez que um felino jovem desaparecera do acampamento. Tinha sido Pata de Cinza.

CAPÍTULO 28

– Vou encontrá-los – prometeu Coração de Fogo. Como por instinto, procurou em volta por Listra Cinzenta. O vento estava aumentando e a neve ficava cada vez mais espessa; não queria ir sozinho. Correu para a toca dos guerreiros. Ele tampouco estava ali.

Tempestade de Areia acabava de acordar. – O que foi? – miou ao ver Coração de Fogo esquadrinhando a toca.

– Os filhotes de Cara Rajada desapareceram.

– Filhote de Nuvem também? – perguntou a gata se levantando, já desperta.

– Também! Eu estava atrás de Listra Cinzenta para que ele fosse comigo procurá-los, mas ele não está aqui – miou Coração de Fogo, atropelando as palavras. Sentiu uma ponta de raiva porque o amigo voltara a desaparecer, e logo depois de tê-lo acusado de não confiar nele!

– Vou com você – ofereceu-se Tempestade de Areia.

O gato piscou. – Obrigado – miou, agradecido. – Vamos, então. É melhor avisar Estrela Azul antes de sairmos.

– Pelagem de Poeira pode avisar. Ainda está nevando?

– Está, e cada vez mais. É melhor corrermos. Coração de Fogo viu que Pelagem de Poeira estava dormindo. – Enquanto você o acorda, vou dizer a Cara Rajada que vamos sair. Encontro você na entrada. – Voltou correndo ao berçário onde a gata ainda farejava à procura de odores.

– Algum sinal?

– Não, nada – a voz de Cara Rajada tremia. – Pele de Geada foi contar a Estrela Azul!

– Bem, não se preocupe. Vou procurá-los – disse o guerreiro, tentando acalmar a rainha. – Tempestade de Areia vai comigo. Vamos encontrá-los.

Cara Rajada fez que sim e continuou sua busca.

Coração de Fogo e Tempestade de Areia chegaram juntos ao túnel de tojos e correram para o bosque. Fora do acampamento, o vento parecia ainda mais feroz. O guerreiro estreitou os olhos e curvou os ombros para se proteger da nevasca.

– Vai ser difícil detectar um odor na neve fresca – ele alertou. – Vamos começar verificando se subiram para a floresta.

– Está bem.

– Você vai para aquele lado – ele apontou com o nariz – e eu vou para o outro. Encontro com você aqui; não demore.

Tempestade de Areia se foi num pulo e Coração de Fogo saltou uma árvore caída, na trilha que o clã seguia com mais frequência. A camada de neve que cobria as laterais da ravina estava ainda mais espessa do que pela manhã e, onde a neve tinha virado gelo, escorregava bastante. Ele parou, levantou a cabeça, a boca entreaberta, mas não conseguiu perceber o cheiro dos filhotes. Procurou em vão por marcas de patas; será que a trilha já fora coberta pela neve?

Seguiu pela base da encosta, mas nem sinal de gatos, menos ainda de filhotes perdidos. O vento era tanto que ele mal sentia a ponta das orelhas. Nenhum filhote conseguiria sobreviver naquela temperatura, e não iria demorar muito para que o sol começasse a se pôr. Precisava encontrá-los antes que caísse a noite.

Coração de Fogo correu para a entrada do acampamento onde Tempestade de Areia o esperava, com o pelo salpicado de pequenos filetes de neve, que ela sacudiu ao vê-lo se aproximar.

– Algum sinal? – miou Coração de Fogo.

– Não, nada.

– Não podem ter ido longe. Venha, vamos tentar por aqui – ele disse, rumando para o vale de treinamento.

Tempestade de Areia lutava para segui-lo. A neve estava cada vez mais profunda e, a cada passo, a gata afundava até a altura da barriga.

O vale estava vazio.

– Você acha que Estrela Azul se dá conta de como o tempo está ruim aqui? – perguntou a guerreira, elevando a voz acima do vento.

– Ela vai saber.

– Deveríamos voltar e pedir ajuda, nos juntarmos a outra patrulha de busca – miou a gata.

Coração de Fogo olhou para a guerreira que tremia. Os filhotes não eram os únicos que congelariam ali. Talvez Tempestade de Areia estivesse certa. – Concordo – ele miou – não podemos fazer isso sozinhos.

Ao se virarem para voltar, Coração de Fogo ouviu gritinhos baixos trazidos pelo vento. – Escutou isso? – perguntou.

A guerreira parou e começou a farejar o ar, agitada. De repente, levantou a cabeça. – Por aqui! – miou apontando com o nariz para uma árvore caída.

Coração de Fogo correu na direção indicada, com Tempestade de Areia logo atrás. Os guinchados ficaram mais altos, até que o guerreiro conseguiu discernir outras vozes pequenas. Subiu no tronco e olhou do outro lado. Agarradinhos na neve, dois filhotes. Coração de Fogo sentiu um alívio enorme, até se dar conta de que o sobrinho não estava com eles. – Onde está Filhote de Nuvem? – grunhiu.

– Caçando – chiou um dos filhotes. Sua voz soou trêmula de frio e medo, mas também com um tom de desafio.

O gato levantou a cabeça – Filhote de Nuvem! – chamou, tentando ver através dos flocos de neve.

– Coração de Fogo, olhe! – Tempestade de Areia estava em cima do tronco de árvore. O guerreiro girou e viu uma forma branca e encharcada arremetendo-se contra a neve, na direção dele. Filhote de Nuvem! Cada passo representava um esforço imenso para o filhotinho, pois a neve era tão alta quanto ele. Entretanto, ele prosseguia, trazendo na boca um pequeno rato silvestre coberto de neve.

Uma onda de alívio e raiva se abateu sobre Coração de Fogo. Deixou Tempestade de Areia com os outros e correu para agarrar o pequeno felino pela nuca. Filhote de Nuvem rosnou em protesto e recusou-se a largar o rato, que balançava entre os dentes.

Coração de Fogo se virou e viu que Tempestade de Areia empurrava os outros dois para perto dele. Tropeçavam e afundavam até as orelhas na neve, mas ela continuava a empurrá-los.

Filhote de Nuvem se contorcia entre os dentes de Coração de Fogo, que finalmente o soltou na neve. O pequeno olhou para ele todo orgulhoso, com a presa ainda na boca. Coração de Fogo estava claramente impressionado; apesar da neve e do vento, o sobrinho conseguira a primeira presa fresca!

– Espere aqui – ordenou, correndo para ajudar Tempestade de Areia. Pegou uma minúscula gatinha que miava, desesperada, e começou a empurrar o outro filhote com o nariz.

O grupo encharcado teve muita dificuldade para voltar ao acampamento. Cara Rajada esperava do lado de fora do túnel de tojos. Estrela Azul, a seu lado, estreitava os olhos por causa da nevasca. Assim que viram o grupo, correram para ajudar. A líder pegou Filhote de Nuvem e Cara Rajada agarrou o outro pequeno; depois, correram para a segurança do acampamento, seguidas de Coração de Fogo e Tempestade de Areia.

Chegando à clareira, os três gatos soltaram os pequenos fardos gelados no chão. O guerreiro sacudiu a neve do pelo e olhou para Filhote de Nuvem, que, teimoso, continuava a segurar a caça entre os dentes.

Estrela Azul olhou para os filhotes. – O que é que vocês pensam que estavam fazendo lá fora? Não sabem que o Código dos Guerreiros proíbe a caça aos filhotes?

Os dois filhos de Cara Rajada se encolheram diante do olhar zangado da líder, mas Filhote de Nuvem fixou nela os olhos redondos e azuis. Largou o rato silvestre e miou: – O clã precisava de presas frescas; aí, decidimos pegar algumas.

Coração de Fogo estremeceu diante daquela ousadia.

– De quem foi a ideia? – perguntou a líder.

– Minha – anunciou Filhote de Nuvem, sem abaixar a cabeça.

Estrela Azul fixou os olhos no filhote petulante e rosnou: – Vocês podiam ter morrido congelados lá fora!

Filhote de Nuvem, surpreso com o tom zangado, se agachou. – Fizemos pelo clã – miou em sua defesa.

Coração de Fogo prendeu o fôlego, à espera da reação da líder. Filhote de Nuvem quebrara o Código dos Guerreiros. Estrela Azul mudaria de ideia sobre sua permanência no clã?

– Sua intenção – miou, devagar, a líder – foi boa, mas foi também uma coisa bastante tola. – Coração de Fogo sentiu uma ponta de esperança, mas se contraiu todo ao ouvir Filhote de Nuvem retrucar.

– Mas eu *peguei* alguma coisa.

– Estou vendo – replicou a líder friamente. Olhou para os três pequenos. – Vou deixar que a mãe de vocês decida o que fazer, mas não quero vê-los fazendo nada parecido de novo. Entenderam?

Coração de Fogo relaxou um pouco, ao vê-los concordar. – Filhote de Nuvem, você pode colocar sua presa na pilha – acrescentou a líder. – Depois, vão direto para o berçário para se secarem e se aquecerem. – O jovem guerreiro ficou surpreso. Será que detectara um tom maternal na voz da líder?

Os filhotes de Cara Rajada foram tropeçando para o berçário, seguidos pela mãe; Filhote de Nuvem pegou o rato silvestre para colocar na pilha de presas. O porte altivo de sua cabeça fez pinicarem de preocupação as patas de Coração de Fogo, que, no entanto, teve a impressão de notar um brilho de admiração nos olhos da líder, que observava o filhote se afastar.

– Muito bem, vocês dois – miou Estrela Azul, voltando a atenção para Tempestade de Areia e Coração de Fogo. – Vou mandar Rabo Longo buscar a outra patrulha. Vão para a toca e aqueçam-se, também!

– Sim, Estrela Azul – respondeu Coração de Fogo. Estava saindo quando a líder o chamou. – Quero falar com você. – O guerreiro ficou apreensivo com o tom. Talvez ele tivesse relaxado cedo demais.

– Filhote de Nuvem demonstrou hoje grandes habilidades para caçar, mas de nada valem todas as habilidades do mundo se não aprender a obedecer ao Código dos Guerreiros. Agora se trata da segurança dele; no futuro, disso vai depender a segurança de todo o clã.

Coração de Fogo fitou o chão. Sabia que ela estava certa, mas talvez a líder esperasse demais de um filhote tão jovem. Filhote de Nuvem estava no clã havia pouco. Coração de Fogo engoliu certo ressentimento ao pensar em Listra Cinzenta, que mesmo tendo nascido no clã estava desobedecendo descaradamente ao Código dos Guerreiros. Olhou para a líder e miou: – Sim, Estrela Azul; vou me assegurar de que aprenda.

– Ótimo – ela disse, com tom de satisfação. Então ela se virou e saiu na direção de sua toca.

Embora não estivesse mais com frio, Coração de Fogo foi para a toca dos guerreiros. As palavras de Estrela Azul queimavam dentro dele. Entrou, arrumou o ninho e começou a se lavar. Permaneceu lá toda a tarde, cismado com Listra Cinzenta e com Filhote de Nuvem. Sabia que a líder estava certa. O orgulho e o olhar desafiador que percebera no filhote branco fizeram o guerreiro refletir se o jovem seria capaz de se ajustar à vida do clã.

Quando chegou a noite, a fome o fez sair do refúgio. Pegou um tordo na pilha e foi comê-lo perto da moita de urtigas. Já estava escuro, e a neve tinha parado. Quando seus olhos se acostumaram à escuridão, viu claramente a entrada do acampamento.

Percebeu Listra Cinzenta assim que o amigo chegou; observou-o ir até a pilha e ali despejar a caça. No final das contas, talvez estivesse apenas caçando.

O gato cinzento deixou na pilha a maior parte do que trouxera, ficando apenas com um camundongo, que levou a um lugar protegido perto do muro do acampamento. A breve esperança de Coração de Fogo esmaeceu. O jeito distraído no olhar do amigo dizia que as suspeitas eram justificadas: estivera com Arroio de Prata.

Coração de Fogo foi para a toca onde, sem nenhuma dificuldade, caiu em sono profundo. Voltou a sonhar.

A floresta coberta de neve se estendia diante dele e brilhava cor de prata sob a lua fria. Coração de Fogo estava de pé numa rocha alta e escarpada; a seu lado, Filhote de Nuvem, já como guerreiro, com o pelo branco ondulado pelo vento. Sob suas patas, o gelo cintilava na pedra.

– Olhe! – ele silvou para o sobrinho. Um rato do campo corria à volta das raízes congeladas de uma árvore. Filhote de Nuvem seguiu o olhar do tio e pulou da rocha, sem fazer barulho. Coração de Fogo observou o gato branco rondar a caça. De repente, sentiu um odor muito suave e familiar, que o fez estremecer. Sentiu um hálito morno perto da orelha; virou-se depressa e viu Folha Manchada a seu lado.

O pelo sarapintado da gata brilhava ao luar, e ela tocou, com o nariz rosado e suave, o focinho do guerreiro. – Coração de Fogo – sussurrou –, trago-lhe um aviso do Clã das Estrelas. – Seu tom era sombrio, seus olhos queimavam. – A batalha está próxima. Tome cuidado com o guerreiro em quem não pode confiar.

O guincho de um camundongo fez o guerreiro dar um pulo e olhar em volta. Filhote de Nuvem, com certeza, pegara a caça. Voltou-se para Folha Manchada, mas ela havia desaparecido.

Coração de Fogo acordou sobressaltado; virou-se para o ninho ao lado, e lá estava Listra Cinzenta todo enrolado, dormindo profundamente, o focinho sob a cauda de pelo espesso. As palavras de Folha Manchada ainda ecoavam em sua cabeça. – Tome cuidado com o guerreiro em quem não pode confiar!

Ele estremeceu. O frio cruel da floresta parecia colar em seu pelo até mesmo ali, e o doce cheiro de Folha Manchada continuava em suas narinas. O gato cinza se espreguiçou resmungando no sono, e Coração de Fogo se encolheu de medo. Sabia que não conseguiria dormir de novo, mas ficou no ninho, observando o amigo dormir, até que a luz do alvorecer começou a brilhar através das paredes da toca.

CAPÍTULO 29

ASSIM QUE CLAREOU, Pele de Salgueiro acordou. Coração de Fogo observou-a se levantar, se espreguiçar, depois sair da toca. Olhou uma última vez para Listra Cinzenta, que dormia, e depois seguiu a gata.

– Parou de chover – miou o felino, desesperado para quebrar o silêncio espectral que envolvia o acampamento cheio de neve. Sua voz ecoou por toda a clareira, e Pele de Salgueiro balançou a cabeça, concordando.

Um farfalhar acompanhou o odor de Garra de Tigre e Vento Veloz, que saíam da toca. Os dois se acomodaram ao lado de Pele de Salgueiro e começaram a se lavar. *Prontos para a patrulha do amanhecer*, pensou Coração de Fogo. Será que deveria se oferecer para ir junto? Afinal, assim poderia correr pela floresta. Mas outra parte dele queria ficar e vigiar Listra Cinzenta. As palavras de Folha Manchada ainda pesavam em seu coração. Não conseguia apagar a ideia de que era o amigo o guerreiro em quem não podia confiar. O gato cinza insistia em dizer que a relação com Arroio de

Prata não alterava em nada sua lealdade para com o clã; mas como isso seria possível? O simples fato de vê-la já era uma violação do Código dos Guerreiros!

De repente, Garra de Tigre ergueu a cabeça como se farejasse alguma coisa. Coração de Fogo ficou tenso, suas orelhas se mexeram. Ao longe, ouviu o ranger de patas velozes na neve. A brisa trouxe o cheiro do Clã do Vento. O som dos passos aumentou. Como se fossem um, os guerreiros se retesaram; um gato correu até eles através do túnel de tojos. Garra de Tigre arqueou as costas e silvou quando Bigode Ralo irrompeu na clareira.

O guerreiro do Clã do Vento derrapou, parando em frente dos felinos com os olhos cheios de medo. – O Clã das Sombras e o Clã do Rio! – disparou. – Estão atacando nosso acampamento! São mais numerosos do que nós, e estamos lutando por nossas vidas. Estrela Alta se recusa a se retirar desta vez. Vocês precisam nos ajudar, ou nosso clã será varrido da floresta!

Estrela Azul saltou para fora da toca. Todos os olhares se desviaram de Bigode Ralo para ela. – Ouvi isso – miou a líder. Sem subir na Pedra Grande, ela deu o brado usual para reunir o clã. Bigode Ralo ficou observando, enquanto os felinos saíam das tocas na luz da manhã. O odor de medo que ele exalava encheu a clareira.

Reunido o clã, a líder começou a falar: – Não há tempo a perder. Aconteceu o que temíamos: o Clã das Sombras uniu-se ao Clã do Rio, e agora estão atacando o acampamento do Clã do Vento. Temos de ajudá-los. – Fez uma pausa e olhou para os guerreiros que a fitavam, consternados. Bigode Ralo permaneceu em silêncio ao lado dela, ouvindo-a com os olhos arregalados e cheios de esperança.

Coração de Fogo estava estarrecido. Desde que os traidores tinham sido descobertos, achou que podiam confiar em Estrela da Noite. Agora, pelo visto, o líder do Clã das Sombras quebrara o Código dos Guerreiros ao se unir ao Clã do Rio para expulsarem o Clã do Vento de casa, mais uma vez.

– Mas estamos na estação sem folhas. Esgotados! – protestou Retalho. – Já nos arriscamos pelo Clã do Vento antes. Que eles cuidem de si mesmos desta vez. – Alguns murmúrios de aprovação se ergueram dos anciãos e das rainhas.

Foi Garra de Tigre quem respondeu, dando um passo à frente para se colocar ao lado de Estrela Azul: – Você está certo em ser prudente, Retalho. Mas se o Clã das Sombras e o Clã do Rio se uniram, é apenas uma questão de tempo até que se voltem contra nós. É melhor lutarmos agora, junto com o Clã do Vento, do que mais tarde, sozinhos!

Estrela Azul olhou para Retalho, que fechou os olhos e levantou a cauda, concordando com Garra de Tigre.

Presa Amarela abriu caminho entre os gatos e, com muita calma, falou à líder. – Acho que você deveria permanecer no acampamento, Estrela Azul. A febre da tosse verde pode ter passado, mas você ainda está fraca. – As duas gatas trocaram olhares cujo sentido Coração de Fogo entendeu muito bem. Estrela Azul estava vivendo sua nona e última vida e, pelo bem do clã, não poderia arriscá-la em batalha.

A líder concordou prontamente: – Garra de Tigre, quero que organize dois grupos, um para conduzir o ataque e outro para cobrir a retaguarda. Temos de chegar lá o mais rápido possível!

– Sim, Estrela Azul. – Garra de Tigre se virou para os guerreiros. – Nevasca, você vai liderar o segundo grupo e eu me ocupo do primeiro. Risca de Carvão, Pelo de Rato, Rabo Longo, Pelagem de Poeira e Coração de Fogo vêm comigo. – O guerreiro avermelhado ergueu a cabeça ao ouvir seu nome, sentindo um arrepio percorrer-lhe o corpo. Ele ia fazer parte do grupo de ataque!

– Você! – falou Garra de Tigre para Bigode Ralo. – Como é seu nome? – O guerreiro do Clã do Vento sobressaltou-se com o tom da pergunta.

Foi Coração de Fogo quem respondeu: – Bigode Ralo.

Garra de Tigre balançou a cabeça, quase sem olhar para Coração de Fogo: – Bigode Ralo, você vai com o meu grupo. Os demais guerreiros do Clã do Trovão vão acompanhar Nevasca. Você também, Pata de Samambaia.

– Todos prontos? – perguntou o representante. Os guerreiros ergueram a cabeça e soltaram um grito de guerra. Garra de Tigre subiu, veloz, em direção ao túnel de tojos, seguido pelos demais.

Escalaram a ravina rumo à floresta. Iam para Quatro Árvores, de lá para o planalto. Enquanto corria entre as árvores, Coração de Fogo viu, por cima do ombro, Listra Cinzenta lá no fim do grupo, o rosto implacável, olhando para a frente, sem expressão. Coração de Fogo se perguntava se Arroio de Prata estaria na batalha. Sentiu pena do amigo, mas dessa vez não tinha dúvidas sobre sua própria disposição para a luta. Depois de reconduzir o Clã do Vento para casa, sentia-se responsável por eles. Não permitiria que nenhum clã os banisse outra vez para os túneis do Caminho do Trovão.

O perfume de Folha Manchada voltou-lhe às narinas; o pelo do gato se eriçou. "Tome cuidado com o guerreiro em quem não pode confiar!" Esta seria uma batalha difícil por diferentes motivos. Agora Listra Cinzenta teria de decidir a quem dedicar sua lealdade.

Mesmo tendo parado de nevar, o percurso era bastante árduo. Uma crosta de gelo se formara sobre a neve, mas se quebrava com o peso dos guerreiros, que afundavam na camada mais macia que ficava por baixo.

– Garra de Tigre! – o grito de Pele de Salgueiro soou lá de trás. O representante se virou.

– Estamos sendo seguidos!

Essas palavras fizeram Coração de Fogo estremecer. Teriam caído numa armadilha? Em silêncio, o grupo refez os passos, alerta e desconfiado. Um galho pesado de neve se quebrou, fazendo Pata de Samambaia dar um salto.

– Espere – silvou Garra de Tigre.

Os felinos se agacharam na neve profunda. Coração de Fogo ouviu passos. Pareciam leves, pequenas patas pisando com delicadeza na crosta gelada. Consternado, Coração de Fogo compreendeu quem estava ali um átimo antes que

Filhote de Nuvem e os dois filhotes de Cara Rajada surgissem de trás de um tronco.

O representante ergueu-se nas patas traseiras e os pequenos guincharam de medo. O veterano os reconheceu no mesmo instante e voltou às quatro patas. – Mas o que é que estão fazendo aqui? – disparou.

– Queríamos participar da batalha – miou Filhote de Nuvem. Coração de Fogo estremeceu.

– Coração de Fogo! – chamou Garra de Tigre. O gato se aproximou depressa e o representante disparou, impaciente. – Você trouxe esse filhote para o clã, agora resolva o problema.

O guerreiro fitou os olhos cintilantes de Garra de Tigre. Sabia que o representante estava tentando forçá-lo a escolher: juntar-se ao grupo de combate e lutar pelo clã, ou tomar conta do filhote gatinho de gente. Toda a patrulha esperava em silêncio que ele dissesse alguma coisa.

Coração de Fogo sabia que sua escolha era lutar pelo clã, mas não podia sacrificar o sobrinho. Filhote de Nuvem e os pequenos companheiros tinham de ser levados de volta para casa em segurança por outro gato. Mas qual deles não faria falta na patrulha?

Coração de Fogo chamou o aprendiz de Listra Cinzenta: – Pata de Samambaia, por favor, leve esses filhotes para casa. – Pensou que Listra Cinzenta fosse fazer alguma objeção, mas ele continuou em silêncio.

Coração de Fogo sentiu uma pontada de culpa ao ver o aprendiz baixar a cauda. – Você ainda terá muitas batalhas para lutar – prometeu.

– Mas você disse que um dia lutaríamos lado a lado! – Ouviu-se o protesto de Filhote de Nuvem através das árvores. Garra de Tigre lançou um olhar de zombaria que fez o pelo de Coração de Fogo eriçar, em desconforto, enquanto os outros guerreiros se divertiam com as palavras do filhote. Mas o guerreiro se recusava a demonstrar embaraço. – Um dia lutaremos juntos. Mas não hoje!

Os ombros do gatinho branco relaxaram e Coração de Fogo suspirou aliviado ao vê-lo se juntar ao grupo de Pata de Samambaia para voltar ao acampamento.

– Estou surpreso com a sua escolha, Coração de Fogo – zombou Garra de Tigre. – Não imaginava que estivesse com tanta pressa de participar *desta* batalha.

Com o sangue pulsando nas veias, o corpo vibrando de raiva, Coração de Fogo encarou o representante: – Se estivesse tão disposto quanto eu – retorquiu –, você daria o grito de guerra em vez de nos segurar aqui enquanto os guerreiros do Clã do Vento morrem!

Garra de Tigre lançou-lhe um olhar de ódio, depois jogou a cabeça para trás e rugiu para o céu antes de disparar para o acampamento do Clã do Vento. Coração de Fogo e os outros o seguiram, passando por Quatro Árvores e subindo a encosta íngreme que levava ao planalto. Avançavam em grandes saltos; a neve abafava o barulho das patas.

Quando alcançaram o topo, Coração de Fogo estava maltratado pelo vento furioso, que virava suas orelhas do avesso. As zonas de caça do Clã do Vento pareciam mais áridas do que nunca, o tojo coberto por uma camada de neve.

– Coração de Fogo! Você sabe o caminho para o acampamento do Clã do Vento! – urrou Garra de Tigre. – Leve-nos até lá – disse, diminuindo o passo para que o jovem guerreiro tomasse a frente. Coração de Fogo se perguntava se o representante não confiava em Bigode Ralo suficiente para deixá-lo guiar a patrulha. Olhou de novo para Listra Cinzenta, esperando alguma ajuda, mas o amigo mantinha a cabeça baixa e os ombros arqueados, infeliz, com o pelo espesso fustigado pelo vento. Não viria muita ajuda dali. Coração de Fogo ergueu os olhos para o Clã das Estrelas e fez uma prece pedindo orientação.

Ficou surpreso ao perceber que reconhecera a forma do terreno mesmo sob a neve. Lá estavam a toca do texugo e a pedra que Listra Cinzenta escalara para ter uma perspectiva melhor. Seguiu os contornos que lembrava ter feito naquele dia com o amigo até atingir a depressão na terra, que marcava o acampamento do Clã do Vento.

Coração de Fogo parou na beira do vale. – Aqui embaixo! – gritou. Num tique-taque de coração, o vento se acalmou e, ao longe, ouviram os sons da batalha: gritos e urros de gatos lutando furiosamente.

CAPÍTULO 30

GARRA DE TIGRE SE DIRIGIU aos guerreiros com um silvo feroz que trespassou a tempestade de neve. – Nevasca, espere até ouvir meu grito de guerra! Bigode Ralo, você nos guiará pela entrada do acampamento; cuidaremos do resto.

Bigode Ralo desceu correndo a encosta em direção aos arbustos cobertos de neve. Garra de Tigre o seguiu como um raio; colado nele ia Risca de Carvão. Coração de Fogo disparou atrás do gato malhado através do túnel estreito que levava ao acampamento do Clã do Vento. Os tojos eram densos e cortantes, tal como ele se lembrava. Listra Cinzenta e os outros guerreiros ficaram no alto da encosta, como uma reserva de combatentes pronta para atacar depois da investida inicial.

Coração de Fogo parou de repente e sobressaltou-se diante do que vislumbrou na clareira do acampamento. Na última vez que estivera ali, procurando a trilha de odores que o conduziria ao clã desaparecido, o lugar estava deserto e silencioso. Agora fervilhava de felinos que se retorciam em golpes, enfrentando-se entre gritos e guinchos. Bigode Ralo estava certo: os gatos do Clã do Vento eram claramente minoria. Um reforço de guerreiros do Clã das Sombras e do Clã do Rio esperava na beirada da clareira, mas o Clã do Vento não podia dispor de um grupo de apoio. Todo o clã se juntara à batalha: aprendizes e anciãos, guerreiros e rainhas.

Coração de Fogo viu Flor da Manhã lutando com um guerreiro do Clã das Sombras. A rainha do Clã do Vento parecia exausta e amedrontada, a pelagem em tufos desgrenhados. Mesmo assim, meio entorpecida, rodopiava e arranhava o atacante, que, muito maior, jogou-a no chão sem dificuldade com um tapa forte.

Soltando um urro, Coração de Fogo saltou e aterrissou sobre os ombros do gato do Clã das Sombras, agarrando-o com força. O inimigo, surpreso, girou e tentou se soltar. Flor da Manhã correu as garras pelo corpo do adversário enquanto Coração de Fogo o empurrava para o chão. O guerreiro do Clã das Sombras soltou um guincho e se desvencilhou, correndo em seguida para o muro espinhado do acampamento, por onde fugiu. Flor da Manhã lançou um olhar de agradecimento para Coração de Fogo e voltou à batalha.

O jovem guerreiro olhou em volta, sacudindo do nariz algumas gotas de sangue. As patrulhas de apoio dos gatos do Clã das Sombras e do Clã do Rio tinham se juntado à luta. A chegada do Clã do Trovão equilibrou os exércitos por um momento, mas uma nova patrulha já se fazia necessária. Coração de Fogo ouviu o grito de guerra de Garra de Tigre e, um instante depois, Nevasca surgiu na clareira, seguido por Listra Cinzenta, Vento Veloz e os demais guerreiros do Clã do Trovão.

Coração de Fogo agarrou um felino do Clã do Rio e deu-lhe uma rasteira com uma das patas; com a outra, segurou-o no chão. Virou o gato de barriga para cima e fincou-lhe as unhas no ventre, lacerando-o. O inimigo deu um pulo e chocou-se com um guerreiro do Clã do Vento, que se voltou, surpreso. Coração de Fogo imediatamente reconheceu Bigode Ralo e o observou quando ele se ergueu nas patas traseiras e atacou o felino do Clã do Rio, sem descanso. Viu que os olhos do guerreiro do Clã do Vento flamejavam. Podia deixá-lo terminar aquela luta.

Um silvo familiar chamou a atenção de Coração de Fogo. Era Listra Cinzenta lutando com um gato cinza do Clã das Sombras. Era Pé Molhado, um dos guerreiros que os ajudara a expulsar Estrela Partida. A força dos dois era equilibrada. Listra Cinzenta empurrou Pé Molhado com as patas traseiras e rodopiou, procurando outro felino para atacar. Coração de Fogo viu, então, um gato do Clã do Rio bem atrás do amigo. Acima do clamor da batalha, ouvia o sangue estrondear nos ouvidos. Será que Listra Cinzenta atacaria um dos companheiros de Arroio de Prata?

Listra Cinzenta pulou e Coração de Fogo prendeu a respiração. Em vez de se lançar sobre o gato do Clã do Rio, Listra Cinzenta passou por cima dele e aterrissou sobre as costas de um guerreiro do Clã das Sombras.

Coração de Fogo ouviu Garra de Tigre chamá-lo. Ao se virar, avistou o representante do outro lado da clareira, onde a batalha era ainda mais árdua, com gatos de todos os clãs se engalfinhando.

Ao correr até o representante do Clã do Trovão, Coração de Fogo sentiu Pelo de Leopardo agarrar-lhe a perna, derrubando-o.

– Você! – silvou a representante do Clã do Rio. A última vez que tinham se encontrado fora à beira do precipício, quando Garra Branca morreu.

Coração de Fogo atirou-a longe e pôs-se de costas no chão. Tarde demais, percebeu que expusera sua barriga macia ao perigo. Pelo de Leopardo, sem perder tempo, levantou-se sobre as patas traseiras e lançou-se com todo o peso sobre Coração de Fogo. Com a respiração suspensa, o guerreiro sentiu as garras afiadas cravarem em seu ventre. Soltou um urro de dor. Revirou os olhos e viu Garra de Tigre do outro lado da clareira, observando-o com olhos frios e inexpressivos.

– Ajude-me, Garra de Tigre! – urrou o jovem guerreiro.

Mas o representante não se moveu. Apenas observava Pelo de Leopardo cravar-lhe as garras afiadas repetidamente.

A raiva restituiu-lhe as forças de que necessitava. Lutando contra a dor, puxou as patas traseiras e, em seguida, chutou a barriga de Pelo de Leopardo com toda a força de que dispunha. Coração de Fogo notou o semblante de surpresa quando seu chute a ergueu do chão, lançando-a no meio da clareira. Ele se levantou com dificuldade e, ardendo de dor e raiva, encarou Garra de Tigre, que lhe devolveu o olhar uma expressão de ódio indisfarçável e pulou de volta para o centro da batalha.

Um golpe na nuca tirou o equilíbrio de Coração de Fogo, que cambaleou e, ao virar-se, deparou com Pelo de Pedra. O guerreiro do Clã do Rio se preparava para acertar-lhe outro golpe. Coração de Fogo esquivou-se e empurrou o inimigo direto para Nevasca, que rodopiou e agarrou Pelo de Pedra pelo cangote. Coração de Fogo quis correr para ajudar o guerreiro de pelo branco, mas foi impedido por garras afiadas que o arrastaram pelo quadril. Contorceu-se para ver quem o segurava e percebeu, de relance, uma pelagem acinzentada. Era Arroio de Prata.

A guerreira se ergueu nas patas traseiras, com o rosto contorcido de raiva. Corria sangue em seus olhos, e Coração de Fogo se deu conta de que ela não o reconhecera. Então ela puxou a pata para trás, preparando-se para atacá-lo, e o guerreiro viu suas garras longas faiscarem. Quando Coração de Fogo estreitou os olhos para esperar o golpe, ouviu um grito familiar. – Arroio de Prata! Não!

Listra Cinzenta, pensou Coração de Fogo.

A gata hesitou, sacudiu a cabeça e, com um arquejo mudo, reconheceu Coração de Fogo. Voltou às quatro patas, os olhos arregalados de susto.

Coração de Fogo reagiu instintivamente; o sangue fervilhava por causa da batalha. Sem pensar, pulou nas costas da gata do Clã do Rio, imobilizando-a no chão. Ela não reagiu quando ele se afastou para desferir-lhe uma terrível dentada no ombro. Mas ao levantar a cabeça, o guerreiro sentiu o olhar de Listra Cinzenta trespassando-o. Do outro lado do campo de batalha, o amigo o observava, horrorizado.

A expressão de dor e incredulidade de Listra Cinzenta chamou Coração de Fogo de volta à razão. Ele parou, retraiu as garras e soltou Arroio de Prata, que escapuliu por entre os tojos à volta da clareira. Chocado, ainda, viu o amigo correr atrás dela.

Coração de Fogo sentiu que estava sendo observado. Olhou em volta e, do outro lado da clareira, Risca de Carvão o fitava. Ele se retraiu. O romance de Listra Cinzenta o forçara afinal a ser desleal com o Clã do Trovão: acabara de deixar uma inimiga fugir! O que Risca de Carvão teria visto? Só então Coração de Fogo ouviu o pedido de socorro de Vento Veloz. O gato malhado confrontava Estrela da Noite, o perverso líder do Clã das Sombras. O jovem guerreiro cortou a multidão de felinos, colocando-se ao lado de Vento Veloz.

Sem hesitar, pulou e agarrou Estrela da Noite por trás. O guerreiro negro urrou de raiva quando Coração de Fogo o puxou para trás e fincou-lhe as garras na pelagem. Tinham combatido lado a lado havia apenas algumas luas, quando, juntos, expulsaram Estrela Partida. Entretanto, naquele momento, o guerreiro avermelhado cravou os dentes no ombro de Estrela da Noite com a mesma ferocidade que usara naquela ocasião contra o antigo líder do Clã das Sombras.

O guerreiro negro urrava e se contorcia entre os dentes do adversário. *Aquele gato não chegara a líder à toa*, pensava Coração de Fogo, lutando para não deixá-lo escapar. Estrela da Noite conseguiu, enfim, se soltar, mas Vento Veloz já estava pronto para outro golpe. Deu um salto e os dois guerreiros rolaram pela clareira congelada. Coração de Fogo observou-os lutar e, escolhendo o momento certo, aterrissou com toda a força nas costas do líder do Clã das Sombras, agarrando-o com mais firmeza dessa vez, pronto para impedir que se soltasse. Mas Vento Veloz também o prendia com força; ambos arranharam e morderam o líder do Clã das Sombras até ele guinchar bem alto. Então o soltaram, pulando para trás, mas ainda mantendo as garras de fora.

Estrela da Noite se levantou de um pulo e rodopiou silvando; Coração de Fogo viu o ódio em seus olhos, mas o guerreiro negro sabia que estava derrotado. O líder recuou, perscrutando a clareira onde seus guerreiros sofriam tratamento igual por parte do Clã do Trovão. Ordenou a retirada com um grito. No mesmo instante, os guerreiros pararam de lutar e, seguindo o líder, saíram do acampamento por trás dos tojos. O Clã do Rio teria de confrontar sozinho o Clã do Trovão e o Clã do Vento.

Coração de Fogo fez uma pausa para recuperar o fôlego, piscando para expulsar o sangue que lhe escorria dos olhos. Com Pelo de Rato ao seu lado, Nevasca se engalfinhava com Pelo de Leopardo. Tempestade de Areia lutava com um guerreiro do Clã do Rio que tinha quase o dobro de seu tamanho, mas apenas a metade de sua velocidade. Coração de Fogo viu-a se contorcer para a direita e para a esquerda, rodando à volta do guerreiro, até esgotá-lo.

Pelagem de Poeira enfrentava um gato preto acinzentado que Coração de Fogo reconheceu ser Garra Negra, o guerreiro do Clã do Rio que ele vira caçando coelhos no planalto. Pelagem de Poeira lutava com obstinação, sem se intimidar com as patadas e mordidas ferozes do adversário. Cada vez que ficava acuado, o jovem guerreiro conseguia se safar muito bem. Parecia não precisar de ajuda, e Coração de Fogo imaginou que Pelagem de Poeira preferia que ele não interviesse naquela luta.

Onde estava Estrela Torta? Coração de Fogo procurou na clareira pelo líder do Clã do Rio. Não foi difícil encontrá-lo. Depois da fuga do Clã das Sombras, a clareira estava mais vazia. Logo viu o gato malhado de cores claras e mandíbula torta. Estava agachado bem rente ao chão, face a face com Garra de Tigre. Os dois se encaravam, as caudas se agitando, desafiadoras. O sangue de Coração de Fogo lhe martelava nas veias, enquanto esperava para ver qual deles faria o primeiro movimento. Estrela Torta atacou primeiro, mas Garra de Tigre pulou para o lado, escapando. Os movimentos do representante eram mais precisos: ele rodopiou e se jogou sobre as costas de Estrela Torta. Com as garras afiadas, o representante do Clã do Trovão segurou o líder inimigo, imobilizando-o com as longas garras. Coração de Fogo observava a cena sem respirar. Garra de Tigre arreganhou os dentes e avançou, cravando as presas com vontade no pescoço de Estrela Torta.

O guerreiro avermelhado engasgou. Garra de Tigre teria matado o líder do Clã do Rio? O guincho de dor de Estrela Torta indicou-lhe que o representante não acertara a espinha do inimigo, mas aquele golpe acabava de pôr fim à batalha. Garra de Tigre soltou o adversário, que correu, aos gritos, para a entrada do acampamento. Assim que a cauda de Estrela Torta desapareceu, seus guerreiros abandonaram a luta e dispararam atrás dele.

Num tique-taque de coração, o silêncio abateu-se sobre o acampamento do Clã do Vento. Ouviam-se apenas os uivos do vento sobre os tojos. Coração de Fogo olhou em volta. Os guerreiros do Clã do Trovão estavam cansados e machucados, mas os do Clã do Vento pareciam ainda em piores condições. Todos sangravam e alguns jaziam imóveis no solo gelado. Casca de Árvore, o curandeiro, não perdeu tempo. Foi de gato em gato tratando-lhes as feridas.

Mancando, o sangue pingando do rosto, Estrela Alta aproximou-se de Garra de Tigre. Olhando o líder do Clã do Vento, Coração de Fogo se lembrou do sonho de algumas luas atrás, em que vira a silhueta de Estrela Alta contra um fogo brilhante, como um guerreiro enviado pelo Clã das Estrelas para salvá-los. "O fogo vai salvar o clã", fora a profecia de Folha Manchada. Mas ao olhar para os gatos do Clã do Vento, exaustos e arrasados, Coração de Fogo se perguntou se o sonho não o havia induzido a erro. Como poderiam aqueles felinos representar o fogo que o Clã das Estrelas prometera que os salvaria? Com certeza, fora o Clã do Trovão que salvara o Clã do Vento... mais uma vez.

Estrela Alta murmurava alguma coisa para Garra de Tigre, mas Coração de Fogo não conseguia escutar, embora imaginasse, pela cabeça baixa, que Estrela Alta estava reconhecendo a dívida para com o Clã do Trovão. Garra de Tigre, sentado e ereto, aceitou o cumprimento de cabeça erguida. O jovem guerreiro sentiu uma onda de revolta pela arrogância do representante. Jamais esqueceria que ele se mantivera a distância, apenas observando, enquanto Pelo de Leopardo quase o fazia em pedaços.

– Aqui – a voz suave de Pele de Salgueiro sacudiu os pensamentos de Coração de Fogo, oferecendo-lhe um punhado de ervas medicinais. O guerreiro ronronou em agradecimento quando a gata começou a espremer o suco das ervas nas marcas de mordida de seus ombros. O suco ardia, mas o cheiro o levou de volta a outro tempo, com Folha Manchada. A curandeira lhe dera a mesma erva para tratar Presa Amarela, muitas luas antes. À medida que o odor se espalhava, Coração de Fogo se lembrou do sonho da véspera. "Tome cuidado com o guerreiro... " Folha Manchada o alertara. Tomar cuidado com um guerreiro?

De repente, a verdade lhe surgiu como um vento gelado. Não era com Listra Cinzenta que devia ter cuidado, mas com Garra de Tigre! Como pudera suspeitar do amigo, quando sabia tão bem do que o representante era capaz? Naquele momento teve a certeza de que Pata Negra falara a verdade, fosse qual fosse a opinião de Estrela Azul. Considerando o desempenho do representante naquele dia, Coração de Fogo se deu conta de que Garra de Tigre poderia ter facilmente assassinado Rabo Vermelho e partido, sem remorso.

– Você lutou bem, Coração de Fogo – disse Vento Veloz, interrompendo-lhe os pensamentos. O gato malhado de marrom piscava calorosamente para o guerreiro. – Vou me assegurar de que Estrela Azul fique sabendo – prometeu.

– É verdade – concordou Pele de Salgueiro. – Você é um grande guerreiro. O Clã das Estrelas vai honrar a sua bravura. – O gato olhou para eles, as orelhas comichando de prazer. Era um alívio sentir-se de novo parte do clã.

De repente, o pelo de Coração de Fogo se eriçou. Risca de Carvão atravessava a clareira, indo na direção de Garra de Tigre. Sentou-se atrás de Estrela Alta e esperou o líder do Clã do Vento ir embora. Depois, inclinando-se, cochichou alguma coisa para o representante. Os dois guerreiros, então, puseram-se a olhar para o gato avermelhado.

Ele viu, pensou Coração de Fogo, tonto de horror. *Ele me viu deixar Arroio de Prata ir embora.*

– Você está bem? – perguntou Pele de Salgueiro.

O gato percebeu que estava tremendo. – S-sim, desculpe. Estava apenas pensando. – Garra de Tigre, sorrateiro, se aproximava, os olhos brilhando com rancorosa satisfação.

– Bom, se você tem certeza disso, vou ver os outros.

– Claro, tudo bem, obrigado.

Pele de Salgueiro pegou as ervas e se foi, seguida por Vento Veloz.

Garra de Tigre abaixou as orelhas, crispou os lábios num esgar e soltou um rosnado para Coração de Fogo: – Risca de Carvão me disse que você deixou uma guerreira do Clã do Rio escapar!

Coração de Fogo percebeu que não havia o que dizer. Por mais que Listra Cinzenta tivesse dificultado as coisas para ele, por nada no mundo ele denunciaria o amigo para o representante. Teve vontade de gritar que Garra de Tigre ficara apenas observando enquanto um guerreiro do Clã do Rio tentava matá-lo, mas quem acreditaria? Risca de Carvão colocou-se ao lado do representante. Coração de Fogo só ansiava pela sabedoria e pela justiça de Estrela Azul, mas a líder estava muito longe, no acampamento do Clã do Trovão.

Respirou fundo, preparando-se para falar; o representante o encarava, ameaçador. Ocorreu-lhe, então, que a deslealdade que cometera para ajudar o amigo em nada importava para Garra de Tigre; era outro o motivo da perseguição. Ele ainda temia o que Coração de Fogo ouvira de Pata Negra a respeito da morte de Rabo Vermelho, havia tantas luas. No entanto, ao contrário de Pata Negra, ele não se deixaria intimidar. Olhou para o representante e rosnou, desafiando-o: – Ela escapou, sim, como Estrela Torta escapou de você. Qual é o problema? Você queria que eu a matasse?

A cauda do veterano bateu com força no chão frio. – Risca de Carvão disse que você nem sequer a arranhou.

Coração de Fogo levantou os ombros. – Talvez ele devesse correr atrás dela e perguntar-lhe se isso é verdade!

Risca de Carvão parecia pronto para retrucar, mas Garra de Tigre falou antes: – Não é necessário. Ele também me disse que seu amigo cinzento foi atrás da gata. Talvez *ele* saiba se ela ficou arranhada.

Pela primeira vez desde o início da batalha, Coração de Fogo sentiu o vento gelado. O brilho nos olhos de Garra de

Tigre era uma ameaça velada. Será que o representante adivinhara o amor de Listra Cinzenta por Arroio de Prata?

Coração de Fogo ainda procurava a resposta quando, esgueirando-se pela entrada do acampamento, surgiu Listra Cinzenta.

– Vejam quem está de volta! – disse o representante com desdém. – Você quer perguntar a ele como vai a tal gata? Não, espere, posso adivinhar a resposta. Dirá que não conseguiu alcançá-la. – Sem se dar ao trabalho de disfarçar o desprezo, Garra de Tigre se afastou, seguido de Risca de Carvão.

Coração de Fogo olhou para o amigo, cujo rosto estampava cansaço e preocupação. Atravessou a clareira e foi ao encontro dele, imaginando se ainda estaria ressentido por causa de sua interferência. Estaria zangado por ele ter tentado atacar Arroio de Prata, ou agradecido por tê-la deixado partir?

Listra Cinzenta permaneceu em silêncio, a cabeça baixa. Coração de Fogo se acercou e, gentil, tocou-lhe o corpo gelado com o nariz. Listra Cinzenta ronronou e, erguendo a cabeça, olhou para o amigo. Seus olhos estavam tristes, mas já não traziam nenhum vestígio da raiva que Coração de Fogo vira neles nos últimos tempos.

– Ela está bem? – sussurrou Coração de Fogo.

– Está. E obrigado por deixá-la ir.

O guerreiro avermelhado piscou para ele: – Fico feliz por ela não ter se ferido.

Listra Cinzenta encarou o amigo por um momento, depois miou: – Coração de Fogo, você estava certo. A batalha não foi fácil. Senti como se estivesse lutando contra os companheiros de Arroio de Prata, e não contra guerreiros inimigos. – Abaixou os olhos, envergonhado. – Mas ainda assim não consigo desistir dela.

Essas palavras preocuparam Coração de Fogo, mas nem por isso ele deixou de se compadecer do amigo. – Esse assunto você vai ter de resolver sozinho. Não cabe a mim julgar suas atitudes. – O gato cinza olhou para ele. – Qualquer que seja a sua decisão, Listra Cinzenta, serei sempre seu amigo – completou Coração de Fogo.

Listra Cinzenta o fitou com alívio e gratidão. Depois, sem nada dizer, os dois guerreiros deitaram-se, lado a lado, na clareira que não conheciam. Pela primeira vez em muitas luas, se aconchegaram em sinal de amizade. Acima de suas cabeças, os tojos pesados por causa da neve ofereciam um abrigo temporário contra a tempestade que rugia no céu.

Este livro foi composto na fonte Minion e impresso
pela gráfica Santa Marta, em papel Lux Cream 60 g/m², para a
Editora WMF Martins Fontes, em novembro de 2024.